D1722994

LYONNAIS
SAVOIE
ROMANS

Raymond Oursel

Photographies inédites de Zodiaque

LYONNAIS,
BUGEY ET

DOMBES,
SAVOIE
ROMANS

MCMXC ✠
ZODIAQUE
la nuit des temps

PRÉFACE

Dans la France romane entreprise dès le début de cette collection, voici trente-cinq ans et demi déjà, quelques ultimes régions restent inexplorées. Notre dessein, on le devine, est, si Dieu le veut, de mener à bien l'anthologie en cours et de donner ainsi une première idée assez exacte des richesses peu communes de notre pays, durant l'époque romane.

Entre la Bourgogne et la Provence, entre la Bresse et les Alpes, une vaste région s'étend, que nous avons prévu de répartir sur deux volumes.

Le premier, que voici, embrasse la partie Nord, c'est-à-dire le Lyonnais, la Dombes, le Bugey, la Savoie.

En la plupart des églises présentées dans ce livre, deux parties se voient plus richement ornées : les portails et les chœurs. Il y a là, bien entendu, intention voulue, délibérée.

Dans saint Jean, le Christ lui-même l'affirme : «En vérité, en vérité, je vous le dis, je suis la porte des brebis... Je suis la porte : si quelqu'un entre par moi, il sera sauvé, il entrera, il sortira et trouvera un pâturage». On conçoit que, dès lors, une insistance particulière marque le portail, souvent associé à la figure du Christ en gloire ou à celle de l'Agneau.

Quant au chœur, c'est le lieu saint par excellence, le sanctuaire. Souvent sobre à l'extérieur, il est, à l'inverse, orné d'arcatures à l'intérieur, non seulement à Saint-Martin d'Ainay, Belleville-sur-Saône ou Beaujeu, mais en maints édifices modestes de la Dombes. Visiblement, le lieu du Sacrifice de l'autel, de la présence sacramentelle du Christ sous les espèces eucharistiques a incité à user d'un traitement de choix qui en marque la prééminence absolue sur le reste de l'église.

Ainsi, en ces monuments, la plupart du temps modestes, édifiés en des villages ou de simples bourgades, la foi des bâtisseurs romans s'exprime-t-elle clairement : la fonction des bâtiments est, d'abord, d'affirmer la finalité sacrée imprimée au lieu et d'aider le fidèle qui y pénètre à profiter de cet avant-goût de sa vie future, qu'il lui est donné d'entrevoir dans cette image matérielle de la réalité céleste à laquelle, ici-bas, jour après jour, il se prépare.

N O T E

    Les planches en noir et blanc de cet ouvrage, comme du reste toutes celles des livres de cette collection et la quasi-totalité de ceux de notre édition, ont été réalisées en héliogravure.

    Cette technique, seule, permet d'atteindre à une telle intensité et profondeur des noirs, à un tel rendu des ombres et des lumières, à une restitution aussi parfaite du grain de la pierre, du relief des masses.

    C'est pourquoi, en dépit de son coût relativement élevé, nous lui restons fidèles, bien qu'elle soit peu à peu abandonnée par presque tous les éditeurs d'art.

    Nous nous permettons de signaler le fait à nos lecteurs. L'héliogravure à feuilles, sauf miracle, semble condamnée à plus ou moins brève échéance. Il nous semble inadmissible que cela puisse se produire dans l'indifférence générale. La qualité devrait l'emporter sur toute autre considération et la disparition d'une telle technique d'impression représenterait une perte irréparable.

    Nous tenons à remercier les imprimeurs qui, par amour de leur métier, résistent courageusement aux engouements de la mode et aux facilités tentantes de ce que l'on présente comme progrès.

TABLE

Témoignages préromans

Le premier art roman méditerranéen

Les basiliques

Synthèses sculpturales

L'acheminement gothique

Lorsque le noble personnage Humbert, sire de Beaujeu, s'en revint récemment des contrées transmarines de l'Orient, il a été accueilli avec une telle allégresse par toute la terre qui nous est adjacente, que j'aurais à peine pu le croire si, revenant moi-même peu après d'un voyage, je n'en avais été le témoin oculaire. Le clergé se réjouissait, les moines étaient en liesse, les bourgeois exultaient, tous ceux qui, jusqu'alors, avaient accoutumé de devenir les proies des bandits et la nourriture des loups, les paysans, les cultivateurs, les pauvres, les veuves, les orphelins, bref, tout le peuple, se félicitaient si fort qu'ils parvenaient mal à se contenir... Toute cette terre qui s'interpose entre Saône et Loire, inondée comme d'une nouvelle lumière de paix, se trouvait en joie!

(Pierre de Montboissier, *Lettre au pape Eugène III*)

A cette cité de Lyon, nourrice et mère de philosophie, l'antique usage et le bon droit ecclésiastique décernent à bon escient le premier rang de toute la Gaule.

(Odilon de Mercœur, *Vie de saint Mayeul, abbé de Cluny*)

La province qui a été confiée à la générosité de ta sainte âme était supérieure en dignité ecclésiastique à toutes les églises des Gaules.

(Pierre de Montboissier, *Lettre à l'archevêque de Lyon Pierre*)

Le climat de cette province est doux et parfaitement beau, ayant du côté de matin les montagnes de Revermont et du Bugey, et du soir celles du Mâconnois, Beaujollois et Lyonnois, dont l'aspect est très-agréable. Le terroir est des plus gras et des plus fertiles. Ce ne sont que petites collines, que prairies, que vignes, que champs ensemencés, forêts et étangs, qui fournissent en abondance les choses les plus nécessaires à la vie.

(Samuel Guichenon, *Histoire de la Souveraineté de Dombes*)

Ah, que nous a-t-il été donné de nous retrouver réunis encore une fois, ami, sur un sommet du monde !

(Guido Rey, *Alpinisme acrobatique*)

LES

1

DONNÉES DE LA TERRE

Le présent livre embrasse la totalité des trois départements du Rhône, de la Savoie et de la Haute-Savoie, plus celui de l'Ain à l'exception de la Bresse qui en occupe le Nord, et dont le patrimoine roman a fait l'objet d'un chapitre spécial de la Franche-Comté romane antérieurement publiée. Pour une étude d'archéologie romane, le choix d'un tel cadre administratif, qui ne remonte qu'à la Révolution française, peut sembler saugrenu. Que personne cependant n'aille imaginer qu'il réponde à quelque préoccupation ou arrière-pensée purement commerciale de combler la lacune territoriale qui, dans la collection *la nuit des temps,* sépare la Bourgogne et la Franche-Comté d'une part, les Alpes du Sud, la Provence, le Velay déjà traités d'autre part; et en attendant, surtout, la publication des ouvrages très attendus de MM. Guy Barruol sur le Dauphiné, et Robert Saint-Jean sur le Vivarais : grâce à quoi, de l'Ile-de-France à Marseille et à la Côte d'Azur, tout le Sud-Est de la France aura été couvert sans discontinuité, et selon un pluralisme de recherche et d'écriture qui aura garanti l'objectivité, la diversité et les multiples intérêts de l'enquête.

La figure cartographique ainsi obtenue n'est d'ailleurs pas inélégante en soi, ni même, du sévère point de vue de l'archéologie, tout à fait illogique. Elle s'ordonne en deux noyaux inégaux réunis par un isthme étroit, qui s'étend des confins méridionaux de Bour-en-Bresse, au Nord, à Lagnieu, au Sud. Le district occidental, débordant sensiblement la crête des monts du Lyonnais et du Beaujolais, est jouxté au Nord par la Bresse (ou, si l'on préfère, par la RD.79 de Mâcon à Bourg, qui sépare à peu de kilomètres près la Bresse burgienne de la Dombes); on l'a, au Midi, arrêté sur le cours du Rhône, que ne dépassait pas le Lyon de l'époque romaine, et sur lequel s'alignait, de l'autre côté, le Dauphiné de Viennois. Ainsi embrasse-t-il en premier le Lyonnais proprement dit : versant oriental des monts, terrasse de Chaponost-Craponne, confluent de la Saône et du Rhône, Beaujolais en son entier, et, par-delà la Saône, les fonds de la Dombes. A l'Est du couloir de Pont-d'Ain – Ambérieu – la Valbonne s'épanouit le triangle irrégulier trois fois plus vaste qui, prenant en écharpe, au Nord, les monts du Jura, s'arrête à l'Est sur la frontière italienne, et qu'au Sud et au Sud-Ouest borde sans intermédiaire le Dauphiné de la montagne et des Terres froides. Il englobe donc le Bugey, avec le pays de Gex et l'apophyse appelée «Petit Bugey» ou Bugey savoyard, et, surtout, la quasi-totalité de l'ancien duché de Savoie, qui ne s'était pas constitué sans labeurs ni vicissitudes historiques en ces zones tourmentées, mais qui, peut-être, tient justement d'eux sa robuste individualité.

Sans exagération, il est permis de constater que, du Couchant au Levant, se juxtaposent et souvent s'entremêlent toutes les roches et les sols, tous les faciès et paysages dont, pour l'enchantement des visiteurs étrangers, est composée la marqueterie française; ces côtoiements et, parfois, ces compénétrations et enchevêtrements n'ont pas été sans conséquences, non seulement sur l'appareil et la structure des églises romanes, tributaires de la roche la plus proche, donc la moins onéreuse et malaisée à transporter, mais sur leur physionomie et leur couleur, donc sur leur originalité et leur attrait spécifique : on croit l'avoir suffisamment montré pour cette perle bressane qu'est l'église de Saint-André de Bâgé (*Franche-Comté romane*, p. 281-282), et l'on découvrira chemin faisant bien d'autres exemples. Il est à peine paradoxal (et l'archéologie romane ne foisonne-t-elle d'ailleurs pas de paradoxes?) d'assurer que cette hétérogénéité même offre au grand territoire en cause son premier ferment d'unité. A schématiser peut-être un peu trop une organisation géologique et géographique plus complexe, il présente en effet l'image d'une cuvette ou d'un plat creux dont les deux bords, relevés, sont de souche granitique, et le fond, rempli successivement par les couches sédimentaires plus récentes, de l'ère secondaire au quaternaire. Mais un abrégé descriptif de chacun des terroirs qu'il enclôt mettra en évidence que la rigueur de ce principe structural doit être, à la façon des actes parlementaires (voire conciliaires), tempérée de quelques amendements.

Ainsi n'y a-t-il, quant aux aspects topographiques et à commencer par là, que peu de points communs entre les granites hercyniens du Haut-Lyonnais et du Beaujolais et ceux qui, déchiquetés jusqu'à crever le ciel et métamorphisés, resurgissent avec une violence quasi volcanique des chaos des Alpes internes. Nul n'ignore que les deux premiers, à la suite l'un de l'autre, constituent la pointe extrême de la branche orientale du V hercynien, môle puissant qui enclôt la grande Arvernie antique et auquel on croirait que, de parcelle en parcelle, tout l'hexagone français est venu s'amarrer. Parodiant un adage quelque peu éculé, on pourrait admettre que ce qui les divise, ou du moins les distingue, est aussi fort, sinon plus, que ce qui les unit. De consistance géologique tout à fait semblable, d'où les phénomènes volcaniques sont à peu près absents, ils offrent les mêmes topographies de dômes, de calottes, de pyramides parfois, aux formes généralement douces comme un *andante* musical, aux crêtes et versants tapissés de forêts que les replantations récentes de résineux néfastes aux couleurs, aux horizons étendus, à la merveilleuse mobilité saisonnière d'autrefois, assombrissent d'année en année davantage, et dont elles ont radicalement transformé la mélancolie traditionnelle et les souffles de sortilèges par l'opacité d'une nuit sans étoiles; dans le même temps, on les voit absorber sans pitié les landes de genêts, de fougères, de digitales et de bruyères au-dessus desquelles planaient les oiseaux de proie en orbes interminables, et que, mêlés aux voiles blancs furtifs des fées en sarabande, parcouraient les songes et les contes échevelés.

Quelques pierres folles amassées sur un faîte et qui retiennent l'érosion, le détour d'un sentier labouré d'ornières, et il n'en faut pas plus pour que, par les jours les plus limpides des veilles ou lendemains de pluie, jaillisse au-dessus de la plaine et des tables du Jura barrant l'horizon du Levant, le collier diamanté des aiguilles et des glaces du Mont-Blanc, de la Vanoise et de l'Oisans qui se perdent, là-bas, dans les vapeurs montées du Midi. Avec une puissance d'expression saisissante, la vallée de la Saône – l'effondrement du lac bressan des géographes – s'y révèle telle que, depuis l'époque préhistorique, toutes les générations humaines l'ont exploitée, couloir de trafic et véhicule de civilisation réparti en deux branches convergentes et animées : le grand chemin d'Allemagne courant de bosse en bosse le long du Revermont – le «revers des monts» jurassiens –, et la vieille chaussée Agrippa doublée par les «charrières» d'outre la rivière et d'âge en âge réempierrée. Et la métropole lyonnaise, de ces hauteurs immuables, se déploie sous leurs pieds comme le «confluent» prédestiné de toutes les Gaules, comme le conservatoire de civilisations où s'étreignent en symbiose le mystère des traboules et l'ouverture aux autres mondes, le provençal et l'auvergnat des incrustations de la roche, l'alpestre et l'italien hérissé de tours et percé de *loggie,* l'allemand aux basiliques colossales : carrefour auquel conduit sûrement à travers la plaine ingrate et encombrée de lônes l'étoile des plus vieux chemins, et que surveillent côte à côte, les yeux mi-clos et réconciliés dans une unique faction assoupie, les vestiges romains et le haut lieu marial de Fourvière. Par certains crépuscules incendiés des hivers de gel, tous les signes terrestres s'abolissent sous les moutonnements de la mer de nuages aux trous d'ombre grisâtres, et il ne reste plus, à l'un et l'autre bord de cette houle malsaine, qu'une réémergence de la solidarité cosmique nouée, avant l'apparition des hommes, entre l'émersion des granites alpins sous leurs carapaces de neige rosies par le soleil couchant et l'alignement symétrique des socles hercyniens qu'elle avait lentement réveillés et rajeunis, et que brunit le contre-jour.

L'un et l'autre massifs sont pareillement coupés en deux moitiés à peu près égales par les profondes entailles des deux vallées, presque perpendiculaires entre elles, de la Brévenne et de l'Azergues, affluent de la Saône à laquelle, en fin de course, elle apporte un peu de son impétuosité et de son parfum montagnard. Issue des hauteurs ventées du seuil de Chazelles, la première coule d'abord à l'aise dans le bassin large et frais de l'Argentière, puis s'enfonce dans un étroit goulet creusé parmi les escarpements de granite, selon un axe invariable Sud-Ouest – Nord-Ouest tout à fait conforme à la tectonique générale des monts du Centre. C'est dire que, pour la desserte routière de l'arrière-pays lyonnais, son utilité est à peu près nulle, d'autant plus que la sépare du confluent et de la vallée rhodanienne une chaîne d'altitude moyenne, certes (934 m au Signal de Saint-André), mais malaisément franchissable par des cols élevés et tortueux, peuplée de villages fiers à l'épreuve des intempéries, et dont l'autarcie jalouse, la résistance conservatrice ont trouvé largement à s'exprimer lors des contre-révolutions sporadiques de l'an II au Consulat.

La Brévenne conflue, à l'Arbresle, avec l'artère principale du Lyonnais-Beaujolais qu'est l'Azergues. Celle-ci, née sous le col des Écharmeaux (720), roule selon un axe Nord-Ouest – Sud-Ouest, et son cours est exactement inverse du précédent, en ce que, d'abord encaissé, sinueux, tout embaumé de senteurs de bois et de résines, il s'épanouit à partir de Létra et Ternand en un large bassin où, vers Chessey et Châtillon, reparaissent comme des particules de soleil les magnifiques calcaires jaunes du Brionnais outre les monts, avant que l'obstacle du Mont d'or lyonnais ne le force à rebrousser chemin vers le Nord, où l'Azergues conflue avec la Saône à Anse, relais sur la chaussée Agrippa de Lyon au Rhin. Il semble que la vallée, vrai poumon d'oxygène des Lyonnais, ait été remontée de bout en bout par une route romaine qui, franchissant la montagne au col des Écharmeaux, ralliait ensuite, sous son étiquette médiévale de Grand Chemin, la ville-carrefour de Bois-Sainte-Marie, puis peut-être, comme terme ultime, Autun. Son importance routière s'augmentait de l'heureuse conjoncture géographique et hydraulique qui faisait diverger en deux axes opposés, Est et Ouest, les sillons drainés par les torrents de l'Ardières d'une part, du Botoret de l'autre. Ces vallons adverses étaient, au moins depuis le Moyen Age, empruntés par le Grand Chemin, d'origine au moins médiévale qui, monté de la Saône et de Beaujeu, croisait le précédent au col, puis descendait sur Chauffailles où il paraît s'être divisé en deux branches : l'une ralliant au plus direct Marcigny et les ports brionnais de la Loire, la seconde gagnant le prieuré clunisien de Charlieu, carrefour que traversait le «Grand Chemin français» de Lyon au Brionnais par le col du Pilon. A côté de pareils cheminements, la chaussée de *Ludna* (près Belleville) aux Angerolles où elle rejoignait la *Via Regia* de Cluny à Bois-Sainte-Marie, ne se prévalait peut-être pas de l'importance qu'on lui prête parfois.

De toute manière, ces diverses percées routières n'ont pas été sans quelque incidence sur l'expansion monumentale des temps romans. Par elles pourraient d'abord s'expliquer la brusque et sporadique résurgence, à Taponas ou à Vernay, proches de Belleville, des formes du premier art roman méditerranéen, au cœur d'un district soumis à de tout autres rayonnements, et peut-être leur poussée jusqu'en plein Brionnais, à Anzy-le-Duc; puis quelques détails spécifiquement lyonnais et antiquisants, tels les frontons triangulaires encadrant des baies qu'on retrouve au clocher de l'église de Châteauneuf, débouché de la route des Écharmeaux; enfin les similitudes stylistiques non négligeables qui unissent, par-dessus les monts, certaines sculptures tardives du Brionnais, par exemple les consoles de pilastres du chœur de l'église de Semur, et celles de Saint-André-le-Bas, à Vienne. Sans omettre, dans une autre direction, les parentés non moins réelles qui unissent certaines églises brionnaises de la façade ligérienne à celles du Forez et du Velay, ni, surtout, et selon l'axe routier transbeaujolais du col des Écharmeaux, la transmission jusqu'en Dombes d'un certain esprit décoratif issu de la même région.

Nouvelle différence entre les deux massifs : leur versant oriental. Du col de la Grange du Bois sur Solutré, par où les bois, précisément, des hautes futaies beaujolaises étaient charroyés vers la Loire, jusqu'à la trouée de l'Azergues, les monts de granite s'effondrent soudainement sur la Saône en des perspectives abruptes, ne laissant entre eux et la rivière qu'un mince couloir sillonné jadis par la chaussée Agrippa, et dégageant des pentes gréseuses où s'accrochent les villages viticoles à la coloration rose caractéristique. De la ville d'Anse vers le Sud, au contraire, la montagne bat en retraite par de larges ondulations presque totalement désertes, qui laissent entre leurs resserres et le Rhône une large terrasse, et permettent même, au Nord-Ouest de la vieille Primatie, l'insertion des deux dents escarpées du revêtement calcaire partout ailleurs aboli, que représentent le Mont Cindre et le Mont Thou, avec leur profil typique en crête de coq inséparable du paysage lyonnais et visible de toutes parts. Le Lyonnais romain allait chercher aux sources des monts, et jusqu'au Pilat, ses eaux conduites par aqueducs, dont les vestiges confèrent au plateau du Sud-Ouest une allure de campagne romaine. Des bourgs fortifiés surveillent les passages : Riverie, Mornant, et côtoient les trois églises romanes, encore parfumées de l'haleine des Monts du Centre, de Châteauvieux d'Yzeron, Saint-Vincent-d'Agny et Taluyers, ancienne priorale clunisienne.

☆

Franchir la Saône entre le port de Thoissey, qui appartenait à Cluny depuis 946, et les approches septentrionales de Lyon, c'est changer sans préavis d'univers. Limitée à l'Ouest par la rivière, à l'Est par l'Ain (le vocable exact est : « Rivière d'Ain »), affluent direct du Rhône ; bordée, face aux deux cours d'eau adverses, par des « côtières », simples bandes de sol légèrement enflé, dont l'altitude ne dépasse guère qu'en un point les 300 m, mais qui l'isolent des vallées, terroirs et villes avoisinants et de leur animation parfois intense, c'est, à l'intérieur d'un grand anneau forestier qui en accroît encore le retranchement, une terre étrange et sans équivalent en France, sauf peut-être la Camargue, mais avec une lumière toute différente. Plus exactement, sur toute la surface de cet ancien épandage glaciaire, la terre meuble de limons et de sables et l'eau résiduelle s'y compénètrent si étroitement que le pas glisse sans presque s'en apercevoir de l'une à l'autre et risque l'enlisement. De gigantesques travaux de drainage et d'assèchement ont dans le cours des âges refoulé peu à peu les eaux stagnantes, qui ont progressivement disparu du secteur occidental, toujours sanctifié par le souvenir poignant du saint curé d'Ars : de telle sorte que, de son aspect actuel de parc anglais à la Bresse qui le borde au Nord, la transition est quasiment insensible. Mais, dans toute la zone orientale, la photographie aérienne, voire une simple carte Michelin, révèlent beaucoup mieux encore que le parcours terrestre à travers les chemins et les sentes humides un véritable criblage d'étangs sans nombre, un paysage de champ de bataille aux trous d'obus inondés, duquel émergent comme des îlots les rares sites habités.

Il fallait sans doute quelque bonne volonté à l'historiographe bressan Samuel Guichenon pour y reconnaître, sous un «climat doux et parfaitement beau», un «terroir des plus gras et des plus fertiles», où «ce ne sont que petites collines, que prairies, que vignes, que champs ensemencés, forêts et étangs, qui fournissent en abondance les choses les plus nécessaires à la vie» (*Histoire de la Souveraineté de Dombes,* tome 1, p. 5). Les étangs et leurs rives indécises, brouillées de roseaux d'où s'échappent les coassements de multiples grenouilles, et dans le secret desquels se donnent rendez-vous toutes les espèces d'oiseaux aquatiques, hérons, cygnes, canards sauvages, poules d'eau, s'y confondent dans des horizontales absolues, sous les ciels fantasques parcourus de nuées et les crépuscules rouges, que traverse soudain une escadre de migrateurs au vol tendu. Pas une roche n'y affleure, mais la construction utilise et dispose en rangées et en chevrons, coupés parfois de lits de pierre très minces, les galets arrondis, rabotés et lustrés pris sur place, concurremment avec le pisé de la Bresse burgienne et la brique, membrée ou non : variété d'indigence qui, dans ces cadres à la fois clos et sans limites, concourt à l'envoûtement mélancolique et méditatif que ceux-ci sécrètent à qui accepte de s'en laisser étreindre.

Comprise dans le territoire de la tribu gauloise des *Ambarri,* qui s'étendait sur le Beaujolais, la Dombes semble avoir été quelque peu laissée pour compte par les conquérants romains. L'un des signes les plus probants de cette carence est, d'une part, la rareté des vestiges conservés ou exhumés, et, d'autre part, le fait qu'aucune chaussée importante ne la traversait ou n'en assurait la desserte. Balayée par les invasions, ballottée au gré des partages politiques, elle demeura pour ainsi dire en jachère durant toute l'époque préromane ; les fameuses et énigmatiques mottes castrales dont elle est constellée, et qui restèrent en usage jusqu'à l'expansion romane n'avaient, autant qu'on sache, de fonction que militaire et ne traduisent semble-t-il, qu'une occupation sociale limitée. Il est plus significatif encore que l'expansion monastique l'ait pratiquement négligée, à la différence du Revermont et du Bugey limitrophes, où fleurissaient les abbayes de Nantua, de Saint-Rambert, d'Ambronay. C'est Cluny, suivi par le chapitre de Saint-Paul de Lyon, qui s'assura le premier quelques points d'appui parmi les marais ; dès l'abbatiat d'Odon de Touraine (927-940), il prenait pied à Ambérieux, Savigneux et Bouligneux ; le judicieux gouvernement du troisième abbé, Aimard, lui acquit l'*ager* et l'église de Chaveyriat, qui fut reconstruite durant l'époque romane parmi la jolie pléiade mise en lumière par M. Jean-Claude Collet, et qui, par la multiplicité de ses points communs et sa simultanéité même, revêt tout à fait l'aspect d'une architecture de colonisation spirituelle. Rien de tel, cependant, ne s'observe dans l'ordre féodal, où, comme une terre à prendre, la «Souveraineté de Dombes» était au Moyen Age littéralement démembrée, non seulement entre les familles de Thoire et de Villars, qui finirent par s'unir, mais entre les Beaujeu, les Coligny, les Bâgé...

☆

A la jointure méridionale des deux mondes, celui du granite primordial et celui des eaux rêveuses, des «brotteaux» et des «lônes», Lyon capitale, qui en est tributaire, rayonne sur eux et les rassemble avant la plongée de son fleuve vers les Midis miroitants. A ses approches, les deux côtières de la Dombes fusionnent en une presqu'île effilée où se tapissent dans un affût inutile de vieux forts démantelés, et sous les flancs de laquelle glissent, comme aspirés l'un par l'autre avant l'étreinte nuptiale chantée par les poètes, le Rhône fougueux et la Saône, qui n'est pas toujours «aussi incroyablement lente» qu'on ne l'a vue et dépeinte : le fier taureau bouillant de colère et la matrone aux réflexes encore vifs !

Avant qu'une pollution multiforme, préfigure des tableaux de l'Apocalypse, ne vînt réduire les vivants contrastes d'une nature encore vierge et respectée par les hommes, leurs eaux surtout les distinguaient : légères et écumeuses pour le Rhône, d'un vert bleuté qui semblait porter aux collines lyonnaises le souffle et le message des glaciers et des sapins de la source ; lourdes, pour la Saône, de tous les limons charriés depuis les Vosges en particules visibles à l'œil nu, et d'un vert profond, tirant sur un brun jaunâtre à la moindre crue. Jadis, et jusqu'à une époque relativement récente, la rencontre s'effectuait, après une majestueuse «volte» de la Saône vers l'Est, sous la pointe même de la colline escarpée que les chrétiens baptisaient «Croix-Rousse», mais que les Gaulois, tout naturellement dénommaient Condate, le confluent. La presqu'île actuelle d'Ainay et de Perrache n'était qu'une île à fleur d'eau ; sur elle tombait à pic, de l'autre côté de la Saône, la colline en arc de cercle de Pierre-Scize-Fourvière. Là, face aux Alpes d'Italie qui apportaient au conquérant romain des bouffées de l'air de son pays, le légat Lucius Munatius Plancus établit la «Colonie» dont le génie de l'empereur Auguste, et surtout de son gendre, l'administrateur Agrippa, fit la «tête des trois Gaules» (Province, Aquitaine, Gaule chevelue, qui convergeaient sur le confluent comme les fleuves), ou, comme l'écrit bellement Ammien Marcellin, «l'*exordium Galliarum*». La chrétienté devait ratifier ce titre, et ne destitua jamais Lyon de son rang de Primatie des Gaules, illustrée par la légion de ses martyrs authentiques.

A Condate, l'un des beaux-fils de l'empereur, Drusus, institua en l'an 12 avant Jésus-Christ le culte de Rome et d'Auguste, et fit ériger un autel géant dont les colonnes, sciées en deux, allaient soutenir bien des siècles plus tard la superbe coupole de l'abbatiale d'Ainay ; non loin de là, une inscription découverte en 1958 a identifié l'amphithéâtre offert par le «prêtre de Rome» Caïus Julius Rufus, et dans lequel les saints fondateurs de la chrétienté lyonnaise moururent pour le Christ en l'an 177 ; il n'est pas abusif de constater que toute la Gaule rhodanienne, le val de Saône et la Bourgogne furent fécondés par leur sang.

Les plus impressionnants monuments de la Rome impériale avaient été cependant érigés sur les pentes de la colline de Fourvière : un grand théâtre de plus de 10.000 places, un Odéon qui, avec ses 3.000 places, comptait parmi les plus considérables de tout l'Empire ; et le patrimoine chrétien qui prit la relève ne devait pas être moins riche ni moins significatif. Avant même la fin de l'Empire romain, ce prestige subit cependant une éclipse; la menace barbare détrônait Lyon au profit de Trèves, et la réforme administrative et territoriale de Dioclétien (284) démembra en quatre l'unique province lyonnaise des origines; des déferlements sporadiques de Saxons ou de Francs précèdent dès le IVe siècle l'installation des Burgondes, qui fut, elle, relativement pacifique. Mais, délaissant les hauteurs trop exposées du *Forum Vetus,* la ville s'est déjà repliée sur le quartier Saint-Jean, mieux protégé, à l'Ouest par les abrupts de la colline, à l'Est par la Saône. Bientôt conquise par les Francs de Clovis, bouleversée par les luttes que les Mérovingiens se livrent entre eux, puis soumise aussi bien aux incursions des Hongrois qu'à celles, plus durables, des Sarrasins, laissée à l'Empire par le traité de Verdun de 843, elle sera rattachée au royaume de Boson en 879, puis absorbée dans celui de Bourgogne ou d'Arles jusqu'à la disparition de ce dernier en 1032, où elle redeviendra cité impériale. C'est pourtant au creux de ces siècles obscurs, mouvants et tourmentés que Lyon acquiert ou façonne son triple visage de métropole chrétienne, de cité d'accueil aux portes d'un Sud-Est ravagé et, pour certains de ses territoires, réduits au désert, de carrefour essentiel de l'Europe enfin.

Durant six cents ans d'une grisaille à peine trouée de quelques lueurs, le seul pouvoir stable réside en effet dans l'Église et la lignée des évêques lyonnais qui, à la différence de la plupart des diocèses provençaux et alpins, n'a subi apparemment aucune interruption. Le plus grand nombre d'entre ces prélats ne sont guère que des noms; mais quelques figures émergent. C'est d'abord le grand Irénée qui prend la relève de l'évêque martyr Pothin; grec d'origine, il trouve le loisir, parmi les tâches d'un ministère absorbant et multiple, de s'en prendre à la terrible gnose contre laquelle, dans son traité *Adversus haereses,* il invoque (déjà!) la Tradition encore jeune, dont le successeur de Pierre a été par le Christ Lui-même consacré le garant. La plupart de ses successeurs, de Faustin et Just à Lambert, porteront le titre de «saints». Eucher, dix-septième successeur d'Irénée (435-450), composa plusieurs écrits qui ne sont pas sans mérite : une Passion des saints martyrs d'Agaune, qui se lit facilement, un traité *De contemptu mundi,* qui sera traduit au XVIIe siècle par Arnaud d'Andilly. Son successeur direct, Patient, au long d'un épiscopat de quarante années, s'impose surtout comme bâtisseur, et, à ce titre, méritera les compliments de son confrère auvergnat, le lettré Sidoine Apollinaire. Ce n'est cependant ni par les lettres, ni par les arts, mais tout simplement par le témoignage suprême de sa foi et, secondairement, la qualité de son ministère que s'illustre le plus grand évêque lyonnais des temps préromans, saint Nizier. Il fut en ce service, à côté d'un Avit, évêque de Vienne, d'un Didier de Cahors, d'un Quintien de Rodez, l'un de ces *defensores* assimilés corps et âme à la cité dont ils avaient reçu la charge spirituelle et même temporelle, et dont l'image de marque, un peu trop rapidement qualifiée de légendaire, corrige sensiblement la barbarie de fer, de parjure et de sang des temps mérovingiens. C'est un autre témoignage encore que donnera son huitième successeur, saint Ennemond ou Chamond, que le sinistre maire du palais Ébroïn fit assassiner «dans un chemin écarté» du Chalonnais.

L'éclipse de l'épiscopat, sensible du VIIIe au XIe, n'est que la conséquence particulière de l'anarchie générale, des usurpations politiques et ecclésiastiques, de la captation des évêchés par les familles nobles, et de l'espèce d'atonie de sénescence où s'abîme l'Occident, contre laquelle tout effort de redressement est vain. N'ont guère de peine à émerger du marasme quelques personnalités un peu moins falotes, tels Agobard (816-840), qui se voue à tâche d'extirper le paganisme et la superstition toujours vivaces parmi son peuple, et le prédécesseur immédiat de celui-ci, l'ancien bibliothécaire du palais Leidrade, reconstructeur de sa Primatiale et instaurateur du somptueux rite dit «lyonnais», qu'on y célèbre depuis lors. Mais surtout, le temps approche où face à la vallée du Rhône inférieur, en proie à une anarchie et à un désordre que l'occupation du massif des Maures par un clan arabe depuis le dernier tiers du IXe siècle, et les dévastations qui s'ensuivirent portent, si l'on peut dire, à leur comble, Lyon s'imposera comme cité refuge, accueillant même, à ce qu'on raconte, une «colonie espagnole», de qui elle aurait reçu le texte de la Vulgate traduit dans cette langue! Est-ce par elle que, le premier de toutes les Gaules, le diacre lyonnais Florus avait appris et relata dans son célèbre «Martyro-loge» qu'au fond de la Galice, à l'extrême pointe du continent, une étoile nouvelle avait désigné le champs où, dans un sarcophage de marbre, reposait le corps intact de l'apôtre Jacques le Majeur, et que le sacro-saint tombeau y était déjà l'objet d'une dévotion extraordinaire (v. 830)? C'est un transfuge appelé à une plus grande célébrité encore qui, au fort des troubles dont pâtissent la Provence et la région alpestre, accourt de Valensole aux écoles réputées de l'abbaye lyonnaise d'*Insula Barbara,* solidement retranchée dans son île de la Saône. Dans la biographie que l'abbé de Cluny Odilon de Mercœur consacre à ce Mayeul, son prédécesseur immédiat (et non pas, soit dit par parenthèse, pour fabriquer à propos quelque portrait idéal de «moine vierge» (sic), comme voudrait le démontrer aujourd'hui une thèse saugrenue, mais, tout simplement et uniment, parce qu'il avait reconnu en lui le visage et les actes d'un saint), il insère à juste titre un éloge senti à la cité lyonnaise, par lui qualifiée de «nourrice et mère de philosophie», en même temps qu'il lui décerne «le premier rang» dans l'Église de la Gaule entière. Il n'omet pas de rendre hommage au «maître ès arts libéraux Antoine, un homme érudit et sage», sous lequel Mayeul avait étudié à l'Ile-Barbe. Un autre biographe du grand abbé, le moine Syrus, observe qu'«alors, cette cité dépassait toutes les autres alentour»; vise-t-il indirectement Vienne, la grande rivale de Lyon, alors touchée beaucoup plus directement par l'insécurité ambiante, au point que les chartes clunisiennes émanées de ce milieu retentissent de préambules apocalyptiques annonçant la prochaine fin du monde? Elle n'avait pas sa pareille, poursuit-il, «non seulement par l'observance des vertus, mais par le goût des arts libéraux». Elle fut, avait de son côté attesté le diacre Florus, «notre nourrice et notre mère».

Ce ne sont pas compliments de façade ou de convenance. Le Lyon du Xe siècle n'avait pas oublié ses deux illustrations majeures du siècle précédent, Florus précité et Adon. Du premier, l'on a pu écrire qu'il avait été «la plus brillante lumière (du clergé lyonnais) pendant la première moitié du IXe siècle». Canoniste, théologien, liturgiste, érudit en patristique et en Écriture sainte, il composa contre l'hérétique saxon Gottschalk un traité sur la prédestination, et contre Jean Scot Érigène un ouvrage polémique qui reflète le point de vue de l'Église lyonnaise;

il était aussi «poète agréable» (Dr Pétouraud, *Geilon, pèlerin de Compostelle...,* p. 70). Mort peu après 852, Florus avait eu probablement le temps de connaître le non moins fameux Adon qui, après une carrière monastique quelque peu errante, s'était fixé à Lyon entre 850 et 860; c'est peu avant cette seconde date qu'il composa lui-même un Martyrologe inspiré ici et là de celui de son devancier. L'abbé Loup de Ferrières a reconnu que, «dans la ville de Lyon», il avait cultivé à la fois «la passion d'apprendre et l'amour de la tranquillité» qui est, nul ne l'ignore, indispensable à l'épanouissement de l'esprit et des arts. Porté à l'archevêché de Vienne, il mourut en odeur de sainteté en 875.

L'un des éléments les plus actifs du rayonnement lyonnais à cette époque n'était autre que son atelier de copie de manuscrits, auquel, d'ailleurs, Adon lui-même avait recouru pour la confection et la diffusion de son Martyrologe. Ces *scriptoria,* épiscopaux ou monastiques, ne furent pas seulement aux siècles d'un analphabétisme général les instruments d'une sauvegarde de la culture latine partout ailleurs effondrée (la comparaison des chartes préromanes émanées, soit des officines monastiques, soit des scribes au service des *seniores* laïques en témoigne avec, si l'on ose dire, éloquence); ils sont aussi, durant ces mêmes périodes de vie sociale et économique rétractée, d'actifs moyens d'échanges et des véhicules de civilisation. C'est grâce à eux que Lyon demeurait, à la veille de l'essor roman, «une capitale intellectuelle de premier plan et, par conséquent, un poste d'observation remarquable vers lequel affluaient tout naturellement les nouvelles du monde chrétien»; cette autre remarque de l'historien-né qu'était le neurologue lyonnais Charles Pétouraud, l'expérience la confirme chaque jour, en particulier par les mentions de communications de manuscrits d'une abbaye à l'autre, qui, jusqu'à l'invention de l'imprimerie, étaient de pratique courante. Et cette activité constituait déjà comme le reflet le plus fidèle du tempérament lyonnais tel que l'histoire l'a patiemment forgé à partir des données du site : jaloux de soi-même et de sa prérogative si bien discernée par le colonisateur romain, et largement ouvert aux souffles de l'Europe.

Il n'existe pas seulement une certaine homophonie, mais un parallèle subtil de destins entre les deux villes clés du couloir lotharingien que furent Laon et Lyon. Là-bas, au sortir des fourrés et des ravins cataclysmiques du Chemin des Dames, la butte en forme de trépied, repaire farouche de l'ultime puissance carolingienne que vient lécher la plaine germanique, prolongée par l'imagination jusqu'aux burgs des Chevaliers teutoniques où flotterait un jour l'aigle noir de Prusse. Ici, cet observatoire privilégié sur lequel tournoient et se mêlent ou s'affrontent la délicatesse française, l'haleine ardente et enchantée des monts, la force rauque des resserres alémaniques que le Rhône genevois charrie dans ses tourbillons, les virtuoses civilisations de l'Italie proche, par les jours limpides, à presque la toucher. L'ordre monumental le vérifie avec une telle fidélité, un caprice tel, aussi, que pour le géographe, historien ou archéologue qui visite ses églises, ou, du haut de la terrasse mariale, fouille le dédale des toits sur lesquels s'épand la brume des «ciels de suie» (Henri Béraud), confondue aux fumées grisâtres des cheminées, rien n'y est jamais définitif (on croirait déjà voir apparaître en filigrane le dessein du présent aperçu), et les conclusions prématurées ne cessent pas d'être remises en question. Le climat possède, par moments, la chaleur moite du Midi, mais le mistral déferle du Tournugeois, et la bise d'Allemagne. Langue d'oil et langue d'oc se fondent sur ses berges. Les tuiles des toits, les *loggie,* les courettes des anciennes demeures patriciennes sont d'Italie.

«Puis çà, puis là, comme le vent varie»,

des incrustations polychromes, quelques arcs en mitre, venus de Velay et d'Auvergne, viennent caresser de touches furtives les parois et les clochers des églises romanes ; l'étagement des demeures civiles, avec ses petites fenêtres carrées juchées sous les surplombs des corniches, fait penser à Genève, ville sœur et rivale. Les nautes furent grecs et orientaux, mais l'esprit d'entreprise des marchands est frère de celui des Champenois et Flamands. Et le 8 décembre, des illuminations singulières viennent encore transfigurer le réalisme à froid, la parcimonie vétilleuse qui sont le visage superficiel du Lyonnais ; crevant brusquement les façades compassées, elles dévoilent avec un élan inattendu un mysticisme profond qui a sa source dans le sang des martyrs, et que protège la Dame toujours vénérée de Fourvière.

Le génie propre du Lyonnais, qu'il est permis d'étendre à sa région, est bien de n'avoir jamais cherché à amalgamer tant d'apports en une synthèse équivoque, mais d'en respecter la juxtaposition et d'en organiser la symbiose. Le Lyon traditionnel fut la résultante de quatre villes ou quartiers, qui chacun sauvegardèrent leur personnalité spécifique, sans se mêler mutuellement ni se nuire : Fourvière, où la Reine du Moyen Age côtoie miséricordieusement les souvenirs de la grandeur païenne, sans prétendre les absorber ; la cité épiscopale Saint-Jean, serrée dans son étroit espace entre la Primatiale et le quartier de Saint-Paul ; la Croix-Rousse où, parmi le peuple des artisans, s'installeront les chartreux ; l'île enfin, partagée de même entre ses deux têtes, le bourg Saint-Nizier et l'abbaye d'Ainay. Trois des sanctuaires majeurs du Lyon médiéval, basilique d'Ainay, Saint-Paul, cathédrale Saint-Jean, tireront leur principale originalité de l'accolement pur et simple de deux, trois ou quatre parties ou éléments qu'on n'a pas, ou si peu ! cherché à entremêler coûte que coûte, mais qui, chacun, vivent de leur vie propre et coexistent en un tout finalement harmonieux. Comme Lamartine l'écrivait des femmes de ce pays, leur séduction est de décence grave, et cette vertu s'étend alentour à la manière de ces halos rougeoyants qu'on voit, par certaines nuits d'automne, s'effranger jusqu'aux lointains opposés du Beaujolais, des étangs de la Dombes et des solitudes sévères du Bugey.

☆

On jurerait précisément que ces monts du Bugey font tout pour décourager leur approche. Des belvédères beaujolais, tel le col du Fût d'Avenas, on les voit comme une très longue échine sans ressauts ni remous, d'un bleu soutenu, moins impalpable et azuré que les moutonnements du Haut-Beaujolais et du Lyonnais qui caracolent à l'opposé ; et les crépuscules d'automne, qui incendient et parcourent de longues flammes roses la plaine de la Saône et la Dombes, y découvrent des profondeurs insoupçonnées, les assombrissent encore, comme pour mieux soutenir de leur complémentaire l'étincellement orange de l'énorme Mont-Blanc tranchant le ciel. Des hauteurs de Chalamont, c'est un rempart dont la compacité rectiligne, uniformément boisée, absorbe les festons et les rares fissures, mais derrière lequel on devine l'agitation de houles de plus en plus soulevées. Géologiquement et topographiquement, ils ne sont que la suite méridionale de la chaîne, ou plutôt, des chaînons du Jura, que Marguerite Bourcet comparait à un escalier, et, historiquement, de cette Comté de Bourgogne dont la frontière du Sud, issue des abords de Coligny, se superposait un temps à la Rivière d'Ain, puis dessinait un large saillant pour envelopper la «Terre de Saint-Claude». Sur un substrat de calcaire uniforme, c'est un schéma structural d'une régularité parfaite. Au long d'un grand arc de cercle dont la tête est à Montbéliard et la pointe extrême aux Échelles, se juxtapose en une ascension graduelle une alternance d'anticlinaux et de synclinaux, de «crêts» presque totalement déserts et boisés, d'abord de feuillus, puis de résineux – la «Joux» celtique qui a donné son nom à la chaîne –, et de «vaux» épanouis quelquefois en plateaux élevés où s'est réfugiée la vie, sous des climats de plus en plus extrêmes à mesure que s'élève l'altitude en contrecoup de la formidable surrection alpine. «Huit mois de neige, deux mois de vent», affirme le dicton populaire, et un roman véridique du haut pays a pour titre : *La vallée sans printemps*.

De la Comté au Haut-Bugey, la transition est presque imperceptible : des ciels déjà plus vaporeux, un recul sensible des grandes forêts de sapins, indice d'un climat un peu plus sec, qui réduit la pente des toits et substitue bientôt la tuile creuse à la petite tuile plate et à l'ardoise; des crêts plus rapprochés, qui laissent moins d'espace au développement des plateaux et des vaux. D'Ouest en Est, ce sont d'abord la vallée très régulière du Suran, affluent de l'Ain, où s'était gîtée plus au Nord, à l'altitude de 370 m, l'abbaye de Gigny; puis celle de l'Oignin baptisée à bon droit «le Val d'Enfer», celle de l'Ange qui arrose Oyonnax, à l'altitude de 540 m, celle de la Semine, et celle de la Valserine enfin, creusée profondément entre les deux suites des crêts les plus élevés de tout le Jura : à l'Ouest, les Crêts Pela, du Merle et de Chalam (1.645 m), dominant de ses flancs dénudés la belle Combe d'Orval; à l'Est, l'enfilade ininterrompue du Mont Rond (1.534 m), du Colomby de Gex (1.689 m), du Crêt de la Neige (1.718 m), du Reculet (1.717 m), du Grand Crédoz enfin (1.621 m), à la verticale de Belle-garde. C'est, on le sait, dans leur quête assoiffée de la *Beata solitudo* que les cisterciens n'avaient pas trouvé de cadre plus propice que le désert de la Valserine pour y établir, bien à l'étroit encore au sortir du défilé de Sous-Balme, leur abbaye de Chézery.

Nulle part, la montagne n'atteint donc les 2.000 m, mais son glacis compact n'est guère pénétré que par deux «cluses», qui ne l'entament d'ailleurs pas de part en part : au Nord, celle de l'Ain, prolongeant vers l'Ouest celle de son affluent sanclaudien la Bienne; plus au Sud, celle du système Fort-l'Écluse – Nantua, empruntée à son origine seulement par le Rhône et au cœur de laquelle dorment deux lacs aux eaux sombres. La première ne pouvait beaucoup contribuer au désenclavement de la vieille abbaye de Saint-Oyend et aux liaisons du pèlerinage développé autour du tombeau de saint Claude, car, à peine passé Thoirette, le passage venait buter contre les parois infranchissables de Cize, dans lesquelles la rivière d'Ain avait taillé des gorges décourageant d'avance toute possibilité de peuplement. La seconde, un peu moins inhumaine, offrait son parcours sinueux au «grand chemin» de Genève à Lyon, puis contournait tant bien que mal les falaises de Cerdon, avant de s'épanouir à l'aise dans le large bassin de la Valbonne. Ce n'est pas hasard si, à son premier débouché, puis sur les toutes premières pentes du Revermont, s'étaient gîtées deux des trois abbayes bénédictines que comptait le Bugey médiéval : Nantua, Ambronay, Saint-Rambert. A l'une comme à l'autre, mais selon des voies différentes, s'attache le souvenir de saint Jacques et du pèlerinage de Compostelle. Le *Guide* attribué à Aimery Picaud, débordant pour une fois le cadre routier qu'il s'était fixé, situe à Nantua le miracle négatif dont pâtit un tisserand local «qui avait refusé du pain à un pèlerin de saint Jacques qui le lui demandait : aussitôt, sa toile rompue par le milieu chut à terre!». A Ambronay, le monastère fondé, selon Mabillon, par saint Barnard vers 807, et dont l'importance fut reconnue par le privilège de l'exemption, eut comme abbé, de 1425 à 1437, le fastueux Jacques de Mauvoisin, qui reconstruisit presque de fond en comble l'église abbatiale et accola à son flanc Nord la belle chapelle Sainte-Catherine où il repose. Par deux fois, l'image de son saint patron figure dans les vitraux flamboyants dus à son mécénat : fruit de la simple occurrence d'un prénom, mais qui n'en évoquait pas moins, indirectement, tous les jacquaires qui, venus des pays alémaniques, avaient pu transiter par là. L'histoire des monuments romans du pays bugeyen, qui n'en est pas très riche, ne saurait être indifférente à de tels rappels, anecdotes ou coïncidences humains.

Au Sud de la cluse de Nantua, et jusqu'à celle dite des Hôpitaux, faciès et paysages changent de nouveau, par transitions insensibles. L'altitude du chaînon le plus élevé, suite de l'enfilade Pela-Chalam, s'abaisse à 1.525 m au Grand Colombier. Après la couverture forestière qui règne encore sur les confins septentrionaux s'élargissent trois bassins : le premier, à l'altitude moyenne de 700-600 m, ne s'ouvre qu'au Nord sur les issues planes de la cluse de Nantua; le deuxième à l'Est, plus élevé et réputé pour la qualité de son air (les *sanatoria* d'Hauteville en témoignent aujourd'hui), mais peu peuplé, est drainé par le torrent de l'Albarine qui, brusquement, s'encaisse en gorge pour dégringoler au plus tôt sur la tranchée qui l'attend, étroite et sinueuse entre ses roides falaises. A l'Est encore, les deux rangées de crêts s'espacent pour laisser plus de champ au troisième, celui qui porte le nom chantant de Valromey. Laissant les intempéries de l'hiver déferler et les orages de l'été s'abattre et se bloquer sur le haut plateau de Retord, il s'ouvre largement à val, sur la plaine de Ceyzérieu qui lui apporte ses effluves humides et émollients, propices à une vie moins sévère. Du Grand-Abergement au Nord, jusqu'à Belmont et Chavornay au Sud, la densité de peuplement est l'une des plus fortes de tout le Bugey, avec ses dix-huit communes concentrées sur un espace long de 18 km et large d'à peine plus de 6. L'occupation humaine fut certainement précoce : le bourg de Vieu, entre autres, serait d'origine gauloise, et conserve quelques vestiges romains, restes d'aqueduc, colonnes réemployées dans le portail de l'église; celui-ci est l'un des très rares de la région bugeyenne à comporter deux chapiteaux sculptés (assez pauvrement d'ailleurs), et surtout, au linteau, un pittoresque distique léonin dont le sens, aussi curieusement que fortuitement, rappelle celui de l'inscription gravée sur les marches de l'escalier d'accès à la cathédrale du Puy :

«Ici ne valent, si manque le bon esprit, ni les vœux ni les dons.

Que ceux qui entrent déposent en conséquence leurs esprits mauvais».

La nef de l'église est peut-être elle-même de souche romane, ainsi que l'abside semi-circulaire de celle de Luthézieu, et la nef rudimentaire de celle de Passin. Presque partout ailleurs, l'avènement gothique, puis la grande vague des reconstructions flamboyantes ont englouti les témoins antérieurs.

La cluse de l'Albarine, très encaissée et sinueuse, ne dut jamais constituer, avant le percement de la route moderne et la création d'une ligne de chemin de fer où les trains ne roulent qu'à vitesse réduite, une voie de passage très fréquentée. L'institution des Hôpitaux, au plus étroit de son parcours, indique certes un transit, mais leur fonction première, imposée par le site, était plutôt de garde et de surveillance du désert routier absolu qui s'étendait entre Rossillon et Tenay.

Au Sud, la physionomie du Bugey change une nouvelle fois. L'altitude, d'abord, s'y abaisse notablement ; elle ne dépasse que de peu les 1.200 m au point culminant du Molard de Don, à peine plus que le Beaujolais ; les crêts s'y réduisent, en gros, à deux rangées qui ne laissent entre eux que de minces bandes cultivables et habitables ; surtout, leur axe s'infléchit au Sud-Est, comme pour permettre au Rhône, qui jusqu'alors roulait en direction du Sud, de bifurquer carrément en direction opposée au sortir de son ultime cluse, afin de rejoindre plus vite son fier affluent de l'Ain, puis, au prix d'un nouveau coude, franchement à l'Ouest cette fois, la Saône. Enfin, chutant directement sur Ambléon et ses petits lacs, le Molard de Don s'efface lui-même pour dégager, à l'Est, le frais bassin de Belley, qui n'est plus qu'à 277 m, moins que les terrasses de la banlieue lyonnaise. Les espaces habitables y sont réduits par la permanence des grands marais de Lavours, qui interposent entre les monts comme un coin de Sologne, mais n'ont pas empêché la Compagnie nationale du Rhône de détourner par un travail d'Hercule le fleuve-dieu de la cluse de Balme, en créant de Lavours à Brens un canal qui décuple en longueur celui de Savières, que les cisterciens d'Hautecombe, pense-t-on, avaient creusé de l'autre côté afin que les barges du Rhône puissent accéder jusqu'à leur magnifique «grange d'eau». Ce détournement impressionnant a quelque peu humanisé un secteur qu'hier encore, le romancier Daniel-Rops avait vu «opaque, hostile», boueux et souvent noyé de nappes superposées de brouillards jusqu'au plein des étés. «Des lacs aux eaux noires y stagnent... Ce coin sauvage a vu des crimes et des combats : des sarcophages de pierre datant du Moyen Age s'y trouvent encore au bord de la route. Ce n'était pas un lieu où une jeune fille... eût accepté de passer, seule, en pleine nuit d'automne... Cette vallée du Rhône est un pays splendide, mais désolé. Le fleuve... a comblé toute la plaine d'alluvions humides, de terres marécageuses coupées par les alignements des peupliers. De-ci, de-là, les mollards (buttes rocheuses isolées. N.d.T.) mettent une tache sombre dans cette immensité de couleur neutre. Un château ou un groupe de fermes les couronne. Au loin, les chaînes alpines se profilent sur l'horizon» (*Mort, où est ta victoire*, p. 40-43).

L'automne venu, les brûlis en bordure des marais font dans la nuit lourde comme les portées d'une partition de *Symphonie fantastique*. Et l'on comprend mieux que, de Bourg au Grand-Colombier et au Molard de Don, le Bugey dans son ensemble, avec ses ravins en coupe-gorge, ses fonds de reculées au soleil rare, ses forêts, ses déserts d'ombre, soit devenu à l'époque romane le pays des chartreuses : Sélignat, tardivement fondée sous le nom de maison du val Saint-Martin, en 1202, par Hugues de Coligny, à flanc de coteau sous les falaises de Corveissiat ; Meyriat nichée dans sa forêt de la Grande Montagne, et que chérissait Pierre le Vénérable ; Portes, dissimulée à tous les regards parmi les friches et les rocailles blanches, en plein ciel entre les étroits de l'Albarine et les débouchés du Rhône sur Saint-Sorlin et Lagnieu ; Saint-Sulpice, fondée dans les marais du val d'Hauteville, mais passée dès 1133 sous la tutelle des cisterciens de Pontigny ; Arvière, perchée à mi-pente du Grand Colombier, d'où le torrent dégringole de chute en chute dans le Valromey. Nul ne saurait s'étonner que les vestiges purement romans y soient si rares ; le meilleur d'entre eux est à Lhuis, sous les escarpements des «montagnes» de Tentanet et de Saint-Benoît, mais en plaine, et déjà rhodanien (voir ci-après p. 235) !

C'est encore le Rhône qui sépare Bugey et Savoie, sous une double réserve. La première est géologique et topographique. Le fleuve, on le sait, traverse en cluse le dernier chaînon oriental des monts du Jura, et s'insinue ensuite dans la gouttière longitudinale de la Chautagne : ce qui fait que, sur sa rive gauche, reparaissent les plis de type jurassien, ondulant du Vuache à la montagne des Princes, au Gros Foug, au Clergeon, à la Chambotte d'une part ; de la montagne de la Charvaz à la pittoresque dent du Chat et à la montagne de l'Épine d'autre part, qui vient côtoyer le rebord occidental de la Chartreuse, et dont la silhouette redresse brusquement les ondulations molles des retombées occidentales. Cette situation n'est pas sans incidence sur la construction elle-même : alors que le plateau savoyard manque de bonne pierre à bâtir et que les églises et maisons doivent se contenter souvent du médiocre conglomérat de la molasse, celles de la zone rocheuse sont appareillées du franc et robuste calcaire blanc pris sur place : ainsi en sera-t-il, par exemple, à l'église romane de Desingy, qui sera analysée plus loin (p. 251).

La seconde anomalie est d'ordre historique. Elle concerne le pays de Gex, soit la façade occidentale des monts sur le lac Léman. Cette zone peuplée, fertile, animée constituait au haut Moyen Age un fief du Genevois, mais passa lors du traité de 1355 à la maison de Savoie. Dévastée en 1536 par les huguenots bernois, ses églises détruites, elle ne fut recouvrée qu'en 1564, mais pour être peu après cédée par la Savoie à la France (traité de Lyon, 1601). Les circonscriptions ecclésiastiques, elles, n'ayant pas été modifiées, le grand diocèse de Genève-Annecy comporta dès lors une «partie France», soit toutes les paroisses outre Rhône et Léman, et la reconquête du pays de Gex, en particulier, donna bien de la tablature aux évêques réfugiés à Annecy, cependant que les archéologues y chercheraient en vain une église romane.

☆

Mieux encore que du col de la Faucille, présenté pourtant comme l'un des belvédères les plus grandioses sur l'enfilade de la chaîne alpine (mais l'apparition de celle-ci, fascinante et exclusive, envahit tout l'horizon du Levant et déséquilibre à son profit la vision), c'est pour l'étranger débouchant de l'Ouest, depuis les crêtes des confins bugeyens, ou, plus simplement encore, du plateau de la Semine, que se laisse le mieux saisir d'un unique regard l'extrême complexité géographique de la terre de Savoie, et comprendre l'aventure historique du vieux duché (non moins surprenante ni tourmentée!), sa fonction de «portier des Alpes» jalousement observée, le destin de sa dynastie, cédant aux séductions et aux mirages d'une Italie dont les passions en définitive allaient consommer sa perte, et sa volonté de retour enfin, pour l'éternité de la Résurrection, au berceau de sa race, comme une attestation ultime. «Mort, où est ta victoire?», *Foedere Et Religione Tenemur,* «Savoie au dos fort» (Marc de Buttet) : FERT! Le Rhône fuit au Midi dans des vapeurs opalescentes; le gonflement du plateau qui, bizarrement, retrouve ici des façons de monts du Centre, avec ses bocages, ses bois, ses prés très verts, ne permet pas de voir le creux où, sur les rives du lac tout en longueur, s'était nichée l'abbaye cistercienne d'Hautecombe, mais il flotte au-dessus d'elle, mêlée aux brumes impalpables de l'évaporation lacustre, une autre brume du souvenir. Un comte inspiré de Savoie l'avait choisie pour sépulture, et c'est à elle que voulurent successivement revenir son descendant indirect, le roi de Sardaigne Charles-Félix au XIXᵉ siècle, puis le dernier des rois d'Italie : *Haec est requies mea in saeculum saeculi.* Toute polémique devrait se taire et les drapeaux des nations s'incliner devant l'exemple d'une telle fidélité, qui est bien la vertu suprême de la montagne.

De la cluse de Savoie au Faucigny, les Préalpes des Bauges et du Genevois déploient dans une unique enfilade leur front presque continu de falaises blanches, derrière lesquelles l'escarpement tabulaire de la Tournette préface le bondissement rythmique des Aravis. Sur cette farandole grave trône la pyramide du Mont-Blanc, neige et roche, qui, vue d'ici, n'a pas encore la démesure hors d'échelle de ses apparitions plus proches, mais s'intègre avec justesse dans la composition parfaite de tant de violences assagies, et n'oppresse ni la vue, ni le cœur. D'instinct, l'étranger perçoit qu'il pénètre dans un monde qui n'a pas d'équivalent en France ni même en Europe, en ce que sa dimension unique est de montée, que l'espace s'y mesure en heures de dénivellation et non de lieues à l'horizontale, et que l'homme a dû ici, tel que l'a dépeint une fois pour toutes le génie d'un Jean Proal, se colleter jour après jour aux puissances aveugles et déchaînées, mesurer dans une épuisante ascension son pas et son souffle, remonter hotte après hotte la terre qui se dérobe et ne cesse de glisser à la vallée, ajuster à la menace des vents, des eaux, de la neige et de la glace, dans un combat qui ne finira jamais, les normes et jusqu'aux emplacements de sa construction, que celle-ci soit religieuse, castrale ou civile.

Depuis un siècle, géologues et géographes se sont évertués à organiser sur le papier le chaos de roches et d'éboulis, de ravins et d'aiguilles, de «têtes» et de «monts», de neiges et de glaces ou, si l'on préfère le terme moins sinistre d'un Samivel, l'Opéra de pics, que dissimulent ces remparts. Situant l'origine de l'énorme plissement alpin dans la fosse d'un «géosynclinal» qui chevauchait, en gros, l'actuelle frontière franco-italienne, et d'où les terrains violemment plissés ont jailli en nappes sous l'effet d'énormes poussées venues des entrailles de la terre, ils discernent en Savoie, outre les confins occidentaux du plateau et du Léman, trois zones essentielles : les Préalpes calcaires du Faucigny-Genevois, des Bauges et de la Chartreuse, les massifs internes constitués des vieilles roches hercyniennes, soulevées, métamorphisées, déchiquetées, et les régions recouvertes par les nappes de charriage enfin : massif du Chablais, Tarentaise et Maurienne. La seule unité naturelle de ce bouleversement cosmique réside dans les vallées, que drainent exclusivement les tumultueux affluents du Rhône, Dranse, Arve, Fier, Isère (avec son propre affluent de l'Arc), Guiers, et dans les deux profondes cluses d'Annecy-Faverges-Ugine d'une part, de Chambéry-Montmélian de l'autre, grâce au tracé transversal desquelles les massifs se laissent pénétrer jusque dans leur intimité profonde, mais selon des modalités fort différentes. Alors que la vallée de l'Arve, butant contre l'énorme obstacle du Mont-Blanc, ne s'ouvre guère sur le Valais ou le Piémont que par les deux cols élevés de Balme et de la Seigne, la Tarentaise communique un peu moins difficilement avec le val d'Aoste par le col du Petit Saint-Bernard : avantage qui lui valut d'être sillonnée de bout en bout par la chaussée romaine d'Aoste à Vienne – l'une des deux grandes voies de transit entre Italie et Gaule avec celle du Mont-Genèvre – et, semble-t-il, colonisée plus intensément que la haute vallée de l'Arve ou la Maurienne. L'Arc naissait en effet d'un cul-de-sac glaciaire absolu, et son bassin supérieur était, de surcroît, fermé en aval par le verrou de la Madeleine, qui isolait radicalement la Haute-Maurienne ou, comme on l'appelait au Moyen Age d'un vocable bien trouvé, la *Galisiaca*. La vallée communiquait avec le val piémontais de Suse par le plateau du Mont-Cenis, large, mais qui ne pouvait être atteint que par les escarpements cyclopéens de Bramans – Le Planay ou les périlleux chemins de «la Ramasse» de Lanslebourg. On ne sait même pas s'il était franchi par une route romaine, le trafic pouvant s'effectuer, à peine moins malaisément, par les cols du Fréjus et de la Roue, qui débouchent sur Bardonnèche. C'est, toujours sous réserve, l'époque carolingienne qui allait donner sa chance au Mont-Cenis, juste à point pour qu'il se trouvât obstrué, durant une partie du Xe siècle, par les embuscades des Sarrasins montés du Freinet. L'édification, à la verticale des ravins de Bramans, de l'église de Saint-Pierre d'Extravache acquérait le sens, encore très perceptible aujourd'hui, d'un fier mémorial de libération, secoué par les grandes orgues du vent de montagne.

Le Moyen Age, qui ne se souciait guère plus de sciences exactes que de relevés d'altitudes, ignorait les tris et distinctions de la géographie moderne. Héritier de la latinité classique, il utilisait le terme commun d'*alpes* pour désigner pêle-mêle toutes catégories de montagnes élevées, surtout lorsqu'elles possédaient un caractère pastoral. Et il ratifiait sans débat les épithètes que les relations de voyages transalpins accolaient, comme une clause de rhétorique, au substantif lui-même : «ces horribles sommets des Alpes», *Alpium horrenda cacumina* (Pierre le Vénérable, lettre 53); «ces Alpes de glace, ces rochers condamnés aux neiges éternelles», *Alpes ipsae gelidae, et perpetuis nivibus contempnati scopuli,* qui ne consentent que par exception «à oublier leur antique horreur», *illius sui antiqui horroris pene obliti sunt (idem,* lettre 192); «ces Alpes horribles..., ces roches aériennes qui viennent à bout des cœurs les plus endurcis», *Alpibus horrendis..., aeriae rupes quae vincere dura solebant pectora (idem, Ode au moine toulousain Raimond,* 310). Où disparaît la forêt des *ubacs,* ou meurt l'herbe des derniers alpages commence le royaume des diables, qu'agitent de sourds grondements et craquements, qu'ébranlent des détonations, et rarissimes sont ceux qui osent s'y aventurer; les franchissements de cols sont des exploits, dont témoignent éloquemment, bien au-delà du Moyen Age lui-même, les traditions orales recueillies dans les hospices alpins, tel celui de Notre-Dame de la Gorge au fond de la vallée de Montjoie, de nos jours investi de tous les côtés par ce qu'on appelle d'un euphémisme pudique «la civilisation des loisirs».

La crainte que, de la Haute-Provence au Tyrol, inspire «la montagne magique» et ensorcelée ne provient pas des seuls reliefs. Le haut des vallées, les approches de cols semblent bien avoir recueilli et abrité, dès la fin de la paix romaine, des résidus de populations que nul ne songeait à débusquer de leurs retraites, de réfugiés inassimilables et que le genre de vie montagnard réduisait en moins d'une génération à l'état de barbarie absolue; à côté de ces misérables durent s'installer aussi des communautés tribales ou patriarcales heureuses de trouver là-haut des terres à bon compte, nul ne les revendiquant, de maigres pâturages pour leur bétail, quelques parcelles de terres arables, et elles y vécurent recluses en une quasi-autarcie dans leurs cabanes informes, calfeutrées tant bien que mal contre les froidures. Perdu au fond d'une auge glaciaire presque aux sources de l'Arc, le vieux village de l'Écot, totalement inhabité aujourd'hui, donne une idée de conditions d'existence qu'on peut sans excès qualifier d'effroyables, comme peuvent l'être celles des trappeurs du Grand Nord, mais qui, de ce fait même, garantissaient aux habitants l'inestimable bienfait d'une sécurité relative et d'une certaine liberté. Au haut des masures, directement plantée dans le roc, la petite chapelle pourrait être à coup sûr réputée romane, avec sa courte nef, son abside semi-circulaire, son clocheton carré à la jointure des deux volumes, si l'on ne savait que ces formes se sont perpétuées dans les vallées savoyardes jusqu'au fort de la période baroque.

Il est significatif en tout cas que la civilisation romane s'ouvre sur l'entreprise d'expurgation des grands cols à laquelle l'archidiacre d'Aoste Bernard avait voué sa vie. Un siècle plus tard encore, c'est à la grossièreté et à la rudesse des populations locales que le même Pierre de Montboissier attribuera le succès de la prédication de l'hérésiarque Pierre de Bruis, et la congrégation clunisienne, qui n'hésitait pourtant pas à s'implanter dans les profondeurs de l'Auvergne ou de la lointaine Castille, paraît n'avoir manifesté que peu d'empressement à s'enfoncer dans les culs-de-sac des hautes vallées alpestres d'où «la nuit monte comme une marée» (Paul Guiton, *Au cœur de la Savoie,* p. 120). Talloires, sur les bords avenants du lac d'Annecy, a été donné dès 879 par le nouveau roi Boson à Tournus, mais passe entre 1016 et 1031 sous la tutelle de l'abbaye lyonnaise de Savigny. Les bénédictins sont implantés depuis le XIe siècle au Bourget-du-Lac, à Bellevaux-en-Bauges, à Contamine-sur-Arve : ils ne débordent donc pas la zone préalpine. Il faut attendre 1091, sinon le XIIe siècle selon les sagaces observations de M. J.-Y. Mariotte, pour que le comte de Genève cède à la puissante abbaye Saint-Michel de la Cluse, qui tient déjà le prieuré d'Aime en Tarentaise, la totalité du val de Chamonix. Ainsi l'ordre bénédictin laisse-t-il pratiquement le champ libre, non seulement aux chanoines d'Agaune qui, plus familiers de pareils climats, ont essaimé dès le XIe siècle, sinon auparavant, dans le val d'Abondance, (et la nouvelle maison fondera elle-même de bonne heure Filly en Chablais, puis, dans le cours du XIIe siècle, Entremont et Peillonnex), mais encore aux deux ordres principaux nés de la poussée érémitique et ascétique de la fin du XIe siècle, Cîteaux et la Chartreuse. Il serait puéril de croire que ce que l'un comme l'autre allaient chercher dans les fonds de vallée où on les voit s'établir au XIIe siècle, c'étaient les magies et les mirages de la haute montagne au sens où toute une littérature de ton quasi mystique née de l'alpinisme les célébrera au XXe. Comme par pieuse bravade, ce sont au contraire les repoussoirs, les laissés pour compte, la sauvagerie des sites sans horizon qu'ils revendiquent pour y savourer leur «abjection» (le terme n'est pas inventé : il est de saint Bernard). C'est d'ailleurs presque par accident que les cisterciens ont pris en 1136 et 1135 le relais des bénédictins d'Aulps et de sa filiale Cessens, qui, en gardant son vocable d'Hautecombe, se transportera presque aussitôt sur la rive d'*ubac* du lac du Bourget. C'est parce qu'il avait été moine cistercien que l'évêque Pierre Ier de Tarentaise fonde en 1132 l'abbaye de Tamié, à proximité du col encore infesté de populations patibulaires. Les moniales du même ordre suivront, à Bellerive près de Genève, au Lieu en Chablais, au Betton dans la Combe de Savoie, et à Bonlieu dans la vallée des Usses, où subsistent quelques vestiges de leur abbatiale primitive.

Outre la maison d'Oujon en pays de Vaud, les chartreux ont dès 1138 fondé Vallon en Chablais, au bord d'un lac mélancolique qu'écrase la masse du Roc d'Enfer; en 1151 est fondé le Reposoir, blotti sous la barre des Aravis; Pomier, au flanc du Salève, suit en 1170, puis, en 1173, le Val Saint-Hugues ou Saint-Hugon, invisible dans son recoin de la chaîne de Belledonne, à la frontière de la Savoie et du Dauphiné; puis, en 1184, Aillon dans les Bauges, en attendant les fondations plus tardives de Mélan dans la vallée du Giffre et de Pierre-Châtel, en surplomb sur la cluse bugeyenne de la Balme. Il est fâcheux qu'il subsiste aussi peu des constructions primitives de tant d'établissements, dont plusieurs ont pourtant marqué l'histoire de Savoie. L'abbatiale d'Abondance est gothique, comme de l'autre côté du col du Corbier, les ruines impérieuses de Notre-Dame d'Aulps, heureusement sauvegardées. On sait par les fouilles du regretté P. Dimier que le plan de la première abbatiale de Tamié était à triple abside, comme celui de l'église bénédictine de Talloires. De Bonlieu ne subsistent, converties en habitation rurale, que la nef voûtée d'un berceau brisé, mais défigurée, et la croisée du transept, qui, elle, était couverte d'une voûte d'ogives, comme Silvacane en Provence; les arrachements de voûtes identiques se voient de même dans ce qu'il reste des croisillons. Le plan du chœur, entièrement rasé, est hypothétique; une travée droite, sans doute voûtée en berceau brisé comme la nef, y précédait trois absides, dont le plan demeure inconnu.

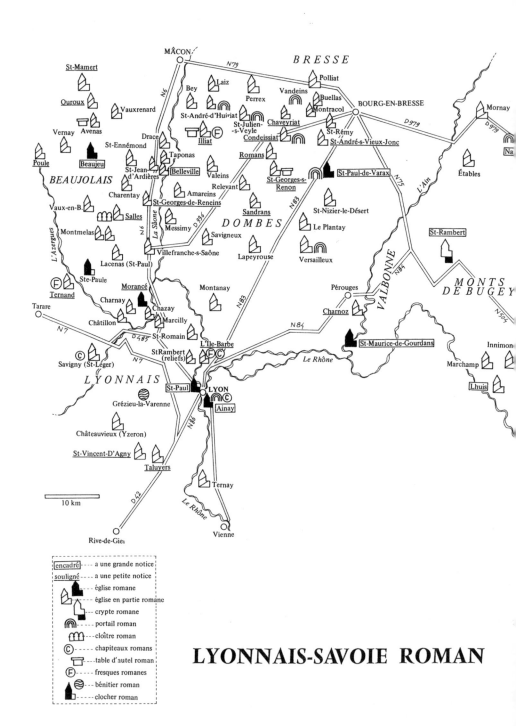

MÂCON

BRESSE

St-Mamert

Ouroux

Vauxrenard

Laiz

Bey

Perrex

Vandeins

Polliat

Buellas

Montracol

BOURG-EN-BRESSE

Mornay

Vernay

Avenas

Drace

St-André-d'Huiriat

St-Julien-s-Veyle

Chaveyriat

St-Rémy

Condeissiat

St-André-s-Vieux-Jonc

Na

Poule

Beaujeu

St-Ennémond

Taponas

Illiat

Romans

Étables

BEAUJOLAIS

St-Jean-d'Ardières

Belleville

Valeins

St-Paul-de-Varax

N 75

L'Ain

Charentay

Amareins

St-Georges-de-Reneins

Relevant

St-Georges-s-Renon

Vaux-en-B.

Salles

Messimy

Sandrans

St-Nizier-le-Désert

St-Rambert

Montmelas

La Saône

DOMBES

Le Plantay

L'Azergues

Villefranche-s-Saône

Savigneux

Lapeyrouse

Versailleux

VALBONNE

N 84

MONTS DE BUGEY

Lacenas (St-Paul)

Ste-Paule

Montanay

Pérouges

Innimon

N 505

Ternand

Charnay

Chazay

Charnoz

Marchamp

Tarare

Châtillon

Marcilly

St-Romain

St-Maurice-de-Gourdans

Lhuis

N 7

St-Rambert (reliefs)

L'Île-Barbe

Le Rhône

Savigny (St-Léger)

LYONNAIS

St-Paul

LYON

Ainay

Grézieu-la-Varenne

Châteauvieux (Yzeron)

St-Vincent-D'Agny

Taluyers

10 km

Ternay

Le Rhône

D 42

Rive-de-Gier

Vienne

encadré ---- a une grande notice
souligné ---- a une petite notice
église romane
église en partie romane
crypte romane
portail roman
cloître roman
ⓒ --- chapiteaux romans
table d'autel roman
Ⓕ --- fresques romanes
béntier roman
clocher roman

LYONNAIS-SAVOIE ROMAN

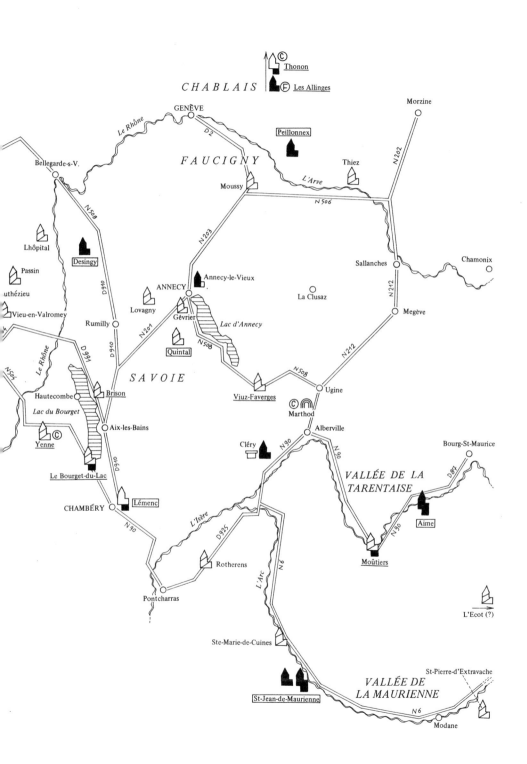

TÉMO

2

GNAGES PRÉROMANS

L'obscurité qui recouvre les six siècles préromans ne doit pas masquer l'évolution profonde, politique, administrative et territoriale qui achemine les secteurs lyonnais et rhodaniens de leur état antérieur aux phases successives de la conquête romaine jusqu'à cette année 1003 où, selon le témoignage de Raoul le Glabre, naît la première civilisation romane. Lorsque Rome, en l'an 121, entreprend le premier acte de la future conquête de la Gaule, tous les territoires compris entre la *Provincia,* le Léman et le cours du Rhône jusqu'à Vienne est peuplé par la nation celte des Allobroges, dont le souvenir s'est perpétué ou a resurgi si fort en Savoie que l'hymne qui leur a été consacré ponctue encore aujourd'hui les cérémonies publiques, associé à la Marseillaise; les vallées internes, Tarentaise et Maurienne, appartiennent, la première aux Ceutrons ou Centrons, la seconde aux Medulles. Au Nord du fleuve, les crêtes du Jura délimitent les territoires occupés, à l'Est, par les Helvètes, à l'Ouest par les Séquanes et les *Ambarri,* qui occupent la plaine de Dombes et y ont laissé les toponymes Ambérieu en Bugey, Ambérieux en Dombes; chevauchant la Saône beaujolaise, ils sont clients de la grande nation éduenne au même titre que les Ségusiaves du Lyonnais-Forez. Le parallélisme territorial avec le district embrassé par la présente étude est donc assez net. Les conquérants romains respectent en gros ces divisions, mais rattachent les cités des Séquanes et des Helvètes à leur province de Belgique, tandis qu'ils maintiennent les

Éduens et les Ségusiaves à la Celtique, la cité des Allobroges restant membre de la Province ou Narbonnaise. La réforme administrative instaurée par Dioclétien, et compliquée encore dans le cours du IVe siècle, démembre le système : selon la *Notitia provinciarum* (après 375), la cité des Genevois allobroges est, comme celle des Grenoblois, rattachée à la province et au diocèse (ou groupe de provinces) de la Viennoise; les Helvètes, avec la «cité équestre» ayant son siège à Nyon, sont passés à la grande province des Séquanes. *Ambarri*, Ségusiaves, Éduens appartiennent quant à eux à la Première Lyonnaise, membre du diocèse des Gaules duquel relève également la province des Alpes grées et pennines, comprenant les deux cités des Ceutrons et des Valaisans. La province des Alpes cottiennes, englobant la Maurienne, sera rattachée au système administratif d'outre les monts.

A peine mis en place, ce découpage complexe sera balayé, avant même la fin théorique de l'Empire romain, par le torrent des invasions barbares. Issus de Rhénanie, les Burgondes, après le désastre que leur ont infligé les Huns, sont établis par le patrice Aetius dans le «pays» de la *Sapaudia* ou *Sabaudia* durant la première moitié du Ve siècle, et participeront en 451 à la bataille des Champs catalauniques. Doués apparemment d'une grande vertu prolifique, ils vont s'épandre en nappes sur le Lyonnais (470), la Bourgogne du Nord jusqu'à Langres, puis les vallées du Rhône et de la Durance jusqu'à l'Embrunais, où ils vont voisiner pacifiquement avec les Wisigoths : toutes infiltrations, occupations subreptices, partages de terres et colonisations qui ne sont pas sans analogies avec les poussées et vagues d'immigration que connaissent actuellement les États dits «de l'Occident». Cette puissance, politiquement éphémère, laissera cependant des traces profondes dans les mentalités et la civilisation. Durement attaquée par les Francs de Clovis, elle s'effondre définitivement en 534; mais le roi Gondebaud, oncle de sainte Clotilde, a laissé à la postérité le souvenir, quelque peu idéalisé du fait de la barbarie ambiante, d'un souverain sage et avisé, d'un législateur aux lois duquel on se référera longtemps, et son fils Sigismond, celui d'un saint : titre que le déchaînement ambiant de tous les vices permettait d'obtenir, il est vrai, avec une certaine facilité. La relévation des corps des martyrs de la légion thébaine et la fondation de l'abbaye d'Agaune, qui en sera la dépositaire jalouse, lui valent un prestige qui éclipsera ses défaites et les vicissitudes de son règne tourmenté : jusqu'à l'époque baroque, les imagiers populaires de Savoie se souviendront de lui, et une église du Faucigny conservera son vocable. Il n'aura finalement pas peu contribué à créer, si obscurément que ce fût, un certain «sentiment national bourguignon», dont le chanoine Maurice Chaume a suivi la permanence et les progrès jusqu'à Charles le Téméraire, et une non moins certaine conscience rhodanienne que, trois siècles et demi plus tard, exploitera le premier roi de la Burgondie reconstituée, Boson.

Suivre le destin de ces districts à travers les chaos des partages mérovingiens serait une gageure, et par surcroît une inutilité archéologique. On en retiendra cependant, comme une curiosité divinatrice, que le partage des dépouilles bourguignonnes, après la disparition de ce royaume en 534, mit entre les mains de Childebert, troisième fils de Clovis et déjà roi de Neustrie, les diocèses de Lyon, de Belley, de Vienne, de Genève et de Tarentaise, celui de Maurienne demeurant aux

Ostrogoths : acte de naissance d'une Rhodanie moyenne strictement enclavée, qui n'eut pas de suite. Dès 561, un nouveau partage réalisé, cette fois, entre les petits-fils de Clovis reconstituait au profit du «bon roi Gontran» une grande Burgondie étirée de Sens à Marseille et Toulon. Un acte décisif mettra fin à ce rêve : le partage ou traité de Verdun, conclu en 843 entre les trois fils de l'empereur Louis le Pieux, laisse à la Francie occidentale de Charles le Chauve les diocèses de Langres, Chalon et Mâcon, mais attribue à son frère aîné Lothaire le Lyonnais et le Vivarais, qui deviennent ainsi terres d'Empire outre Rhône. Les partisans d'une incidence des circonscriptions territoriales sur l'archéologie médiévale, et romane en particulier, pourraient tirer argument de cette délimitation frontalière pour introduire dans l'espace du Lyonnais roman une première distinction et isoler de lui le Beaujolais «mâconnais», tributaire avant tout des formes brionnaises et ligériennes; on verra tout à l'heure qu'ils n'auraient que partiellement raison.

Vingt-huit ans après le traité de Verdun, le propre beau-frère de Charles le Chauve obtient des nobles rhodaniens réunis à Mantaille la création à son profit d'un «royaume de Bourgogne et de Provence» dont la souveraineté sur la Bourgogne occidentale, énergiquement tenue en main par le comte d'Autun, puis duc de Bourgogne Richard le Justicier, restera toujours illusoire. En 888, le duc de Bourgogne transjurane Rodolphe Ier choisit symboliquement pour se faire à son tour proclamer roi le sanctuaire «national» de Saint-Maurice d'Agaune; son fils Rodolphe II acquiert en 932, à prix d'argent, le royaume de Provence, et réunit ainsi sous son autorité théorique tout le Sud-Est rhodanien, avec notamment, les diocèses de Besançon, Lyon, Belley, Genève, Vienne et Tarentaise. La Maurienne, membre du royaume d'Italie, lui échappe toujours, mais toutes ces divisions territoriales et politiques ne sont guère que des fictions nominales, commodes surtout, aux échelons locaux, pour la datation et l'authentification des chartes. Le royaume de Bourgogne et de Provence, plus connu sous le nom de Royaume d'Arles, sombrera très obscurément à la mort du falot Rodolphe III, et sera aussitôt réuni à l'Empire allemand; l'empereur Conrad, auquel Rodolphe, avant de mourir, a fait remettre la lance sacrée de saint Maurice, viendra se faire couronner roi de Bourgogne à Genève en 1034. Mais il y a beau temps que ces rois, à l'instar des derniers Mérovingiens, ne gouvernent à peu près plus rien. L'autorité effective s'est répartie et comme diluée entre les mains des «comtes», non héréditaires, que l'astuce, le hasard, la faveur des dynastes ont placés à la tête des seules circonscriptions territoriales dont la permanence est attestée par les chartes carolingiennes; celles-ci les adoptent systématiquement, en effet, comme bases de leurs localisations territoriales possédant une valeur administrative sûre et reconnue : les fameux *pagi,* qu'on n'appelle pas encore «comté», *comitatus.* Agents théoriques d'un pouvoir royal lointain, et de plus en plus défaillant, les comtes paraissent avoir joui, sous l'unique réserve de la fidélité due au souverain, d'une indépendance quasi absolue, et disposé à leur gré des rouages rudimentaires de l'administration; mais la plupart ne sont que des noms, surgis du sein de la grisaille, et disparus de même d'une charte à l'autre. Pour l'ensemble des territoires embrassés par la présente étude, une seule personnalité se dégage réellement de l'atonie générale : le fameux Girard de Roussillon, fidèle de l'empereur Lothaire et comte authentique de Vienne et de Provence, mais que la chanson de geste a mythifié, en vertu de l'adage qu'on ne prête qu'aux riches, à l'égal de son aîné le comte de Toulouse Guillaume au Court-Nez, sinon du comte et héros Roland. L'histoire lyonnaise n'offre rien d'équivalent ; c'est au cours du XIe siècle seulement que, des monts de granite aux vallées savoyardes, l'hérédité instituée commencera de dégager des dynasties comtales et vicomtales fortement enracinées, et celles, à leurs côtés, de familles ambitieuses et avisées, acharnées à arrondir grassement les domaines dont elles tirent leur subsistance, condition de leur survie, et à accroître du même coup leur puissance, donc leur pesée sur l'histoire générale : tels seront entre autres les Feurs, les Beaujeu et les Bâgé, les Thoire, les Faucigny, les comtes de Genève et de Maurienne, bientôt devenus comtes de Savoie.

Quant aux *pagi* eux-mêmes, on en a fait souvent les héritiers directs des cités romaines. La latinité antique n'ignorait pas le terme, qu'elle appliquait indifféremment aux bourgs et à de modestes districts correspondant, en gros, à nos cantons. C'est un fait que l'administration préromane introduit plus de rigueur dans ces acceptions ; les chartes carolingiennes localisent presque toujours les lieux-dits par la double référence au *pagus* qui les contient, et, plus strictement, à l'*ager* qui en est une division territoriale et administrative d'étendue variable, mais le plus souvent modeste ; entre les deux s'insère quelquefois une *vicaria,* dont le district et la fonction administrative demeurent assez flous. C'est justement en dressant, d'après les chartes domaniales, la liste des lieux-dits, des *villae* ou des paroisses comprises dans le même *pagus* que l'on parvient à dresser une carte assez exacte de celui-ci ; le chanoine Chaume, dont ce genre de recherche a rempli la vie d'érudit minutieux, a pu formuler à son terme deux conclusions distinctes, mais d'une égale et puissante originalité. Pour lui, la concordance entre les *civitates* romaines et les *pagi* carolingiens n'est aucunement absolue. Des premières aux seconds, se sont succédé tant de remaniements, soit par démembrements, soit, au contraire, par regroupements, que la reconstitution sur une carte des *pagi* du Xe siècle offre la figure d'une véritable recréation administrative, et d'une réalité territoriale toute nouvelle par rapport à l'époque romaine.

La seconde observation de M. Chaume, qui va loin, est que les circonscriptions ecclésiastiques elles-mêmes, ces diocèses que les historiens voient se dessiner peu à peu à partir des IIIe et IVe siècles, ne sont plus, dans l'état qu'ils ont acquis à l'aube de la civilisation romaine, modelés comme on l'avait cru sur les districts des *civitates* romaines, mais bien sur les *pagi* carolingiens, auxquels ils se superposent presque exactement.

La carte des anciens diocèses des régions lyonnaise et savoisienne, surimposée à celle du vaste ensemble hétérogène auquel s'applique le présent livre, en laisse apparaître, à défaut d'unité historique et géographique, les groupements relativement cohérents et, oserait-on dire, les personnalités, où l'archéologie romaine elle-même, toujours avide de classification, trouvera quelquefois son compte. Tout s'y organise en fait autour de deux masses prépondérantes : les diocèses de Lyon et de Genève. Immense, le premier s'étendait, à l'Ouest sur le bassin du Jarez et sur le Forez, plaine et monts, où il rencontrait le

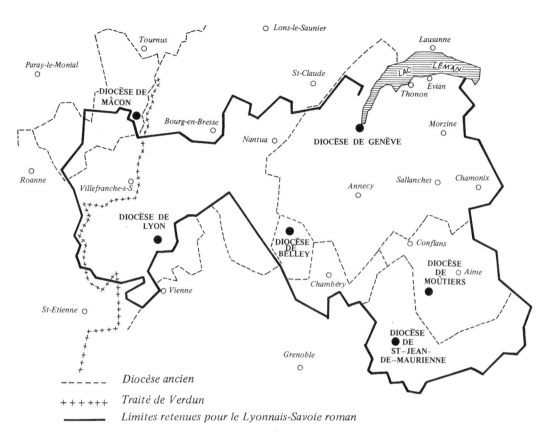

diocèse d'Auvergne. Laissant ensuite à l'évêché de Mâcon, créé aux dépens de celui d'Autun, une partie du Brionnais et le couloir de communication des Écharmeaux, sa limite s'alignait successivement sur les cours de la Saône, puis de la Seille louhannaise, englobant ainsi toute la Dombes et la Bresse avant de grimper transversalement à l'assaut des crêts jurassiens, où l'archidiocèse se trouvait limitrophe de celui de Besançon, puis, le long de la vallée de la Semine, du diocèse de Genève. Avec ce dernier, il partageait les monts du Bugey le long du val de l'Albarine, puis rejoignait le Rhône au droit de Morestel, et débordait le fleuve en deux poches correspondant aux archiprêtrés de Morestel et de Meyzieu.

L'évêché de Genève, lui, correspondait à peu près avec la *civitas Genavensium,* à cette différence près que, sur la rive droite du Léman, il s'était annexé dans des conditions obscures, probablement à l'époque carolingienne, une grande partie de l'ancien *pagus Equestris* correspondant à la région d'Aubonne et au pays de Gex. Englobant de là la vallée de la Valserine, puis le Valromey, il s'effaçait légèrement au profit du très petit évêché de Belley, qui, enclavé entre les archidiocèses de Lyon et de Vienne, relevait bizarrement de la métropole de Besançon, et recouvrait de ses cent douze paroisses les dernières crêtes du Bugey méridional. Coupant en deux le lac du Bourget, il laissait à l'évêché de Grenoble toute la cluse de Chambéry; sous le nom de décanat de Saint-André, puis, après que cette ville eut été ensevelie par le gigantesque éboulement du Mont Granier en 1248, sous celui de décanat de Savoie, cette zone de passage vital, où devait se fixer la fortune de la dynastie issue d'Humbert aux Blanches Mains, demeura paradoxalement soumise, quant au spirituel, au diocèse dauphinois jusqu'à la création tardive de l'archevêché de Chambéry en 1779. La limite du diocèse de Genève, suivant ensuite la ligne de crête orientale du massif des Bauges, franchissait l'Arly à val d'Ugine pour se souder ensuite à l'enfilade des aiguilles et «glacières» du Mont-Blanc, par le bord septentrional du Beaufortain, laissé à la Tarentaise, et le col de la Croix du Bonhomme. Comme l'archevêché lyonnais, il bénéficiait, pour siège, d'une ville influente et relativement bien centrée, qui constituait à la fin de l'époque préromane un asile privilégié pour la dynastie rodolphienne, et la tête d'un des comtés. Avec Lyon, elle partageait aussi la faveur d'avoir été relativement épargnée par les vagues d'invasions qui mettaient d'autre part en coupe réglée toute la région rhodanienne au Xe siècle. Un indice assez probant en est donné par la continuité relative de ses listes épiscopales, alors que celles des deux évêchés montagnards, Tarentaise et Maurienne, subissent des lacunes significatives; depuis le grand saccage perpétré par les Sarrasins en 906, les ruines n'avaient cessé de s'y accumuler, et l'insécurité paralysait le trafic par les cols du Mont-Genèvre, du Mont-Cenis, et peut-être du Petit Saint-Bernard lui-même.

«Avant d'être Français, quelle langue parliez-vous donc?» demandait à un Savoyard, peu de temps après la réunion, l'un de ces "Français de l'intérieur" qu'aujourd'hui encore, on identifie dès le franchissement de la frontière à l'air de courtoise supériorité qu'ils se font un devoir d'afficher aussitôt et à la discrète condescendance de leurs propos. «Avant de devenir Français, Monsieur, répondit le Savoyard, nous ne parlions pas». Le silence de l'histoire écrite, ou son absence, ne signifie aucunement l'interruption de la vie. De nos jours encore, où l'histoire générale et collective trouve à s'abreuver de la masse des écritures et des imprimés (et déjà des indéchiffrables grimoires de l'informatique), qui garnissent dans le moindre département des kilomètres de rayons d'archives, combien de familles et d'individus seront-ils passés ici-bas sans laisser d'autres traces qu'une mention de naissance, de mariage et de décès dans un registre d'état civil, qu'une inscription sur une «Concession perpétuelle» que la désaffection laisse détruire après moins de cinquante ans! Il existe à travers le vaste monde des civilisations – celle du Sahara par exemple – qui sont nées, ont mûri, se sont développées et exprimées, puis sont mortes sans laisser d'autres vestiges que d'énigmatiques peintures jetées sur les parois de roche. L'analphabétisme, surtout quand il est imposé par la pénurie et la cherté du matériau, serait-il obligatoirement synonyme de néant intellectuel ou moral ? Il y avait plus de sagesse, d'intelligence et d'âme chez la Marie Lafay de Montagny-sur-Grosne, chez la Mère Litaudon de *La Fredire,* chez Benoît Combier des Guérins qui ne savait pas signer son nom, que chez tel énarque polytechnicien, ou même chartiste bourré de science à en craquer, polygraphe en tous les styles, rapporteur et discoureur !

Aux âges sans historiens ni poètes, seuls l'opportunisme ou la gratitude due au talent, au bienfait, à l'action qui se voit, inspiraient la relation « des faits et des dits et des mœurs » d'une poignée de notables ou, au mieux, de saints. Seul, l'utilitarisme dictait les chartes domaniales où ne fourmillent pas seulement des indications infiniment précieuses sur l'organisation parcellaire, les répartitions agraires et la voirie, mais des noms d'hommes et de femmes qui n'étaient pas tous des grands de leur monde, mais souvent d'humbles serfs dont ces documents énumèrent toute la progéniture. Une poussière d'écrivains, d'annalistes, de versificateurs, de moralistes répandait ses médiocrités à travers un vide qu'elles ne remplissaient ni n'amélioraient sensiblement. Cette rareté signifiait-elle que les autres, tous les autres, ni vivaient pas, et d'une vie plénière, utile et remplie ? A l'irremplaçable historien Gaston Roupnel, il a été, piètrement et naïvement, reproché par l'Université de n'avoir jamais utilisé qu'un trop petit nombre de fiches ; mais son *Histoire de la campagne française,* si truffée d'inexactitudes, d'outrances et de songes qu'elle soit, s'en trouve-t-elle moins gravée dans l'airain éternel de ce qu'il faut bien appeler le génie ? « Ils le jalousent tous, parce qu'il a plus de talent qu'eux », osait déclarer l'un des rares maîtres qui eût l'humilité d'admettre ce primat... Le silence glacé qui a, bien des années plus tard, accueilli chez les mêmes les divers tableaux de la civilisation romane fondés sur ses vrais témoins et expressions et publiés à la suite chez Zodiaque, le cordon sanitaire offusqué qui persiste autour d'eux et qu'a si vertement fustigé hier Dom Angelico Surchamp ont-ils suffi à contredire la preuve apportée, presque à chaque page, que ces témoins muets, fixés dans leur impassibilité qui n'est que de surface, en apprennent plus sur un temps, une aspiration, une âme que les plus laborieuses compilations écrites ou, qui pis est, chiffrées ? Il ne s'agissait pas, dans cette démonstration, d'exploiter une pénurie tout en la déplorant, mais d'aller droit à la source la plus directe et la plus sûre de la connaissance.

Appliquée au Lyonnais et à la Savoie, la méthode confirme ce que tout le monde savait déjà : soit, durant les six siècles qui, du fond de leur nuit, préparent sans le savoir l'éclosion romane, la rareté de ces régions en figures de proue, celles qui trouvent toujours à leur dévotion un chroniqueur ou hagiographe, et la quasi-inexistence de l'administration. Mais elle suggère aussi, sous les troubles et les rafales de violence qui, endémiquement, les accablent, le cheminement d'une vie qui s'obstine, courbe le front sous la tourmente, mesure avec consternation les dégâts comme on fait en montagne après l'avalanche dévastatrice (Odon de Touraine en fut le témoin direct à Saint-Maurice d'Agaune), puis, « sans dire un seul mot, se met à rebâtir ». Quiconque a tant soit peu pratiqué l'étude sur le terrain et l'analyse du paysage sait depuis longtemps que le signe de la vie (on n'ose pas dire : de l'expansion) est, dans les sociétés sans écritures, la construction. Si les hommes se taisent, les pierres parlent : à commencer, naturellement, par les pierres sacrées. En Lyonnais comme en Savoie, la leçon des fouilles, ouvertes en relativement grand nombre depuis une cinquantaine d'années, et les quelques témoins encore debout montrent qu'il ne s'est pas bâti moins de monuments, ni réparé moins de ruines, la tourmente passée, qu'en d'autres régions réputées plus fortunées ou plus paisibles.

Sidoine Apollinaire, qui avait vécu à Lyon et y conservait une maison, célèbre avec enthousiasme la cathédrale construite par l'évêque Patiens (450-494) dans le quartier Saint-Jean où s'était repliée la vie depuis les invasions barbares. Très exactement, ce prélat substitue au baptistère Saint-Jean, édifié au côté de la primitive église Saint-Étienne, une grande basilique à bas-côtés, atrium et abside orientée; avec ses colonnes de marbre (dont, bien plus tard, l'abbatiale d'Ainay conservera ou retrouvera le noble usage), son riche pavement, ses mosaïques et ses inscriptions versifiées, l'ouvrage n'avait rien à envier aux plus somptueuses basiliques romaines, ni à celles que Grégoire de Tours impute aux grands évêques mérovingiens. A Saint-Irénée, il restaura l'abside de la crypte où reposait le grand docteur, côte à côte avec les deux martyrs Épipoy et Alexandre, et les fouilles ont révélé que celle-ci, semi-circulaire à l'origine, avait été encagée dans un massif extérieurement polygonal : forme relativement rare, que la construction romane conservera de même en Provence et à travers les monts du Centre. Une solide voûte de blocage, coupée de lits de briques (système qu'on retrouve à la crypte de Saint-Laurent de Grenoble), vint couvrir le tout afin de supporter la charge de l'église haute, dédiée à Saint-Jean-Baptiste. Le septième successeur de Patiens, qui portait le nom bien trouvé de *Sacerdos*, autrement dit Serdot, a attaché son nom à la construction vers 545, non seulement des deux monastères de Saint-Paul et de Sainte-Eulalie, mais d'un hôpital judicieusement situé au débouché du pont sur la Saône, et qui subsista jusqu'en 1503. A Saint-Just, des fouilles plus tardives, conduites par MM. Reynaud et Bonnet, ont exhumé les vestiges d'une église à long chœur et abside semi-circulaire, qui pourrait être la *capacissima basilica* évoquée par Sidoine Apollinaire, soit la première église des Macchabées. Deux autres allaient s'y superposer, dont la première possédait une abside semi-circulaire à l'intérieur, mais comprise dans un chevet extérieurement à cinq pans.

Au flanc Nord de la primatiale Saint-Jean enfin, un vide béant, puissamment évocateur, a récemment dégagé les substructions des deux autres membres du «groupe épiscopal», Saint-Étienne et Sainte-Croix, qui la flanquèrent jusqu'à leur destruction par les «soins» des révolutionnaires. L'évêque Leidrade se décernait à soi-même l'éloge d'avoir «rouvert le chantier de la grande église de la cité,» et de l'avoir «partiellement reconstruite». «J'ai de même, ajoutait-il, remis à neuf le couvert de l'église Saint-Étienne», et restauré «l'école des clercs», en même temps qu'il créait le *scriptorium,* toutes initiatives qui n'allaient certainement pas sans entreprises secondaires de construction.

A Genève, cité sœur et souvent concurrente, les études de Louis Blondel ont mis en lumière les nombreux édifices et monuments bâtis durant la longue période préromane : aménagement d'un palais par les rois burgondes dans le cadre du prétoire romain, puis d'un château fort construit par les comtes carolingiens sur le même emplacement. Sur l'autre rive du Rhône, les rois rodolphiens se firent bâtir un palais de justice, avec une chapelle dédiée à saint Gervais, ancêtre de la paroisse médiévale. Plus somptueuse encore était la cathédrale Saint-Pierre, édifiée par le roi de Bourgogne Sigismond après sa conversion. Elle était de plan basilical, avec une curieuse abside semi-circulaire que flanquait, de chaque côté, un local transversal clos de même en hémicycle, engendrant avec elle une amorce de plan tréflé ; mais la disposition la plus singulière était la rotonde parfaitement circulaire accolée à l'Est de l'abside, et que le roi avait peut-être prévue pour sa sépulture. Le fait est que, toujours selon Louis Blondel, le sanctuaire de Saint-Victor construit *in suburbano* par le frère de la reine des Francs Clotilde, et qui deviendra sous saint Odilon siège d'un prieuré clunisien, était à l'origine de plan pareillement circulaire, et autonome. A une époque indéterminée, il fut augmenté à l'Est par une église de plan rectangulaire, puis, à l'Ouest, par un autre vaisseau que précédait un clocher-porche. Avec la rotonde de Saint-Pierre, celle de Saint-Victor offre à une troisième, celle de Lémenc à Chambéry, qui, plus heureuse, a survécu, le contexte monumental qui contribue peut-être à l'expliquer.

La chapelle épiscopale de Notre-Dame, augmentée d'un baptistère carré et d'une crypte édifiés dès l'époque mérovingienne, constituait l'une de ces «cathédrales doubles» étudiées par M. Jean Hubert précisément dans le volume de «Mélanges» consacré au grand archéo-logue genevois en 1963 (Genève, tome 11). Et c'est de même à l'infatigable Louis Blondel qu'il revient d'avoir démêlé l'écheveau compliqué du chaos de fouilles effectuées à l'emplacement des anciennes basiliques du sanctuaire «bourguignon» de Saint-Maurice d'Agaune, et qui rendent compte à la fois d'un martyrologe et d'une volonté acharnée de reconquête, comme une préfigure du «Vieux chalet» valaisan que «la neige et les rochers» coalisés avaient jeté bas, et que Jean son propriétaire, après avoir «pleuré de tout son cœur, a rebâti plus beau qu'avant». L'abbaye gardienne des sépultures de la Légion thébaine avait été, on le sait, fondée par le pieux roi Sigismond en 515 ; le deuxième abbé fit peu après construire une première église de type basilical pur : nef flanquée de bas-côtés, absides semi-circulaires précédées d'une section droite qu'encadraient les réduits orthogonaux de la *prothesis* et du *diaconicon*. Dévastée par les Lombards en 574, celle-ci fut restaurée par ordre du roi Gontran, qui la fit agrandir par l'Est et clore par une abside semi-circulaire à l'intérieur, mais extérieurement polygonale, figure qu'il n'est pas hors de propos de rapprocher de celle de Saint-Irénée de Lyon.

Dès les premières années de l'époque carolingienne, de gros travaux vinrent modifier radicalement et amplifier le vieux sanctuaire : création à l'Ouest, soit sur le tombeau même du martyr saint Maurice, d'une seconde abside de même tracé que la précédente ; construction, à l'Est, d'une abside plus grande que sa devancière et comprise dans un mur extérieur à sept pans. On sait par deux témoignages oculaires que ce monument considérable fut à tel point dévasté par le raid arabe de 940 que, selon saint Odon, les architectes présents sur les lieux se lamentaient de ne savoir comment réparer de pareils dommages ; et nul n'ignore plus qu'ils le firent de belle manière en créant autour du chœur oriental un couloir semi-annulaire sur le circuit duquel étaient greffées trois, sinon quatre chapelles de plan orthogonal, «seul sanctuaire à déambulatoire de Suisse avec la cathédrale de Lausanne» (Louis Blondel, «Les anciennes basiliques de Saint-Maurice d'Agaune», dans *Bulletin Monumental,* 1953), et prototype incontestable, avec la crypte de la cathédrale de Clermont, de la formule magistrale des déambulatoires à chapelles rayonnantes.

Plusieurs indices démontrent que les constructions et reconstructions ne furent pas limitées à ces métropoles spirituelles. S'il ne paraît plus guère possible de reporter à l'époque mérovingienne, comme le pensait l'architecte découvreur, la crypte retrouvée sous la cathédrale de Saint-Jean-de-Maurienne, l'église d'Aime en Tarentaise, reconstruite durant la première moitié du XIᵉ siècle, recèle à l'intérieur de ses murs de galets les substructions d'un sanctuaire nettement antérieur, composé d'une nef unique, d'une travée plus étroite, sensiblement trapézoïdale, et d'une abside semi-circulaire moins large encore, en décrochement. Tout récemment, à l'occasion de la restauration de l'église du village de Viuz-Faverges en Genevois, héritier d'un *vicus* romain établi le long de la route romaine de Milan à Genève, des fouilles exemplaires animées dans l'enthousiasme par la jeune Société des amis de Viuz n'ont pas exhumé les substructions de moins de trois églises successivement bâties entre la fin de l'Empire romain et l'époque romane. La première, réutilisant en très petite partie les murs d'un édifice romain, se composait d'une nef en rectangle irrégulier et d'un chœur plus étroit, à chevet plat, le tout édifié «dans le courant du VIᵉ siècle ou au début du VIIᵉ». Ce schéma est assez rapidement amélioré par le redressement des murs de la nef et le remplacement du chœur par une abside en hémicycle très légèrement outrepassé : remaniement décisif, qui montre bien que ce type de plan ne s'est pas imposé d'emblée dans l'architecture religieuse des Gaules, et que bien des variantes ont été nécessaires pour aboutir à la perfection de plan des églises romanes. A l'extrême fin de la période carolingienne, la troisième église marque une évolution considérable, en ce que, sans modifier le plan général, la longueur de la nef en œuvre est portée de 16 m 80 à plus de 21 m, et la largeur de l'abside passe elle-même de 4 m 60 à 4 m 80 et augmente de 1 m sa profondeur (3 m 20 à 4 m 20) (Renée Collardelle, *Les premières églises de Viuz à Faverges*). Une telle amplification n'est pas dénuée de signification : elle atteste, à la veille de l'essor roman, non seulement un accroissement démographique résultant, à coup sûr, d'une population mieux stabilisée, mais un goût de voir plus grand, germe de la volonté d'émulation qui, dans les régions lyonnaise et savoyarde, sera l'une des clés de l'intense création romane et de ses rejaillissements.

On sait cependant que la collection *la nuit des temps* n'a aucunement pour fin de dresser des répertoires de fouilles (si riches que celles-ci puissent être en enseignements de toute nature), ni, à plus forte raison, des catalogues de *fragmenta* disséminés ou réemployés au hasard ; la présentation cartographique du présent ouvrage (p. 38-39) s'en est tenue strictement à cette exigence. Ce dont il s'agit pour elle, c'est avant tout d'offrir un choix de visions anthologiques, à la façon, si l'on veut, des morceaux choisis de la littérature. Et ce qu'elle s'efforce de mettre en œuvre, c'est de susciter dans l'esprit, le cœur et l'âme de ses lecteurs, par la fusion des textes et des illustrations dans un permanent balancement des uns et des autres, et grâce au jeu d'une maquette en quelque sorte harmonique ou, si l'on préfère, contrapuntique, beaucoup plus encore et beaucoup mieux qu'une réflexion archéologique : une méditation, une contemplation et une adhésion d'essence spirituelle. *Quam dilecta tabernacula tua, Domine!* Les trois monuments qui vont être présentés à titre, si l'on veut, de pièces justificatives offrent sur les précédents l'avantage d'être encore debout, seuls de leur espèce à travers les deux districts lyonnais et savoyards : une «crypte à trois absides», un édicule de plan centré aux proportions raffinées, une chapelle à chevet plat et trompes d'angle originales, qui annoncent directement la belle invention romane des coupoles à colonnades. Si radicales qu'aient pu être les restaurations subies par deux d'entre eux au siècle dernier, leur puissance de témoignage demeure conjointement intacte; ce qu'ils affirment, ce n'est pas seulement un instinct de survie résistant aux agressions extérieures, mais une volonté de création qui, tout naturellement, les inscrit tous trois en tête des enrichissements et revitalisations de la forme dont la civilisation monumentale romane sera redevable au secteur considéré.

SAINT-RAMBERT-EN-BUGEY

L'histoire de saint Domitien ne peut se raconter qu'avec les accents des vieux hagiographes. Il naquit à Rome sous le règne de l'empereur Constance, de parents très catholiques. Son père aurait été assassiné par les sectateurs de l'hérésie arienne, et sa mère en mourut, dit-on de chagrin. Le jeune orphelin se résolut à entrer dans les ordres. S'il en faut croire les *Acta sanctorum,* il passa d'abord une longue période de sa vie dans une communauté monastique romaine, dont le nom n'est pas précisé. Puis les troubles qui secouèrent l'Italie lors de la grande invasion des Wisigoths, en 410, l'auraient contraint à émigrer. Il chercha en premier refuge à l'abbaye de Lérins, et y connut saint Hilaire, qui lui conféra la prêtrise en 428. Il aurait eu alors plus de quatre-vingts ans, mais ce grand âge ne l'empêcha pas de quitter, quelques années plus tard, le monastère provençal à la quête d'une retraite plus absolue encore et plus proche de Dieu! Par les routes du Rhône qu'avaient, avant lui, remonté miraculeusement les «Saintes Maries», il se choisit un ermitage voisin de Pérouges en Dombes (aujourd'hui Bourg-Saint-Christophe), autour duquel l'exemple de sa vie adonnée, selon le mode des anciens anachorètes du désert, à la prière, aux macérations, au jeûne, aurait attiré un nombre sans cesse grandissant de disciples. Cet afflux contrariant sa soif de solitude et de contemplation mystique, il planta bientôt là fidèles, masure, jardin et vigne, et cédant à la suggestion des monts que l'on voit, de la côtière d'Ain, découper leurs festons bleus à l'horizon du Levant, «comme le cerf aspire à l'eau des sources» il s'enfonça dans la vallée de l'Albarine, que gardent les ruines des tours féodales de Saint-Germain et d'Ambutrix. Derrière ce retranchement, le torrent du Brevon a creusé une gorge encaissée, dont la tête s'ouvre sur les solitudes forestières de Nivollet-Montgriffon et L'Abergement-de-Varey, et que défendent, vers l'aval, de solides verrous rocheux masquant la cluse en contrebas. Dans un tel site de chartreuse avant la lettre, Domitien établit deux oratoires, l'un qu'il dédia à la Sainte Vierge, le second à saint Christophe; la sollicitude d'un propriétaire voisin lui permit d'y agréger quelques lopins de terre. Il mourut peu après, fut enseveli avec honneur par les disciples qu'une nouvelle fois, le renom de sa sainteté commençait de rassembler autour de lui.

L'on raconte encore, mais sans trop préciser les dates, mobiles et circonstances des événements, que le pieux Rambert ou Ragnebert, fils d'un gouverneur de provinces franques à la fin des temps mérovingiens, s'attira par les mérites de sa vie exemplaire la vindicte du maire du palais de Neustrie Ébroïn, lequel aurait fini par le faire mettre à mort par des tueurs à gages, non loin du monastère du Brevon, où il avait tenté de trouver refuge : tant il est vrai qu'en un sens comme dans l'autre, la légende ne prête ou n'ajoute qu'aux riches. L'on ne sait pas au juste pourquoi, se demande le sourcilleux chartiste Édouard Philipon, rédacteur du Dictionnaire topographique de l'Ain, «l'Église le rangea au nombre des saints» : peut-être, tout simplement, parce qu'elle le réputa martyr pour sa foi. Son corps fut recueilli en l'église du monastère, où les pèlerins affluèrent, cependant qu'éclataient de grands miracles. Épargnées par la Révolution grâce au zèle de trois paroissiens, les reliques ont trouvé place et demeurent honorées dans l'église de la ville industrielle qui s'est bâtie au débouché de la gorge naturelle, le long de l'Albarine.

Les premiers temps de l'histoire de la fondation sont fort mal connus. On sait seulement qu'elle fut restaurée, et, selon toute vraisemblance, affiliée à la Règle de saint Benoît par l'archevêque de Lyon Leidrade. Familier de Charlemagne, ce prélat soutenait l'œuvre du réformateur monastique Benoît d'Aniane, qu'il accompagna lors de deux missions délicates que ce dernier eut à effectuer successivement en Espagne. Benoît fut même placé par l'empereur à la tête de l'abbaye de l'Ile-Barbe en cours de restauration par les soins de Leidrade après sa destruction par les Sarrasins. Il ne paraît cependant pas qu'à Saint-Rambert, peut-être trop perdu dans le fond de sa reculée rocheuse, les résultats de cette action aient été fort durables; l'abbaye ne figure pas au nombre des souscripteurs du concile d'Aix-la-Chapelle, qui, en 817, mettait en œuvre la réforme de Benoît d'Aniane. Gérée par des abbés de second rang, elle s'enferme dans un silence d'où on ne la voit guère émerger que trois cents ans plus tard, lorsque l'archevêque de Lyon Pierre Ier s'entendit vertement tancer par l'abbé de Cluny Pierre le Vénérable, qui lui reprochait le déclin et l'atonie où avaient chu les monastères de son diocèse : «Que dirai-je des chevaliers, que dirai-je du peuple, quand je vois des clercs, et, ce qui m'est plus pénible, des gens de notre ordre monastique, revenir plus avidement encore que les laïcs à ce qu'ils avaient en apparence abandonné, délaisser le tabernacle de Dieu et la houlette de Moïse pour retourner à Pharaon et à l'Égypte, réavaler frénétiquement et comme des chiens immondes leurs propres vomissures, et, eux qui auraient dû resplendir comme de l'or dans la maison de Dieu, se traîner comme la fange à travers les places publiques où chacun les foule aux pieds» (lettre 38 de l'édition Constable). Prenant la leçon à la lettre, l'archevêque décida d'affilier l'abbaye de Saint-Rambert à la congrégation clunisienne, avec cet attendu qu'elle avait perdu «toute religion, tout bien spirituel autant que corporel»; «dans le dessein qu'y soit plus sûrement conservée l'intégrité de la Règle», il allait jusqu'à interdire que les moines fissent à l'avenir profession entre les mains de l'abbé du lieu; ils devraient, soit prononcer leur engagement à Cluny même, soit attendre que l'abbé de Cluny les pût bénir en personne (charte de Cluny n° 4026, 1131-1138). Cluny serait libre de nommer, et, le cas échéant, de révoquer l'abbé, «afin de lui en substituer un autre plus utile à la maison»! C'est de l'archevêque cependant que l'élu devrait recevoir la bénédiction selon le mode accoutumé. Le pape Innocent II confirma peu après ce règlement, qui ne semble pas avoir été longtemps appliqué; il est possible même que la sujétion de Saint-Rambert à Cluny n'ait jamais été effective. En 1350 en tout cas, le monastère bugeyen ne figure plus parmi les possessions de l'ordre.

L'occasion manquée ne se retrouvera plus. Durant six siècles, la vieille institution vivote, aux mains d'abbés dont certains portaient cependant de grands noms : Briord, Luyrieu, Miolans d'Urtières, Montmayeur, Maréchal, François de Bachod (av. 1538-1568), qui fut évêque de Genève et abbé d'Ambronay; de cette grisaille ne se détachent ni personnalité de premier plan, ni œuvre ou action exemplaire. En 1096, l'abbé Rainier avait concédé au comte Thomas de Savoie et Maurienne la garde du château voisin de Cornillon. Pierre Ier négocie en 1259 un règlement de concorde avec les chartreuses de Meyriat et de Portes. Louis Ier Maréchal fit de ses deniers bâtir le chœur de l'église, qu'il décora de vitraux et de stalles, en 1457-1458. L'abbaye passa en commende au XVIe siècle, fut sécularisée en 1788 et démolie totalement à la Révolution, sauf un bâtiment de porterie et le logis prioral, qui, passablement remaniés, abritaient ces dernières années une œuvre, méritoire entre toutes, d'accueil aux enfants eurasiens victimes de la guerre. Animée par une communauté des religieuses de Notre-Dame des Missions, mais n'ayant plus lieu d'être dès lors que les enfants recueillis avaient atteint l'âge de l'émancipation, elle a été remplacée par un Centre de rencontres spirituelles.

De l'abbatiale rasée, ne subsista plus que la crypte, tombée depuis 1793 dans un état complet d'abandon, à tel point comblée et envahie de végétation que le souvenir s'en était presque perdu lorsqu'un éboulement de terrain la fit redécouvrir fortuitement en 1838. Stimulés par l'évêque de Belley, Mgr Devie, qui se piquait d'archéologie, des travaux de déblaiement et une restauration rondement menée permettaient, dès 1840, la réouverture au culte sous l'invocation de Saint-Domitien. L'œuvre de réfection, sans doute un peu trop radicale, n'a pas été moins contestée que celles, sensiblement contemporaines, des cryptes de Saint-Bénigne de Dijon (1843) et de Saint-Philibert de Tournus (1845), ou que la «rénovation» de l'abbatiale Saint-Martin du Canigou conduite en 1902 par Mgr de Carsalade du Pont : éventrement du chevet par une grande porte disgracieuse (pl. 1), retouches un peu trop voyantes de l'appareil préroman, constitué de moellons de calcaire blanc et ocre irréguliers et noyés dans un épais mortier, percement ou remaniements de fenêtres, et, surtout, érection de toutes pièces, au-dessus de l'abside principale, d'une chapelle moderne qui prétend rappeler le souvenir de la basilique disparue. Pour avoir transmis, non seulement aux archéologues, mais aux fidèles et aux simples touristes, autre chose qu'une ruine, inévitablement promise à la démolition dans un délai plus ou moins bref, et leur avoir restitué, avec une fidélité plus scrupuleuse dans le détail qu'on ne l'a dit, un sanctuaire chargé d'histoire et empreint, dans son cadre sauvage, de spiritualité et de recueillement, elle mérite bien, cependant, que justice lui soit rendue, à l'égal, toutes proportions gardées, de celle que Viollet-le-Duc avait conduite à Vézelay, et qui fut, on le sait, tant attaquée et contestée.

En plan, la crypte se compose d'une abside de pourtour extérieur parfaitement semi-circulaire, flanquée de deux absidioles de même plan, avec lesquelles elle communique par un couloir transversal, sorte de transept étroit courant, à l'Ouest, d'une extrémité à l'autre. Implantée sur la pente du versant qui, d'Ouest en Est, bascule sur le lit du Brevon, elle n'est enterrée qu'à l'Ouest, tandis que le chevet est pratiquement de plain-pied avec le chemin qui le borde. L'accès s'effectue par la porte creusée au XIXe siècle dans l'axe de l'abside ; mais on voit encore les deux escaliers qui, ménagés à chaque extrémité du couloir de circulation, débouchaient probablement devant le chœur ou dans le transept de l'église haute. On constate à l'intérieur que, par un raffinement de qualité dont l'élégance contraste avec la médiocrité générale de l'appareil, et qui dément avec un singulier éclat les imputations de lourdeur, voire de grossièreté parfois assignées à l'architecture préromane, aucune des parois n'a été montée selon un plan rectiligne. Les murs des trois absides, et le mur de fond du couloir de desserte lui-même s'incurvent en niches ou alvéoles très largement et gracieusement évasées (pl. 2), toutes semblables, portées sur plinthe et dessinant, au-dessus de celle-ci, un pourtour interne entièrement polylobé, à la seule exception des entrées de chaque abside et des supports des arcades en plein cintre qui permettent la communication de l'abside principale avec les absidioles.

L'abside majeure est divisée en trois sections par deux paires de colonnes (pl. 3), auxquelles s'ajoutent selon les mêmes axes deux demi-colonnes engagées dans le mur de fond du couloir. Les fûts supportent des voûtains d'arêtes en tuf, où se voient encore, comme aux cryptes de Tournus et de Saint-Bénigne de Dijon, les traces des coffrages d'origine non dégrossis, et dont les retombées latérales s'opèrent sur des demi-colonnes engagées le long de l'hémicycle. Ceux de l'Est sont des monolithes galbés, très vraisemblablement réemployés d'édifices antiques ; à l'Ouest, l'une des colonnes est montée en tambours rudimentaires, l'autre superpose deux fûts réemployés, le premier cylindrique, le second galbé. Chacune des absidioles ne comporte qu'une file de colonnes, engendrant donc deux vaisseaux au lieu de trois (pl. 2). Celles de l'absidiole méridionale, apparemment non retouchées, montrent l'association de fûts galbés réemployés, mais trop courts, et de quelques assises montées en tambours afin d'en compléter l'élévation; c'est selon ce dernier mode que sont construites les demi-colonnes adossées.

De façon presque générale, les supports, dont quelques-uns seulement reposent sur des socles sommaires, sont surmontés de dés trapézoïdaux, privés de tout décor à l'exception d'un évidement lancéolé, très simple mais d'heureux effet, qui en creuse et amortit chaque arête; sur chacun de ces pseudo-chapiteaux repose un coin carré, qui reçoit lui-même les retombées des arêtes. Un tel parti ne résulte peut-être que de l'absence locale de sculpteurs qualifiés, mais, par sa réelle et très sûre perfection de plans et de lignes, il exprime aussi, bien avant le temps, une volonté d'ascétisme monumental que tout un courant de l'architecture romane saura perpétuer ou rénover; les chapiteaux de la crypte de Saint-Bénigne, à Dijon, qui offrent avec ceux-ci d'incontestables parentés, en fournissent chronologiquement la première attestation. C'est dans l'absidiole septentrionale que se voient, sur trois chapiteaux des demi-colonnes, les seuls essais de figuration sculptée, barbares et élémentaires, mais combien émouvants! par leur rusticité même qui semble bien d'origine, comme des dessins d'enfant. Ils juxtaposent, de la gauche à la droite, un masque humain (pl. 4), un bucrane (pl. 6) dont on peut se demander si, comme en l'église brionnaise de Saint-Julien-de-Jonzy, il n'entendait pas exprimer avec un humour naïf une spécialisation pastorale que le terroir a partiellement conservée sur ses grands plateaux d'herbages, et, enfin, une main d'homme (pl. 5), gravée, mais d'une parfaite exactitude et sûreté de dessin : autre motif anatomique dont les sculpteurs romans, encore une fois, n'hésiteront pas à reprendre l'usage, mais en lui affectant une portée symbolique peut-être moins apparente ou délibérée en ce modèle tout à fait précoce.

Jusque dans leur maladresse, et à côté des chapiteaux nus de l'abside principale, de tels morceaux affichent en fait une volonté d'émancipation des modes antiques qui, en l'absence de toute mention textuelle, aiderait peut-être à spécifier l'âge de l'édifice. La tradition locale, fondée sur l'archaïsme de l'appareil, et, peut-être, sur le curieux tracé alvéolé des murs, qui se retrouve, mais beaucoup plus profondément creusé et selon un rythme assez différent, dans certains baptistères paléochrétiens, lui assigne celui des tout premiers temps du monastère, soit la période mérovingienne. Il est cependant assez difficile d'admettre, en dehors de tout autre contexte monumental que la modeste «basilique» de Briord en Bas-Bugey, qui, fouillée naguère par M. Henri Parriat, ne peut offrir d'ailleurs matière à aucun indice comparatif, que les premiers religieux de cette fondation précaire se fussent trouvés, dès les années qui suivirent la mort de saint Domitien, en état de réaliser un monument d'une pareille ampleur et originalité, ouvrage à l'évidence d'un architecte expérimenté.

S'il apparaît d'autre part que l'œuvre ne peut être, en toute hypothèse, postérieure au Xe siècle, il serait téméraire de la reporter trop précisément à l'épiscopat restaurateur de Leidrade, les monuments contemporains de la réforme carolingienne, autant qu'il soit possible d'en juger par les vestiges qui en subsistent dans la région lyonnaise, montrant à la fois une qualité d'appareil bien meilleure, un parti monumental résolument inspiré ou réinspiré de la tradition antique, et l'affirmation orthogonale des parois. L'on serait tenté davantage, sauves les réserves nécessaires, de reculer la construction de la crypte, manifestement édifiée d'un seul jet, à la période immédiatement antérieure qui semble bien avoir été celle de la plus forte expansion du pèlerinage au tombeau du martyr saint Rambert : ce rapide afflux ayant selon toute vraisemblance, nécessité de créer au plus vite, dans le modeste monastère inadapté à pareille fortune, un réceptacle plus digne de cette relique et de faciliter du même coup le mouvement de vénération.

L'on s'en voudrait toutefois de ramener à une simple appréciation de chronologie, exercice plus que jamais stérile en l'occurrence, faute de critères stylistiques et documentaires définis, l'attrait de ce monument étrange, déconcertant et mal connu, à peu près ignoré de *l'Art préroman* de Jean Hubert. Son mérite vrai réside ailleurs encore, dans l'étreinte de passé que, brusquement, la pénombre mystique vient refermer sur l'âme, dans le double symbole que transcrit cet enclos épargné dans son écrin de forêts, de landes et de rochers : montée aride et privée d'espace sur le sentier que le torrent frôle en grondant, jusqu'à la catacombe de silence où, l'épreuve consommée, attend le Dieu qui se complaît dans les confidences de l'ombre, mais dont le regard illumine les abîmes et dont la main, avec une douceur infinie, soulage inlassablement les meurtrissures de la route :

Sicut cervus desiderat ad fontes aquarum,
ita desiderat anima mea ad Te : Deus!

Remarquables organisateurs et bâtisseurs, les Romains établissaient le long de leurs grandes chaussées et à intervalles sensiblement équidistants des stations ou relais dont les fonctions étaient multiples, militaires et économiques. Ainsi, sur la voie de Milan à Vienne s'égrenaient principalement, à partir du col du Petit Saint-Bernard (*In Alpe Graia*), celles de *Bergintrum* (Bourg-Saint-Maurice), *Axima* (Aime), *Darantasia (Moûtiers)*, *Ad Publicanos* (Conflans), *Lemencum*, *Augustum* (Aoste) et *Bergusium* (Bourgoin), toutes citées dans le précieux tableau de la voirie impériale connu sous le nom de *Table de Peutinger*. Entre tous autres, le site de *Lemencum* avait été particulièrement bien choisi; avant la prodigieuse urbanisation récente qui a surpeuplé de ses «grands ensembles», de ses «lotissements» et de ses «résidences» l'enfilade jusqu'alors incomparable du lac du Bourget et de la cluse enfoncée comme par force entre le Mont-Saint-Michel et la Thuile à l'Est, et le mont Granier trônant au Sud en sa majesté souveraine, sa terrasse régnait avec grâce sur les toits bruns et gris du vieux Chambéry frileusement pressés jusqu'à l'esplanade du château des ducs de Savoie, et découvrait en fond de tableau de la cluse les remparts de Belledonne, blancs de neige jusqu'au fort des étés. Le percement des autoroutes modernes a encore renforcé la fonction du carrefour

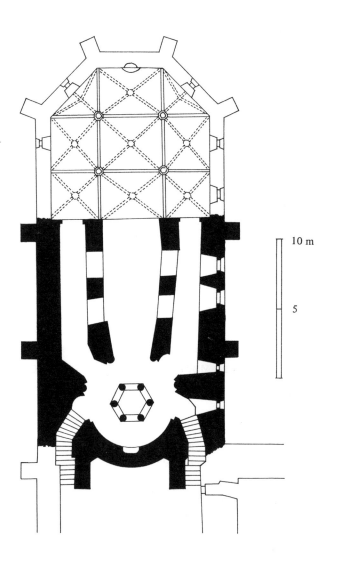

10 m

5

CHAMBÉRY
ROTONDE DE LÉMENC

chambérien et de la vallée de transit où s'engouffraient déjà, dans une sarabande incessante, les convois de la route internationale et de la ligne de chemin de fer qui la double. De nuit comme de jour, leur grondement vient battre les murs du cimetière, exempt de toute mélancolie devant un tel paysage chargé d'âme, dans l'enclos duquel repose la dame des Charmettes, égérie du pauvre Jean-Jacques. Sous la cavalcade des monts veille la rotonde à péristyle dorique du calvaire où le romancier savoyard Henry Bordeaux a situé l'une des scènes majeures de ses Roquevillard. Au terme d'une montée sinueuse par de petites routes fleuries, l'esplanade a sauvegardé sa quiétude et son charme quasi salésiens, entretenus par l'église et le monastère de la Visitation qui est venu s'y accoler.

La légende a copieusement embelli et reculé jusqu'en 546 la fondation d'un prieuré «en un lieu inhabitable qui s'appelle le mont Lémant», où Dieu réclamait «d'estre servy pendant un long temps par plusieurs sainctes âmes». En fait, on ignore presque tout de l'histoire préromane du lieu, où un oratoire chrétien, peut-être placé sous le vocable de saint Michel, aurait remplacé le temple païen à Mercure, gardien des hauts lieux. Mais l'existence d'une première communauté monastique ou érémitique n'y est nullement avérée ; c'est une *villa* du type de celle de Cluny, soit un domaine laïc, qu'en 1031 ou 1032 la reine Ermengarde se hâte, avant la liquidation du royaume rodolphien de Bourgogne, de donner à l'abbaye de Saint-Martin d'Ainay, laquelle y fondera un prieuré. Il n'empêche que l'église qu'on voit encore n'avait pas qu'une vocation conventuelle, selon la juste remarque de l'érudit comte Biver (sait-on qu'à titre de bienfaiteur, il a sa tombe en la chapelle d'Ourscamp, maison mère de la communauté fondée par le célèbre curé de La Courneuve, l'héroïque et saint P. Lamy ? le monde n'est décidément pas grand) : en 1199, elle conservait son privilège significatif «d'église baptismale», la dignité de mère église, et «exerçait une primauté spirituelle sur toutes les églises paroissiales de Chambéry, ainsi que sur celles de Jacob, Sonnaz, Le Vivier, Saint-Cassin, Saint-Girod» (A. Biver, *Lemencum,* 1947), situées au voisinage. Cette prérogative n'est peut-être pas sans incidence sur la composition du monument lui-même.

Celui-ci est constitué d'une église haute, à laquelle on accède de plain-pied depuis la place, et d'une crypte, à demi souterraine en fait du côté Sud en raison de la pente, et qui juxtapose d'Ouest en Est trois éléments d'âges différents. L'église supérieure comporte une nef unique de quatre travées, sur les trois premières desquelles s'ouvrent des chapelles latérales carrées, et un chœur un peu plus large, profond de trois travées et clos par un chevet à trois pans. Le vaisseau principal est uniformément voûté d'ogives flamboyantes, montées de 1480 à 1513, après un incendie qui avait causé quelques dommages à l'église, et notamment à son clocher. Mais si le chœur, large à la mode méridionale et éclairé au chevet par trois belles verrières à remplages, est de construction homogène, on constate que les voûtes des quatre travées occidentales, reçues par des consoles moulurées, prirent appui sur des murs qui paraissent bien être romans, de même, d'ailleurs, que la première chapelle, couverte d'un berceau en plein cintre. La façade, elle, a été creusée d'un portail flamboyant, que surmonte un joli fronton Renaissance, daté de 1553 par une inscription qui l'attribue au «Frère

Pierre de Valenciennes». A droite et à gauche de la dernière des quatre travées, deux escaliers intérieurs courbes conduisent à l'oratoire inférieur, soit sur «cette crypte particulièrement émouvante, car elle paraît contenir les vestiges d'un des plus vénérables monuments religieux qui aient subsisté en Savoie, probablement même du plus ancien» (André Perret, «La crypte de Lémenc», dans *Revue de Savoie,* 1958/1).

Les escaliers débouchent dans l'édicule de plan centré qui constitue le premier, et le plus notable, de ses trois membres. Il s'agit en fait d'un réduit de plan hexagonal qu'investit un déambulatoire annulaire (pl. 9). Il est couvert d'une calotte hémisphérique portée par six colonnes que surmontent des chapiteaux à feuilles grasses et lisses, à volutes accusées, très librement interprétés du corinthien qu'ils stylisent vigoureusement, avec, au milieu de chaque abaque, une rosace à pétales ou entrelacs (pl. 7 et 8). Ces supports sont posés sur une margelle hexagonale échancrée à l'Ouest pour permettre de pénétrer commodément dans le réduit, dont le sol est légèrement abaissé. Des arcades en plein cintre, de tracé incertain, les unissent. Tous les fûts de colonnes sont, à ce qu'il semble, réemployés de l'époque romane; il est vraisemblable qu'on les prit à bon compte parmi les ruines de la station de *Lemencum*. Les astragales font corps avec eux; les chapiteaux, quant à eux, ne paraissent pas antérieurs au IXe ou au Xe siècle; les bases sont polygonales ou toriques, sommairement taillées. Le déambulatoire est voûté d'un berceau annulaire sans aucune articulation; une niche exiguë, creusée dans l'axe occidental de son pourtour, pouvait servir de local de rangement. Quatre absidioles, dont les entrées étaient cantonnées de colonnes à chapiteaux tout à fait semblables aux précédents, s'ouvraient primitivement, semble-t-il, sur l'hémicycle opposé du déambulatoire, de part et d'autre de l'accès, qui devait s'effectuer à l'Est; les deux extrêmes ont été éventrées pour livrer passage aux escaliers descendant de l'église haute, les deux autres remplacées par des couloirs coudés de construction grossière, et ceux-ci débouchent à leur tour sur les collatéraux, à murs pleins percés d'arcades, d'une petite nef rudimentaire qui vint, à une époque mal déterminée, mais antérieure en tout état de cause à l'expansion romane de la fin du XIe siècle, se greffer à l'orient de la rotonde, dès lors transformée en une sorte de vestibule occidental. On ne peut manquer d'évoquer à ce propos la chapelle édifiée par l'abbé de Saint-Denis, Hilduin, à l'Est de l'abbatiale carolingienne et qui se présente, selon Focillon, «comme un des plus anciens exemples en Occident de ces nefs triples, séparées par des murs continus, dont l'art byzantin nous offre quelques exemples et dont le prototype a été découvert par Baltrusaïtis en Géorgie» (*Moyen Age. Survivances et réveils,* 1945, p. 40). Le vaisseau, voûté en berceau plein cintre comme ses pseudo-bas-côtés, devait être originellement clos par une abside, flanquée peut-être d'absidioles, que vint remplacer le beau chœur polygonal bâti au XVe siècle, et notablement élargi. Cette conclusion inattendue, illustrée par un groupe sculpté fameux de la Mise au tombeau, sert de soubassement au chœur flamboyant de l'église supérieure, qui lui superpose exactement ses murs gouttereaux; elle est, comme lui, voûtée d'ogives, qui ne laissent pas le moindre doute sur leur date.

La question que suscite d'emblée l'édicule circulaire est celle de son affectation originelle. Il n'est pas douteux qu'il était primitivement autonome et que les absidioles ou niches qui creusaient la moitié orientale de son pourtour interne ont été éventrées après coup : les deux plus proches de l'entrée (située dans l'axe oriental), lors de la construction de la crypte basilicale; les deux autres, lorsque fut édifiée la nef de l'église haute, dont les escaliers constituèrent dorénavant l'unique accès à l'ensemble inférieur : aucune trace de porte murée ne se voit dans les parois de la crypte ni dans celles de son prolongement gothique. Au siècle dernier se développa une controverse mémorable entre les tenants d'un «baptistère tardif» (fin de la période carolingienne), dont le héraut était le vicomte de Saint-Andéol, et les partisans, soit de quelque *martyrium* élevé sur le tombeau d'un saint (dont on ignorait tout et qui n'avait nulle part laissé son vocable), soit même d'un *ciborium* eucharistique, hypothèse qui ne résista que peu de temps à l'examen. Le ralliement du maître Robert de Lasteyrie à l'opinion de M. de Saint-Andéol ne pouvait que fortifier celle d'un baptistère tardif, auquel aurait été adjointe «une portion bâtie au plus tôt au XIe siècle», et dont la construction aurait nécessité l'éventration de deux niches ou absidioles orientales. M. André Perret, alors archiviste de la Savoie, résuma les théories en présence dans un brillant article publié par la *Revue de Savoie* en 1958, et, tout bien pesé, se prononça lui-même en ce sens : aux indices livrés par le titre d'église baptismale, et par la margelle creuse, il ajoutait les «très nettes traces d'exsudation» relevées à l'intérieur de celle-ci par un expert géologue convoqué à sa demande. Revenant sur le problème dans une communication présentée devant les sommités du Congrès archéologique de France, au nombre desquelles figurait en bonne place M. Jean Hubert, il déclarait ne pas éliminer tout à fait l'hypothèse «d'une chapelle cémétériale de haute époque», prudence qui donnait satisfaction à tout le monde, et suggérait que des fouilles nouvelles, conduites «avec les exigences scientifiques modernes», vinssent résoudre enfin le dilemme centenaire.

Aux détracteurs de la thèse baptismale, pour lesquels l'évêque seul avait, aux «hautes époques», qualité pour administrer le sacrement de baptême au siège de son évêché (titre que Lémenc n'avait jamais possédé ni revendiqué), M. Perret répondait toutefois que, dès l'époque carolingienne et sous la pression des nécessités, la prérogative de conférer le baptême n'était plus réservée aux seuls évêques. Il est curieux qu'aucun historien n'ait évoqué, pour fortifier ce propos, la situation particulière dont pâtissait au Xe siècle le diocèse de Grenoble, duquel, on le sait, dépendait la région de Lémenc. L'évêque Isarn, qui avait militairement participé à l'expulsion des Sarrasins, trouva son diocèse totalement détruit et vide d'habitants à un point tel qu'il dut faire appel à des colons pour le repeupler. Près de vingt ans après la libération du territoire, son successeur Humbert avait encore à restaurer un nombre considérable d'églises «que l'Antiquité avait édifiées, mais qui, pour lors, tombaient d'abandon et de vétusté» (*Gallia christiana,* tome 16, col. 226-228).

(suite à la page 83)

TABLE DES PLANCHES

3

9

10

AINAY
SAINTE-BLANDINE

12

EXTRAVACHE

13

14

ROTHERENS

SAINTE-MARIE-DE-CUINES ▶

15

QUINTAL

Il est impensable que, durant toute cette longue phase de troubles, le fonctionnement normal du diocèse n'eût pas été profondément affecté, ses liaisons interrompues, l'activité des évêques paralysée. Et il n'est pas moins vraisemblable que, dans le décanat savoyard excentrique et peut-être un peu mieux protégé, des dispositions furent prises pour assurer coûte que coûte les tâches de la vie chrétienne et de l'évangélisation, l'administration des sacrements au premier chef. A la lumière d'une telle réflexion, il devient tout à fait possible que la construction d'un baptistère traditionnel, dont certaine rudesse de facture dénonce la hâte, ait entendu répondre à cette urgence.

Le calme revenu, la fondation du prieuré de Saint-Martin d'Ainay provoqua une difficulté nouvelle et inattendue : celle-là même que venait de rencontrer son homologue clunisien de Saint-Victor de Genève ; et le rapprochement n'a pas échappé à la sagacité de M. André Perret. Comment intégrer un local et une église monastiques dans un espace paroissial déjà constitué, sinon par un arrangement monumental qui pût concilier et satisfaire simultanément l'une et l'autre fonction ? La disposition de l'ensemble ecclésial de Lémenc, telle qu'elle s'est conservée, livre apparemment la solution. L'église supérieure, nef et chœur, plus tard absorbé par les travées flamboyantes, fut à l'usage des moines, en vertu de l'adage que charbonnier est maître chez lui. Elle fut vraisemblablement édifiée dans le même temps que, pour la desserte paroissiale au bénéfice des fidèles laïcs, on éventrait le baptistère afin de l'augmenter tant bien que mal du médiocre vaisseau qui le prolonge à l'Est, et dont il devint le vestibule et, en quelque sorte, le sas liturgique d'accès. Aucune trace de porte autonome n'ayant été relevée à ce niveau, c'est, semble-t-il, sans plus tarder que furent aménagés dans l'église haute les deux escaliers permettant de descendre dans les cryptes : c'était, en réduction, le système de Vézelay, où les pèlerins de sainte Marie-Madeleine jouissaient d'un droit de passage et de station dans l'ensemble constitué par la nef et la crypte, soit l'*ecclesia peregrinorum,* les religieux, eux, se réservant l'usage exclusif du *chorus monachorum.* Le rapprochement va loin : qui sait même si le titre d'«église baptismale», énoncé dans l'acte de 1199, ne revêtirait pas de ce fait une acception non pas seulement liturgique, mais bel et bien spatiale : «l'église où se font les baptêmes», par opposition implicite à celle des moines, qui ne comporte pas de baptistère ? La discussion reste ouverte, et la qualité du haut lieu chambérien, des souvenirs en tous les genres qu'il enclôt, y engage la fidélité savoyarde : voisine de celle qui est due, non loin de là, au mausolée royal d'Hautecombe par-dessus les agressions d'un tourisme douteux, certes, mais qui ne sera jamais qu'épidermique.

Plan de Sainte-Blandine d'Ainay, voir plan de Saint-Martin d'Ainay, page 162

CHAPELLE SAINTE-BLANDINE D'AINAY

Tous les Lyonnais connaissent la modeste chapelle qui, placée depuis une époque inconnue sous le vocable de leur petite martyre Blandine, jouxte le flanc méridional du transept et du chœur de la basilique d'Ainay, mais selon un axe sensiblement différent de celle-ci. A l'Est en effet, un intervalle, rempli par un blocage de maçonnerie, sépare les deux édifices : à l'Ouest au contraire, il a fallu raboter le mur Nord de la chapelle pour permettre l'insertion du mur de fond du croisillon Sud de l'abbatiale : indice certain d'antériorité du premier par rapport au second.

La chapelle est construite sur une crypte de plan sensiblement carré, éclairée dans son axe, et pourvue, à droite et à gauche, de deux réduits rectangulaires auxquels donnent accès d'étroits passages, et qui peuvent avoir servi de « caveaux » ou mieux, d'armoires à reliques. Des dispositifs tout à fait analogues, mais de dimensions plus vastes, s'observent aux deux entrées du déambulatoire de la crypte de Saint-Philibert de Tournus, et des réduits analogues, mais construits selon des axes rayonnants, ont été, ainsi qu'on le sait, relevés autour du chevet semi-circulaire de la basilique de Saint-Maurice d'Agaune restauré après le sinistre de 940. La crypte est voûtée d'arêtes, que supportent des pilastres d'angle; le départ de la voûte est souligné par une imposte fruste, décorée seulement d'un rang de billettes.

Plus vaste, le sanctuaire supérieur comporte une nef rectangulaire, relativement longue, que prolonge à l'Est une abside orthogonale sensiblement plus étroite (pl. 11). Sept arcs de décharge en plein cintre allègent les parois latérales de la nef, qui, semble-t-il, était dès l'origine voûtée d'un berceau en plein cintre, le chœur, lui, étant couvert d'une croisée d'arêtes; du côté Nord, cinq de ces arcades ont été éventrées, non seulement pour permettre une communication plus facile avec l'église principale, mais pour mieux éclairer le transept; seules, les deux dernières à l'Est sont aveugles. L'arc triomphal, également en plein cintre, repose sur deux colonnes en délit surmontées de chapiteaux. Une disposition originale affecte l'abside. Aux deux angles (Nord-Est et Sud-Est) du chevet, de petites trompes viennent en effet couper le plan quadrangulaire, de part et d'autre de la baie axiale (pl. 10). Leur voûte en cul-de-four repose sur des colonnettes placées, les unes à chaque bord, la troisième au fond de la trompe, devant l'arête murale. Une voussure en plein cintre, portée sur des colonnettes de même figure, enveloppe la fenêtre d'axe et lie ainsi les deux trompes à elle en un unique rythme ternaire; un seul tailloir, au surplus, surmonte de chaque côté de la baie les trois colonnettes placées devant le mur de chevet.

Il semble bien que ce système soit original. Les rapports de restauration, qui permettent de suivre assez en détail les remaniements du XIXe siècle, ne soufflent mot des trompes et de leurs appuis, et l'on peut donc y reconnaître, sous les réserves indispensables à formuler en un édifice aussi maltraité par les architectes de la génération romantique, la préfigure et l'amorce de la grande coupole de la croisée de l'église principale. C'est, dès lors, aux bâtisseurs du modeste sanctuaire que reviendrait l'honneur d'avoir créé, ou, à tout le moins, adapté d'après des originaux inconnus, un mode qui ne se retrouve hors de Lyon, et comme on le verra, qu'à la coupole de croisée de l'abbatiale de Tournus et à celles de la nef de la cathédrale du Puy, sur les quatre travées édifiées dans le prolongement et à l'Ouest du sanctuaire primitif, en progressif surplomb sur le vide du porche inférieur.

Il serait, dans ces conditions, tout à fait intéressant de pouvoir déterminer avec précision l'âge de la chapelle Saint-Blandine. Les opinions les plus diverses ont été émises à ce propos, variant du IVe au XIe siècle! Il n'y a pas lieu de retenir l'hypothèse formulée par le chanoine Chagny dans son monumental ouvrage sur Saint-Martin d'Ainay, et selon laquelle la chapelle ne serait autre que l'ancien oratoire de Saint-Pierre, édifié dans le principe au VIe siècle, restauré par l'abbé Aurélien en même temps que l'abbatiale voisine, puis reconstruit de fond en comble et consacré en 1146. Il est en fait impossible de les confondre l'un et l'autre. L'historiographe La Mure, dans sa *Chronique de l'abbaye d'Ainay* publiée en 1685, décrit expressément la chapelle Saint-Pierre, qui allait être bientôt affectée à la confrérie des Pénitents rouges. Dans l'autel avaient été encloses «des reliques très précieuses, comme des saincts Irénée, Marcel, Bénigne (l'un martyr de Chalon, l'autre de Dijon), Martin et Mamer(t), et saincte Cécile, mais surtout du sang miraculeux, escoulé d'une image de Notre-Seigneur faicte par Nicodème et outragé par un Juif» (cit. André Chagny, p. 240). La chapelle Saint-Pierre ne fut définitivement rasée qu'au cours du XIXe siècle ; le comte de Soultrait eut encore le temps d'en voir les vestiges, qu'il datait «du premier XIIe siècle».

On ne s'arrêtera pas davantage aux pieuses légendes appliquées à la chapelle Sainte-Blandine, et qui n'ont pas été étrangères au vocable qui lui a été conféré. Les réduits latéraux de la crypte, en particulier, auraient été les cachots de la jeune martyre et de l'évêque Pothin. Un Inventaire de 1531, inscrit dans le fameux Missel d'Ainay, recense d'autre part deux caisses, «dans lesquelles est abondance de poussières, corps, vêtements et terre dans laquelle furent martyrisés saint Pothin et ses compagnons». Le sanctuaire lui-même aurait été élevé en mémoire des martyrs de la persécution de 177, dont les moines d'Ainay se targuaient, de fait, de posséder au moins en partie les cendres : revendication qui explique peut-être la tradition erronée selon laquelle le monastère d'Ainay aurait été bâti au lieu même où ces cendres des pieuses victimes, dispersées dans les eaux du Rhône, avaient été recueillies par les chrétiens lyonnais. Il eût été anormal, en tous les cas, que les bénédictins d'Ainay ne se fussent pas préoccupés d'acquérir et de vénérer des témoignages aussi précieux que ceux-là mêmes sur lesquels l'Église de Lyon fondait, par le sang des martyrs, son authenticité et son apostolicité.

Enfin, l'on ne devra pas perdre de vue les réfections systématiques du XIXe siècle, et celles, notamment, de l'appareil, qui rendent aléatoire tout essai de datation précise et de recherche d'éventuelles reprises de construction. L'architecte Pollet, en 1844, éventra au Nord, ainsi qu'on l'a dit, cinq des sept arcades de décharge qui élégissaient le mur de la nef, et quatre du côté méridional. Il uniformisa radicalement la maçonnerie, qui, auparavant, trahissait, à ce qu'il semble, deux étapes ou manières assez distinctes : à l'Est, un composé irrégulier de pierre mêlée de briques et noyée d'un mortier à chaux ; à l'Ouest, un appareil beaucoup plus régulier, peut-être contemporain d'ailleurs de la construction de l'abbatiale. Les parements intérieurs, grattés et raclés, ne furent pas plus respectés ; les enduits et les encadrements d'appareil des arcs et des baies, les moulurations même, gardent après plus d'un siècle un air de jeunesse et d'inauthenticité passablement déplaisant.

Sous ces réserves, il demeure acquis :

1) que la réfection extérieure des murailles a sauvegardé, autour de la baie axiale, une marqueterie de pierre polychrome, blanche et rouge, dont une estampe de Fleury Richard gravée en 1829, donc avant la restauration, qui y apporta de copieuses «retouches», précise déjà le dessin (pl. coul. p. 133). Coupé par la fenêtre, dont les claveaux eux-mêmes alternent les moellons blancs et les briques rouges, ce décor superposait alors, sur toute la largeur du mur, deux rangs de pierres disposées en *opus spicatum,* un lit de briques posées à plat et un damier de carreaux rouges et blancs, le tout sur une hauteur de 80 cm environ. Il faisait retour au Nord, où on le voit encore ; mais dès le début du XIXe siècle, toute trace en avait déjà disparu au mur méridional ;

2) que la corniche qui ceignait les mêmes parois extérieures était soutenue par des modillons à copeaux, type que n'ont certainement pas inventé de toutes pièces les restaurateurs du XIXe siècle. Il s'en venait directement de l'Espagne musulmane, et décore, on le sait, quantité d'églises de Catalogne, du Roussillon, de l'Auvergne clermontoise, et

jusqu'à celles d'Anzy-le-Duc et de Tournus, dont les chevets, où on le rencontre, ne sont certainement pas postérieurs aux premières années du XIe siècle. Les dessous des tablettes de la corniche étaient en outre sculptés de divers motifs ornementaux : «cuvette quadrilobée» le plus souvent, «autour de laquelle, à droite et à gauche, s'étendaient des rinceaux, fleurs de lys et fleurons, d'un dessin fort original. L'une de ces cuvettes portait une croix ancrée, une autre était décorée d'entrelacs, curieusement enchevêtrés à la façon d'une broderie très grossière» (abbé Chagny, *op. cit.*, p. 218);

3) que les chapiteaux qui couronnent la colonnade intérieure du chevet, ceux aussi qui surmontent les deux colonnes en délit recevant l'arc triomphal, portent dans ce contexte la même empreinte de la première moitié du XIe siècle. Du type défini par L. Grodecki «tronconique à tablette supérieure», dont le premier art roman méditerranéen emprunta, on le sait, la forme à l'art arabe, ils sont sculptés légèrement de motifs végétaux et géométriques d'une remarquable richesse décorative (pl. 12) : corbeille de larges feuilles nervées en deux registres, enroulements souples et fantaisistes de tiges entrelacées à trois brins, corbeilles tronconiques chargées d'un rang de feuilles ou de fleurons, tandis que, sur les tablettes, se découpent soit des spires nouées entre elles par une torsade, soit des galons à trois brins entrelacés, soit des entrelacs voisinant avec un damier de billettes, soit des croisillons, enfin, de tiges végétales qui, sur l'un des chapiteaux (colonne d'entrée de la trompe méridionale, au Sud), s'épanouissent en fleurs de lis typiques.

Ces chapiteaux doivent être rapprochés de ceux qui, provenant de l'Ile-Barbe, sont conservés au musée Gadagne, ou ont été tant bien que mal réutilisés dans le baptistère de Saint-Martin d'Ainay créé de toutes pièces au XIXe siècle, au flanc Nord de la nef; ils évoquent, au moins dans leur esprit, certains des chapiteaux réemployés dans le chœur de l'abbatiale de Tournus, ainsi que d'autres, plus évolués, qui sont encore en place dans le cloître dit de saint Ardain, bâti vraisemblablement entre 1028 et 1056 (voir *Tournus*, coll. *les travaux des mois*, et *Floraison de la sculpture romane*, coll. *introductions à la nuit des temps*, Zodiaque). Plus généralement, ils appartiennent à ce «milieu sculptural» de la première moitié du XIe siècle, qui accompagne souvent, mais non nécessairement, l'architecture du premier art roman méditerranéen, et déborde d'ailleurs très sensiblement l'aire géographique assignée à ces formes.

Les deux chapiteaux de l'arc triomphal s'inspirent des précédents par leur décor de spires, leurs enroulements de tiges à trois fils organisant de larges courbes autour d'une rosace centrale (pl. 12), mais leur facture boudinée, les zones de champ nu dégagées entre les motifs inviteraient à leur rechercher d'autres parentés encore. Le chanoine Chagny en avait relevé d'assez frappantes avec certains chapiteaux du chœur de l'église forézienne de Saint-Romain-le-Puy, qui fut donnée précisément à l'abbaye de Saint-Martin d'Ainay entre 983 et 987. Après qu'Ainay y eut, en 1007, établi un prieuré, ce sanctuaire fut agrandi par les soins d'un maître d'œuvre qui a, paraît-il, signé son ouvrage : Aldebert. On greffa alors sur le chœur primitif, à trois absides, une longue travée droite flanquée de bas-côtés que viennent clore des absides semi-circulaires comprises dans des murs de plan ovoïde à l'extérieur. Une belle arcature portée sur des colonnes jumelles en délit allège les murs Nord et Sud, et la travée débouche sur une large abside semi-circulaire, elle-même arcaturée. Le type des colonnades, les clavages, les appareils à incrustations rapprochent l'église priorale, tant de la chapelle Sainte-Blandine que du clocher-porche d'Ainay, dont ils pourraient contribuer à spécifier la date. Quant aux chapiteaux et reliefs insérés dans le mur extérieur de l'abside, ils dénotent une fertilité d'invention précoce : qu'il s'agisse de combinaisons d'entrelacs divers (dont certains rappellent, de fait, certains entrelacements de ceux de Sainte-Blandine), de corbeilles végétales, de motifs zoomorphes (oiseaux becquetant), de scènes historiées peu lisibles, voire d'une belle svastika à trois brins timbrant le pourtour absidal. Leur facture, déjà évoluée, traduit la même tendance que les chapiteaux de l'arc triomphal de Sainte-Blandine à une libération de la tradition méplate par le creusement des reliefs et, surtout, l'arrondi des modelés ; elle ne permet pas de les dater beaucoup plus haut que 1020 environ. C'est la date extrême, soit le terme *ad quem,* qui pourrait être, *mutatis mutandis,* assignée à la chapelle lyonnaise, sans omettre que celle-ci, d'un côté, demeure conforme à une tradition préromane que perpétuent, à l'extérieur, les incrustations bichromes du chevet, et, à l'intérieur, les trompes à colonnettes, dont l'implantation et l'effet visuel se rapprochent assez du système à colonnettes triples qui encadre chacune des absides opposées de la crypte de Saint-Laurent de Grenoble ; de l'autre côté, qu'elle s'ouvre, dans ses chapiteaux sculptés notamment, au souffle nouveau, encore tâtonnant ici parce que tributaire de trop de pesées traditionnelles, qui s'apprête à créer, dilater et épanouir la forme romane dans toutes ses composantes.

LE PREMIER ART RO

3

MAN MÉDITERRANÉEN

On pourrait objecter en toute bonne foi à ce chapitre-ci qu'il ne constitue pas une nouveauté. Il est parfaitement exact qu'au moins dans son principe et les lignes générales de ses débouchés, il a déjà été rédigé, et publié en quelque sorte avant la lettre parmi les pages que le livre de Zodiaque intitulé *Invention de l'architecture romane* avait consacrées naguère à la propagation, à travers les vallées alpestres, les plateaux du Jura et la Bourgogne elle-même, des formes que l'on est convenu de rassembler sous le titre de «premier art roman». Les réflexions qui en avaient été dégagées eurent le privilège, exceptionnel dans toute la carrière de leur auteur, d'être accueillies avec faveur par l'un des maîtres reconnus de l'histoire de l'art en Bourgogne et en France, lequel, prenant à part l'auteur de l'ouvrage, encore jeune alors et bardé de sa seule timidité, voulut bien lui confier à l'oreille, de telle manière que nul autre ne pût entendre un propos qui l'eût aussi gravement engagé par-devers ses collègues titrés, qu'il s'agissait là de la meilleure mise au point qu'il eût jamais lue sur un sujet toujours très discuté. La prescription décennaire étant maintenant largement dépassée, l'on peut se permettre aujourd'hui de divulguer cette attestation, mais, surtout, de se prévaloir d'elle pour considérer que, la cause étant entendue, il peut suffire d'en rappeler les conclusions essentielles, qui s'énoncent en peu de mots. Afin d'éviter le piège de l'ambiguïté d'investigation et de classification dans lequel était tombé Puig i Cadafalch, emporté par la fougue de sa mise en lumière, on s'était fondé sur l'exploration minutieuse des églises relevant, selon toute apparence, du premier art roman méditerranéen pour bien distinguer, en premier, les bandes creuses et festons d'arcatures authentiques, reconnaissables à leur facture sommaire, et accompagnant d'autres signes de précocité romane, de celles, beaucoup mieux appareillées, mais aussi sèches que des épures d'ingénieur, qu'on voit plaquées sur des structures murales bien plus tardives : dans la région alpestre, jusqu'aux XVIe et XVIIe siècles. En Maurienne et en Tarentaise, les exemples abondent; beaucoup plus au Nord, en Chablais, les bandes lombardes du campanile de Brenthonne et du clocher-porche de l'église de Draillant ne remontent vraisemblablement pour leur part qu'à l'époque gothique.

Sur ces bases, il devenait possible de constater que la diffusion à travers la Gaule du Sud-Est ne s'était aucunement opérée en remontant du Languedoc et de la Provence par la vallée du Rhône jusqu'aux confins du Châtillonnais, mais qu'elle s'était, à partir de la région des lacs italiens, puis du Piémont et du Val d'Aoste, épandue et effilochée le long des vallées du versant occidental des Alpes, qu'elle n'avait pas dépassées davantage vers l'Ouest. Entre ces zones et la résurgence des types «lombards» ou «comasques» dans la Bourgogne de l'an mille, la solution de continuité était totale, et elle ne l'est pas moins dans le district rhodanien. A s'en tenir d'ailleurs au secteur considéré, et spécialement aux hautes vallées limitrophes de l'Italie par les cols, leur empreinte est-elle aussi forte qu'on aurait pu s'y attendre? Dès la descente du col du Petit Mont-Cenis, l'église de Saint-Pierre-d'Extra-vache (pl. 13), perchée sur la pointe de son alpage comme un contrepoint de la dent Parrachée avec laquelle son campanile noue un dialogue de puissance, ne peut être datée que de la première moitié du XIe siècle, sinon de l'extrême fin du Xe, c'est-à-dire de la période qui suivit immédiatement l'expulsion des pillards du Freinet. Son plan des plus simples juxtapose une nef unique, une abside semi-circulaire et un clocher carré, qui flanque la nef au Nord; ce dernier n'est pas en cause, puisque, selon le docteur de Lavis-Trafford, qui connaissait chaque pierre du chemin roman du Mont-Cenis, sa construction aurait été contemporaine des peintures murales de l'abside, que plus personne ne considère comme romanes. L'état de délabrement de la nef ne permet pas d'assurer qu'elle était timbrée de bandes lombardes proprement dites; celles-ci sont tout à fait absentes du chœur, et de la curieuse plinthe saillante sur laquelle il est posé. L'appareil en est grossier sous la toiture de lauzes, et nulle trace d'animation murale ne s'y relève, non plus qu'au clocher lui-même. C'est bien le cadre prestigieux qui confère à l'édifice sa fulgurante majesté, comme un mémorial de *Reconquista*, toujours debout et fier après ses mille ans d'âge.

Plus modestement, la chapelle de Rotherens (pl. 14) se cache au creux de la vallée du Gelon, creusée au pied de Belledonne et séparée de la Combe de Savoie par la brève crête forestière étendue de La Chapelle-Blanche au Betton, siège jadis d'une abbaye de moniales cisterciennes. Elle offre le même plan élémentaire que sa sœur des hauts monts : nef unique plafonnée, abside semi-circulaire couverte d'un cul-de-four en plein cintre, clocher latéral au Nord; du même côté s'ouvre sur la nef une chapelle, voûtée en berceau transversal, qui s'appuie à l'Est sur la muraille du clocher. Toutes les fenêtres ont été refaites, mais dans l'axe de l'abside se voit encore une petite baie murée, à linteau échancré, qui contribue à dater cette miniature d'église de la toute première période de l'architecture romane. Nulle part, cependant, n'apparaissent les fameuse bandes lombardes : quelques assises murales en *opus spicatum* rustique s'observent seulement parmi l'appareil bâtard de l'abside et de la tour. Mais, tout près de là, ce sont les panneaux typiques, à cintres jumeaux, qui creusent les parois de la petite église triconque d'Étable.

En l'église de Sainte-Marie-de-Cuines (pl. 15), qui pâtit quelque peu du déplaisant voisinage des grandes usines et des fumées de la Basse-Maurienne, nul doute n'est non plus possible, malgré les remaniements profonds qu'elle a subis. Une travée droite s'interpose ici entre l'abside et la nef, que précède un clocher-porche. Si les arcatures lombardes qui timbrent le mur absidal reposent ou avaient été prévues pour reposer sur des pilastres polygonaux dont certains ne furent pas montés jusqu'au sommet, indice, peut-être, d'une chronologie relativement tardive, celles du clocher sont du type classique ; on rappelle cependant qu'aux parois des clochers, leur usage a persisté dans la région bien après la disparition du premier art roman.

QUINTAL

A Quintal au contraire, nul ne saurait douter qu'il ne s'agisse d'une église de la première moitié du XIᵉ siècle, et qui, par une fortune rare, est conservée presque en son entier. Modérément atteint par l'expansion urbaine d'Annecy, ce frais village se blottit au pied du versant occidental de la longue échine forestière du Semnoz, parmi le verdoiement intense des vergers et des prés. Les deux archéologues qui, à grand effort de leurs vieilles bicyclettes, la «découvrirent» par une éclatante après-midi de printemps des années 50 – cette saison de luxe où toute la montagne ruisselle d'émeraudes et de rubis – furent éberlués d'y reconnaître, préservée, une authentique structure du premier art roman d'origine comasque ; trente ans ont passé, et la Savoie fidèle n'a pas oublié.

La seigneurie de Quintal, dont le district chevauchait la montagne du Semnoz, appartenait au moins depuis le XIVᵉ siècle au chapitre de la cathédrale Notre-Dame du Puy, mais les origines de la paroisse elle-même sont obscures, et rien ne vient expliquer pour quelles raisons un pareil développement fut donné, dès le début du XIᵉ siècle, à son église. Plus ample que ceux des échantillons précédents, son plan comporte une nef unique précédée d'un clocher-porche, un transept en forte saillie, et une abside semi-circulaire greffée directement sur lui et flanquée de deux absidioles. La nef, primitivement non voûtée, avait été dotée longtemps après (sans doute durant la période sarde) d'un berceau léger en plein cintre, et ses fenêtres élargies; une restauration récente, très systématique, a rétabli un plafond de bois. On ignore si les voûtes d'arêtes qui couvrent le transept sont d'origine, mais les culs-de-four des absides, eux, sont très vraisemblablement primitifs (pl. 16). La restauration a heureusement dégagé les trois absides, autrefois masquées par une sacristie, et timbrées de bandes lombardes qui ne laissent aucun doute sur l'âge et l'appartenance du monument, même si celles de l'abside principale ont été tronquées, certainement après coup, lors du percement de deux fenêtres en plein cintre (pl. 18 et pl. coul. p. 81). Les mêmes panneaux et festons animent, sous l'étage du beffroi surhaussé en 1834, les faces Nord, Ouest et Sud du clocher, à raison de deux bandes à double arcature chacune par face; celles du Nord et du Sud sont aveugles, tandis que d'étroites baies en plein cintre, ébrasées à l'intérieur seulement, sont creusées dans celles de la façade (pl. 17).

Si restrictive qu'elle eût pu quelquefois paraître, cette mise au point préliminaire était nécessaire et honnête, dans la mesure où l'on a beaucoup prêté – un peu trop quelquefois, et ailleurs qu'en Savoie! – à ce «premier art roman du soleil» dont les richesses dûment authentifiées suffisent largement à lui conférer le caractère d'une véritable lame de fond déferlant sur la chrétienté d'Occident. Ceux que risquerait de chagriner un tel constat se consoleront aisément en considérant, non seulement que celui-ci possède avec Aime en Tarentaise, auquel il convient de consacrer une monographie majeure, l'un de ses titres les plus illustres, mais encore que la rénovation de la cathédrale de Saint-Jean-de-Maurienne, entreprise à l'occasion du centenaire de la réunion de la Savoie à la France, lui en a, avec un éclat insoupçonné et presque miraculeux, rendu un second qui n'est pas moins négligeable et devra être inscrit immédiatement à sa suite.

SAINT-MARTIN D'AIME

Le site d'*Axima* avait été retenu par les Romains, créateurs de la percée routière de Milan et d'Aoste à Vienne par le col du Petit Saint-Bernard, pour y fixer leur capitale de la « cité des Ceutrons ». La position était excellente : issue des neiges de la Galise, l'Isère épanouit là son premier bassin véritable, sous l'aspect d'une belle terrasse d'*adret,* d'où s'évadent vers le Nord, en direction du Haut-Beaufortain, deux vallons d'estivage drainés par le torrent au beau nom d'Ormente. De l'autre côté, en *ubac,* la chaîne montagneuse élevée de la Grande Côte et du Mont-Jovet (2.554 m) à l'Ouest, jusqu'aux crêtes bien nommées de Bellecôte (3.416), l'abrite des tempêtes déferlées du Midi, tandis que l'étroit du Saix, aujourd'hui franchi par la route en tranchées cyclopéennes, la protège des brumes de la basse vallée, aggravées par les vapeurs jaunâtres et nauséabondes que crachent les usines de Notre-Dame de Briançon. L'air plus sec sous des ciels souvent d'un bleu intense, les espèces végétales elles-mêmes y ont déjà, autour des villages accrochés aux versants et serrés à l'étroit sous la proche tutelle de l'église au clocher effilé, une saveur presque méditerranéenne.

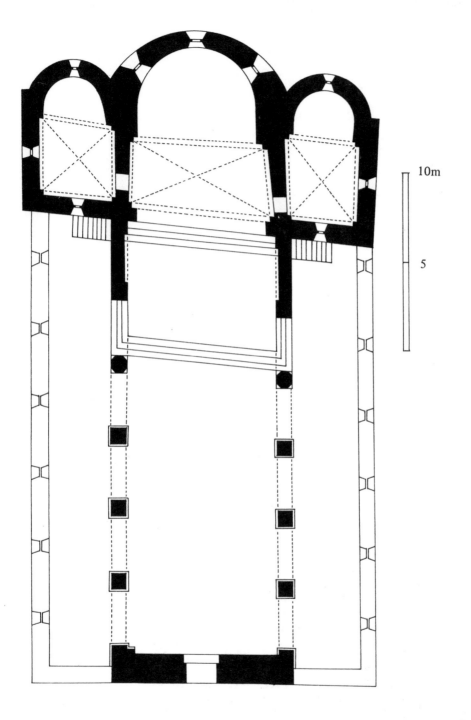

10m

5

AIME
SAINT-MARTIN

Les amateurs de visions romanes, descendus de la haute vallée, y ajouteront l'impression très forte de cette massive silhouette trichore surgie du côté droit de la route dans sa vêture de galets bruns, avec la dentelure creuse ceignant comme une douelle de tonneau son abside principale (pl. coul. p. 115), et ses tours inégales découpées sur l'ample crescendo de la «côte» de Granier-Tessens, vergers et prairies montant en vagues souples et majestueuses jusqu'aux alpages soulignés d'un rang de forêts, et jusqu'aux escarpements de la Roche à Thomas, de la Roche de Janatan et de la Pointe du Dzonfié dont le vocable fleure bon son accent régional. L'architecte tarin R.L. Borrel, qui, à la fin du siècle dernier, y conduisit des fouilles aujourd'hui fort bien présentées et commentées, avait reconnu à l'intérieur de la nef de cette ancienne priorale deux édifices successifs : une habitation (?) romaine à péristyle, puis une petite église, utilisant en partie les murailles de la construction antérieure, et constituée d'une nef rectangulaire prolongée par une abside en hémicycle un peu moins large. L'église romane était à l'origine de beaucoup plus vastes proportions ; sa construction dut suivre, ou peut-être accompagner la fondation d'un prieuré par l'abbaye piémontaise de Saint-Michel de la Cluse, la fameuse *Sacra,* que l'on date habituellement de 1019.

Le plan primitif, régulièrement orienté, juxtaposait une nef flanquée de bas-côtés, un transept fortement marqué, mais intérieurement cloisonné, et une abside flanquée de deux absidioles, toutes trois semi-circulaires et greffées directement sur le mur oriental du pseudo-transept. L'appareil, remarquablement homogène, dénote une construction d'un seul jet ; il est fait de cailloux roulés et de galets noyés dans le mortier, avec, par places, des lits de pierres disposées obliquement à la manière d'un *opus spicatum* rustique. On croit savoir que ce mode économique, qui se retrouve aussi bien en Bourgogne qu'en Cerdagne, désigne l'extrême fin de la période préromane plus encore que l'avènement roman, mais il est exact qu'à titre de permanence, on le voit utiliser, notamment dans la construction rurale, jusqu'à des époques beaucoup plus basses. Joint à l'absence totale de signes du premier art roman méditerranéen autres que la ceinture de niches absidale, et notamment des bandes festonnées en creux caractéristiques de ce grand style, il contribuerait à ne pas trop avancer dans le XIe siècle la construction de l'imposante basilique, fleuron de la parure monumentale jaillie comme spontanément du sol à l'aube de la renaissance romane.

La nef, longue de six travées non articulées et portées sur les murs peu épais, n'a jamais été voûtée, mais couverte d'une charpente, ainsi, croit-on, que ses bas-côtés (pl. 19). Au-dessus des grandes arcades primitives, ses murs goutterots relativement hauts et dépourvus de tout épaulement sont ajourés, travée après travée, par des fenêtres légèrement ébrasées, dont les cintres sont appareillés de claveaux plats disposés selon les axes rayonnants, et les montants, coupés par places de gros moellons sommairement taillés. Elle communiquait avec ses collatéraux par de grandes arcades en plein cintre et à arêtes vives, qui reposaient, dans les quatre premières travées, sur des piles carrées ; entre la quatrième et la cinquième travée, sur des colonnes rondes maçonnées ; entre la cinquième et la sixième, sur des supports carrés identiques aux précédents. L'appareil de ces massifs est particulièrement soigné; chacun d'eux s'enlève d'un seul élan depuis le sol, légèrement surélevé, à l'origine, par rapport à l'actuel niveau, jusqu'à une simple dalle où viennent reposer les sommiers des grandes arcades.

Les bas-côtés ont tous deux disparu, et les arcades de communication ont été soigneusement murées; il subsiste encore, notamment au Sud, les arrachements de leurs murs gouterots. Borrel, dans ses dessins, en reproduit également au Nord, sur la paroi occidentale et au côté de la façade, qui ne sont plus aussi apparents aujourd'hui. La suppression de ces bas-côtés, réalisée avec une habileté telle qu'on pourrait, à premier examen, confondre les arcades avec de simples arcs de décharge soulageant les parois d'une nef unique, remonte à une époque fort ancienne; aucune différence d'appareil ne la signale. Selon Mgr Barbier de Montault (*Notes archéologiques sur Moûtiers et la Tarentaise*. Moûtiers, 1877), c'est au XIIIe siècle, «pour un motif que rien ne laisse soupçonner», qu'aurait été réalisée cette opération: l'on peut se demander si l'église priorale n'était pas, tout simplement, devenue trop grande, dans le même temps que Moûtiers avait déjà largement détrôné l'ancienne capitale civile de la Tarentaise. A cette époque, selon Mgr Barbier, auraient été, d'une part, murées les arcades de communication, au demeurant très hypothétiques, entre la travée de chœur ou croisée du transept et ses propres collatéraux; d'autre part, et comme une espèce de compensation à ces amoindrissements, réalisées les peintures que Borrel avait relevées dans son livre (*Les monuments anciens de la Tarentaise*. Paris, 1884, pl.), et dont on voit encore les beaux vestiges sur une partie des murs de l'ensemble oriental: à l'abside, quatre saints alignés et surmontés de médaillons ayant contenu, selon Borrel, les bustes des seize premiers archevêques de Tarentaise (l'hypothèse est invérifiable); sur la paroi septentrionale du chœur, deux scènes de l'Enfance du Christ: Fuite en Égypte (aujourd'hui disparue) et Massacre des Saints Innocents; sur l'arc triomphal enfin, la création d'Adam et d'Ève, inscrite dans trois panneaux rectangulaires, à lire dans le sens descendant; au Nord, et en deux panneaux, la tentation et l'expulsion du paradis terrestre. L'ensemble composait ainsi une typologie familière aux théologiens du Moyen Age et acheminant la contemplation de la Faute originelle racontée par la Genèse à la Rédemption douloureuse par le nouvel Adam et à la Cour des cieux rouverts aux hommes.

Ce puissant massif oriental, de construction beaucoup plus originale et savante que la nef, a été, aussi, moins altéré, à l'exception, peut-être, de l'étêtement de la tour méridionale du transept, dont seul le moignon subsiste. Il est construit sur une fort belle crypte qui en préfigure le plan: une travée centrale flanquée de collatéraux, et une abside principale encadrée par deux absidioles (pl. 20), ainsi qu'il a été dit. Au niveau inférieur, le vaisseau central est divisé en neuf compartiments que couvrent des voûtains d'arêtes de construction assez fruste, portés sur quatre colonnes de tuf (pl. 21). Chacune de ces piles repose sur un socle carré par l'intermédiaire d'une base sommairement moulurée; elle est coiffée d'un énorme chapiteau cubique, en encorbellement prononcé, dont l'abaque est réduit à un simple filet, et la base soulignée par un gros astragale boudiné. Les bas-côtés ne communiquent avec la partie centrale que par deux portes. L'accès à la crypte s'opère aujourd'hui par un escalier de fortune; selon Borrel, il 'effectuait à l'origine par deux escaliers symétriques, transversaux puis coudés qui, des bas-côtés de l'église haute, débouchaient au fond de la travée centrale ; on doit admettre dans ces conditions que, depuis la suppression précoce des collatéraux de la nef, on ne pouvait accéder à l'église souterraine que de l'extérieur.

A l'étage de l'église supérieure, l'incertitude est la même quant au mode de communication entre la travée centrale du chœur et les deux salles de plan sensiblement carré qui, prolongées par les absidioles, la flanquent au Nord et au Sud (pl. 22), et s'offraient avant tout comme les assises des deux tours prévues. Il paraît difficile de ratifier à ce propos l'hypothèse précitée de Mgr Barbier de Montault. Borrel pour sa part, qui avait pu connaître les travaux du prélat, son devancier, ne devait remarquer aucune trace d'arcade ou de blocage mural ; la paroi, de fait, apparaît homogène sur toute sa surface. Et l'on est bien forcé de conclure que, sauf erreur de vision, il n'y eut jamais, entre la travée centrale et les pseudo-croisillons, d'autres communications que les deux petites portes encore existantes. Ce dispositif témoigne de l'extrême prudence de l'architecte, face aux épineux problèmes d'équilibre et de stabilité posés par la conception monumentale qu'il s'était choisie ou qui lui avait été demandée, soit celle d'un transept fortement marqué, mais cloisonné, et chargé à chacune de ses extrémités d'une tour qui pesait de tout son poids de maçonnerie sur le soubassement. Plus généralement encore, le massif oriental, transept et absides solidaires, s'offrait comme un ensemble autonome en sa tectonique, capable d'assurer à soi seul toutes ses contrebutées, et de sécréter en somme de ses propres murailles et de ses vides le jeu de forces subtilement agencées, qui permettent à la complexité de ses volumes de tenir debout sans faiblir pour la durée d'un millénaire. A cette fin, le maître d'œuvre a conçu la travée centrale et ses réduits latéraux comme un piédestal uniformément voûté d'arêtes, avec insertion de fines colonnettes d'angle ; les trois voûtes (les plus «robustes» qu'ait connues et pratiquées l'architecture romane) contrebutent réciproquement et noient dans leurs maçonneries les poussées latérales. Pareilles à un Atlas portant sur ses épaules le poids du monde, les salles latérales sont dès lors en état de supporter la charge des tours érigées sur elles, à la condition, précisément, que leurs ajourements soient réduits au maximum : à l'Est, où elles s'ouvrent plus largement, ce sont les culs-de-four absidaux qui assurent leurs contrebutées aux points les plus sensibles, tandis que le strict cloisonnement des parois occidentales, contre lequel venaient disgracieusement buter les collatéraux primitifs de la nef, assure celle de l'arc séparatif de cette nef et de la pseudo-croisée, ainsi que, déjà, l'avait apprécié l'architecte Borrel.

Cet arc et son extrados constituaient d'ailleurs l'une des zones les plus sensibles et fragiles de la structure ; sur leur fronton venait appuyer la charpente, engagée à l'Ouest dans le pignon de façade fortement épaissi. La solution imaginée par l'architecte pour obvier à leur fragilité, modestement dissimulée sous l'appentis qui couvre la travée centrale, n'apparaît pas au visiteur ordinaire, mais son originalité est à ce point remarquable qu'on ne lui connaît pas d'équivalent dans toute l'architecture romane. Il s'agit, très exactement, de trois trompes juxtaposées, allongées comme des cornes d'abondance et posées directement sur l'extrados de la voûte, de telle sorte que leurs bouches viennent s'appliquer contre le mur du fronton vulnérable et le consolident.

Grâce à toutes ces précautions, l'ensemble n'a pas bronché, et l'extérieur, la vue du chevet surtout (pl. coul. p. 115), renforcent encore l'affirmation de puissance et de sûre maîtrise dégagée par les dispositifs intérieurs. Le seul artifice d'animation murale que se soit concédé l'architecte est représenté par la ceinture des petites niches profondes en plein cintre et aux appuis biais, qui creusent le pourtour absidal et dont le premier art roman a volontiers pratiqué et varié le type. Un clocheton à unique arcade rehausse l'appentis de la travée de chœur. Le long des murs goutterots de la nef apparaissent, comme à l'intérieur, les tracés des grandes arcades primitives à la façon d'arcs de décharge, les remplissages internes étant laissés en creux. Mais l'élément le plus original de la silhouette reste, bien entendu, ce transept en *tau,* avec ses deux tours carrées à l'aplomb du mur de fond de chaque pseudo-croisillon. Borrel avait supposé qu'elles n'appartenaient pas au programme primitif, mais les différences d'appareil qu'il avait cru relever sont absolument indiscernables, et la tour Nord, qui subsiste seule, n'offre dans sa structure générale aucune dissemblance avec le gros œuvre. Sa souche est ajourée de petites baies en plein cintre construites comme celles du chœur et de la nef; l'étage du beffroi a été restauré, par une restitution heureuse de fenêtres jumelles à colonnette centrale, et coiffé d'une pyramide basse de tuiles. Quant à la tour correspondante du Midi, elle est réduite à un moignon de niveau inférieur à l'appentis médian; fut-elle jamais montée? Le prieuré d'Aime devait subir dans le cours des âges plusieurs dévastations, qui, selon Mgr Barbier, n'épargnèrent pas les clochers.

On verra tout à l'heure comment la formule du transept à deux tours opposées, que vers le même temps et selon des inspirations identiques, l'abbé Oliba, bien loin de la Tarentaise, appliquait à l'église abbatiale Saint-Michel de Cuxa, allait s'épandre de proche en proche sur l'étendue du district lyonnais, par Saint-Chef et Champagne d'abord, puis, au début de l'époque gothique, par l'abbatiale de Belleville, les cathédrales de Genève et de Lyon, pour se projeter enfin jusqu'à Varzy, dans les profondeurs du Nivernais; tandis qu'avant même la fin de la période romane, l'église de l'abbaye de Murbach nichée dans les ravins vosgiens, tendait par son prodigieux transept aux deux tours très rapprochées brandies sur le ciel, la main aux volumes colossaux des églises rhénanes. On ne croit décidément pas qu'il aurait pu se trouver de meilleure introduction aux expressions rhodaniennes de la civilisation romane que cette priorale de Tarentaise, membre à part entière, selon son mérite, de la «blanche parure de basiliques» que le génie du moine Raoul le Glabre vit fleurir à l'envi sur le sol de l'Italie et des Gaules et dont elle possède à la fois l'assise puissamment traditionnelle – *fundamenta ejus in montibus sanctis* – et l'élan allègre des matins de résurrection.

SAINT-JEAN-DE-MAURIENNE

Avec la cathédrale du vénérable siège épiscopal de Maurienne qui, par-dessus les crêtes de Névache et du Galibier, s'étendait jusqu'à la Roche de Rame en Briançonnais, on pourrait presque parler d'antithèse. Le site d'abord : c'est à bon droit que les géographes opposent la Tarentaise ouverte et fleurie, avec ses larges versants d'*adroit* où s'épanouissent vergers et gros villages inondés de soleil même au fort des hivers de neiges, ses réseaux de vallons transversaux débouchant à l'amont sur les alpages où tintinnabulent les clarines, et la Maurienne sévère que les mauvais plaisants font rimer avec « Vaurienne » : longue vallée encaissée à l'excès, drainée par l'Arc tumultueux dont les crues terribles emportaient tout sur des lieues, la terre, les arbres, les basses masures de torchis et les hommes égarés ou surpris par la soudaineté du cataclysme. Si raides sont les parois, aux niveaux encore habitables, que la distinction s'obnubile entre le versant de l'ombre et celui du soleil, et qu'une égale vacuité règne sur l'un et sur l'autre. La tête de la vallée mise à part, où de chiches bassins séparés par des verrous mal franchissables avaient pu recueillir quelques noyaux de peuplement

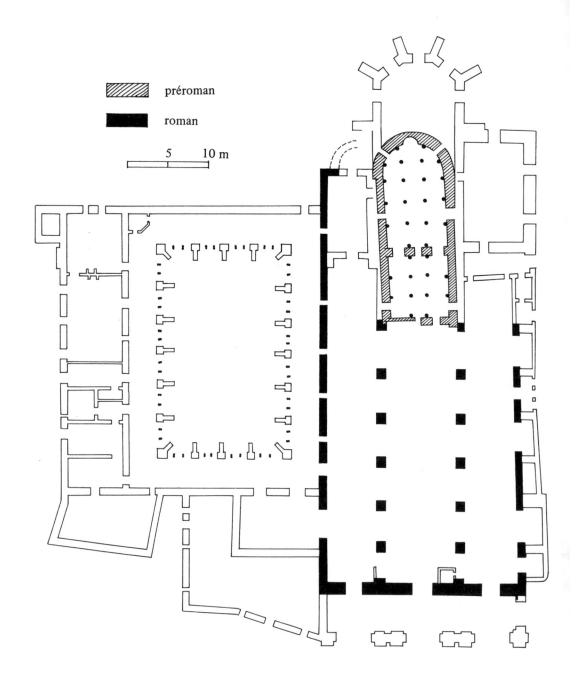

préroman

roman

5   10 m

SAINT-JEAN-DE-MAURIENNE
cathédrale et cloître

vivant en totale autarcie hivernale, les fonds eux-mêmes, resserrés, coupés d'étroits et exposés d'autre part aux inondations torrentielles, ne consentaient guère, autrefois, à s'animer réellement qu'aux issues de l'aval, soit, en gros, à partir de Saint-Michel, dominé par les escarpements apocalyptiques du Télégraphe. Comme par force, les glaciers ont écarté et quelque peu disloqué la compacité du massif, qui se fragmente en trois chaînes perpendiculaires l'une à l'autre : au Nord, le système bien nommé du Perron des Encombres ; au Sud, l'ascension cyclopéenne de la Pointe des Chaudannes au triple croc des Aiguilles d'Arves, véritable *Symphonie héroïque* de la roche ; à l'Ouest enfin, le chaînon un peu moins élevé du Grand Châtelard à la Pointe de Corbier, sous la pente duquel s'est blottie la cité de Saint-Jean, par lui protégée des intempéries montées de la Combe de Savoie et que Belledonne, déjà, retenait dans ses dédales. Grâce à quoi et au recul des falaises, le bassin bénéficie d'un climat plus ensoleillé, plus sec en conséquence, que le reste de la longue vallée, et teinté déjà de quelques inflexions méridionales profitables.

Quelque peu négligé par les Romains au profit de Suse plus avenante, le site, encore qualifié d'«infime» au VIe siècle, s'impose d'abord comme lieu de refuge et cadre rêvé de solitude. Une pieuse fille de Valloire trouve le moyen d'y apporter le pouce de saint Jean-Baptiste le Précurseur, et il n'est pas exagéré de reconnaître que le destin de la ville se fixera sur cette relique, jusqu'à recevoir d'elle son vocable. La douce sainte Thècle, objet jusqu'à nos jours d'un culte et d'une vénération touchants, s'emploie à construire pour elle une église, et finit ses jours au voisinage, à l'entrée de la «baume» creusée dans la paroi de Rocheray. Contre les revendications des Turinois, un concile réuni à Chalon sous l'autorité du «bon roi» de Bourgogne Gontran établit à Saint-Jean le siège d'un nouvel évêché, dont le territoire déborde largement, on l'a dit, au-delà des strictes limites de la vallée. Mais son refuge reste précaire. En 731, l'ermite Marin qui, à l'exemple de sainte Thècle, a fixé sa retraite aux parages de la ville, est martyrisé par les Sarrasins lors de la grande *algarade* que ceux-ci ont poussée à travers les pays rhodaniens ; au siècle suivant, l'empereur Charlemagne fait, pour plus de sûreté, transférer ses reliques du Châtel-d'Hermillon jusqu'en l'abbaye poitevine de Saint-Savin, où il demeure vénéré dans une crypte placée sous son vocable. Il semble bien que la Maurienne ait été submergée, en 906, par le raid sarrasin qui anéantit l'abbaye de la Novalèse, fondée sous les ressauts piémontais du col du Mont-Cenis ; c'est elle, apparemment, que saint Géraud d'Aurillac s'en revenant d'Italie trouve réduite au désert, et tellement privée d'eau qu'il faut un miracle pour que puisse être étanchée la soif de ses compagnons. Le trafic par le col s'interrompt lui-même progressivement, et jusqu'à l'expulsion des Arabes du Freinet à la fin du Xe siècle.

Il est infiniment probable que la cathédrale préromane, qui avait dû succéder au petit sanctuaire édifié par les soins de sainte Thècle, ne fut pas épargnée par cette suite de troubles. Le fait est qu'on la réédifia de toutes pièces, ainsi que sa voisine du groupe épiscopal l'église Notre-Dame, dans le cours du XIe siècle et selon les canons du premier art roman méditerranéen. Sous ces climats, l'entretien des églises est une charge permanente : en 1410, le pape avignonnais Jean XXIII concédait des indulgences pour sa restauration, qui tarda cependant jusqu'à l'accession au siège épiscopal de Maurienne de l'actif et loyal Guillaume d'Estouteville, l'un des artisans les plus résolus du Procès dit de Réhabilitation de Jeanne d'Arc, qui fut promu le 26 janvier 1452, et mourut à Rome en 1483. Il avait, à cette œuvre, consacré plus de 16.000 florins de Savoie, et la laissait, selon son testament, «complète et achevée»; dans le même temps, il poursuivait, au Nord de l'église, l'édification du joli cloître flamboyant qu'avait entreprise en 1450 son prédécesseur, le cardinal de Varembon. Le programme de restauration, original, consista essentiellement à substituer au plafond ou à la charpente d'origine une voûte d'ogives prismatiques, dont seuls, les sommiers et les consoles qui les recevaient furent traités en pierre, tout le reste étant taillé dans le bois : matériau évidemment plus léger que la pierre, et pesant moins sur des murs non préparés à supporter une voûte lourde. Pour éviter une disgracieuse étroitesse des travées voûtées à neuf, chaque croisée d'ogives recouvrit deux des travées romanes primitives et la double paire des arcades correspondantes. Dans les murs gouttelots de la nef, jugée trop obscure pour le goût flamboyant, les baies romanes en plein cintre, creusées à raison d'une par travée ancienne, furent occultées au bénéfice de doublets ménagés plus haut, dans les lunettes de la nouvelle voûte.

Mgr d'Estouteville n'avait pas prévu, autant qu'il semble, le remodelage complet du vieux chœur à abside centrale flanquée de deux absidioles, toutes trois semi-circulaires. Il incomba donc à son successeur, le Franc-Comtois Étienne de Morel, qui cumulait cette charge avec l'abbatiat d'Ambronay en Bugey dont il réédifia le cloître, de construire en leur lieu et place un beau chœur flamboyant clos par un chevet à trois pans, et illustré, outre les stalles qu'une chronique ancienne attribue au Genevois Pierre Mochet, par le monumental ciborium aux armes du munificent prélat; un tel meuble en dit long sur la décence dont cette génération tant décriée entendait, bien avant le Concile de Trente, entourer et honorer la Réserve eucharistique. Grâce à toutes ces entreprises, la vieille cathédrale prit l'aspect d'un monument de gothique tardif, qui éclipsa la structure romane; celle-ci eut encore à souffrir, au XVIIIe siècle, d'un large porche néoclassique bâti de 1769 à 1776 grâce aux libéralités du roi de Sardaigne, mais au profit duquel fut fâcheusement détruit le portail roman, sculpté, semble-t-il, de visions de l'Apocalypse; il n'en subsiste qu'un fragment conservé dans le cloître, et qui montre en une facture méplate, mais de composition ferme, l'Agneau crucifère désigné par un personnage, doigt levé, à un autre, auréolé de même, et qui tient un livre (pl. 99). A leur gauche, séparée par deux colonnettes superposées, se déploie une superbe aile d'ange, sous laquelle a été sculpté un petit personnage à genoux. Le XIXe siècle allait parachever la singulière mutation, soit le travestissement de la cathédrale du premier art roman méditerranéen, et de sa nef surtout, en un édifice de gothique troubadour, au demeurant plus discret que les enjolivures réalisées à Hautecombe sous la direction de «l'Ingénieur» Melano. Aux peintures murales réalisées en 1831-1832 par les décorateurs italiens Vicario s'ajoutèrent, quelque soixante ans plus tard, les encadrements stuqués qui empâtèrent les profils purs des grandes arcades primitives.

Rien ne s'empoussière ni ne vieillit aussi mal que le plâtre et le badigeon; et le coup de tonnerre qui, aux années 60, vint réveiller brusquement les vieilles structures assoupies sous leur pacotille d'oripeaux n'en fut que plus retentissant. Parmi les entreprises de prestige auxquelles donna lieu, dans tous les genres, la célébration du centenaire de la réunion de la Savoie à la France, aucune ne fut certainement comparable à l'œuvre audacieuse par laquelle, sous la conduite et grâce à l'abnégation de deux experts des Monuments historiques, l'architecte départemental E. Stephens et l'architecte en chef Pierre Lotte, furent, d'une part dégagée la crypte comblée depuis la reconstruction du chœur ; d'autre part déblayée l'église supérieure des ornements adventices dont elle était accablée, afin que fût restituée, autant qu'il était maintenant possible, la forme romane dans sa pureté et sa force originelle (pl. 23). Ceux qui l'ont vu en portent témoignage : c'est bien d'une résurrection qu'il s'agit, et grâce à laquelle la Savoie, dernière venue des provinces de France, a reconquis un rang tout à fait honorable dans le palmarès roman de ce pays.

Régulièrement orientée, la cathédrale principale de Saint-Jean-de-Maurienne, qui est, on le rappelle, placée sous le vocable du Précurseur, s'ouvre donc, en plan, par une nef longue aujourd'hui de six travées, flanquée de bas-côtés et précédée d'une demi-travée formant porche : soit sept travées romanes, ramenées à trois et demie par le voûtement d'ogives (pl. 23). Aucun transept ne s'interpose entre elles et l'espace du chœur ; mais, dans la première travée de celui-ci, où Mgr d'Estouteville fit monter une quatrième voûte d'ogives, analogue à celles de la nef, sur les murs romans, la restauration la plus récente a dégagé les traces de deux paires d'arcades en plein cintre maçonnées, tout à fait semblables à celles de la nef, et qui imposent la conclusion qu'à l'époque romane celle-ci, plus longue que l'actuelle, ne s'étendait pas sur moins de neuf travées. Aux côtés du chœur, des chapelles gothiques, closes à l'Ouest par des murs que percent de simples portes, ont remplacé les absidioles primitives : au Nord, la chapelle Sainte-Thècle, longue de deux travées, fermée par un mur droit, et surmontée par une salle du Trésor construite sur le même plan ; au Midi, une chapelle rectangulaire un peu plus spacieuse, consacrée au Bienheureux Ayrald, moine de Chartreuse qui devint évêque de Maurienne (v. 1143). D'autres chapelles s'ouvrent sur les bas-côtés de la nef : au Sud, ce ne sont guère que des renfoncements ou élargissements rectangulaires, qui viennent à l'alignement du mur Sud de la chapelle du Bienheureux Ayrald ; au Nord, s'appuie sur la deuxième travée romane et s'adosse à la galerie occidentale du cloître une unique chapelle d'axe perpendiculaire à celui de l'église, et blasonnée aux armes de Mgr Louis de Gorrevod (1499-1550).

Le chœur roman était, ainsi qu'on l'a dit, bâti sur une crypte dont le déblaiement récent a révélé le plan, constitué d'une salle de plan carré, à l'Ouest, et d'un vaisseau rectangulaire, s'ouvrant sur elle par deux passages latéraux et clos directement, à l'Est, par une abside en hémicycle, qui servait de socle à celle de l'église haute. Malheureusement, le comblement perpétré au XVe siècle avait considérablement altéré les dispositions primitives : tous les voûtains, et la plupart des arcs, avaient été détruits, quelques-uns des supports rasés, soit au sol, soit à mi-hauteur. On dut, lors de la redécouverte, se contenter de recouvrir le tout par une dalle de béton, mais ce qui a été exhumé ne donne pas moins une idée impressionnante des dimensions et de la qualité de l'oratoire primitif. L'un et l'autre éléments étaient divisés par deux files de colonnes, dont la plupart sont des réemplois, en trois vaisseaux de largeur sensiblement égale, à raison de trois travées dans la salle occidentale, de six travées dans la section orientale; les voûtains d'arêtes latéraux reposaient en outre sur des demi-colonnes, appliquées contre les murs goutterots, et dont la construction était toute différente de celle des supports autonomes, puisqu'il s'agissait uniformément de superpositions de tambours. Elles prenaient appui sur une plinthe continue, et, dans les maçonneries intermédiaires, se voient encore (par exemple dans le mur septentrional de la salle carrée) des traces manifestes d'assises en *opus spicatum* grossier, qui ne sont pas sans intérêt puisqu'elles concourent à spécifier la chronologie du monument, suggérée à leur côté par les sculptures décoratives des chapiteaux qui coiffent les colonnes (pl. 24 et 25).

Ces derniers ont, comme il est fréquent en archéologie romane, leur petite histoire, dont, pour la bonne réputation de certains historiens français de l'art roman, il sied de ne révéler ici que les épisodes qui ne les déshonorent pas. C'est, grâce à Dieu, une querelle tout à fait courtoise qui opposa, en son temps, l'architecte auteur de la redécouverte de la crypte, M. Stephens, qui les attribuait à la période préromane – soit, en l'occurrence, au VIIe siècle – et l'oracle de M. Jean Hubert qui, fondé sur deux chartes lues de travers, les assignait à une date comprise entre 1041 et 1075. Au chapitre 11 du premier tome de *Floraison de la sculpture romane,* p. 135 à 160, des rapprochements assez saisissants ont pu être produits entre ces œuvres et les chapiteaux de l'église inférieure et du chœur de l'église supérieure de l'abbaye de Leyre en Navarre, qui furent, on le sait ou présume, consacrés tous deux en 1057. Mais l'évolution stylistique incontestable des seconds par rapport aux premiers, conjointement avec les marques d'appareil en épi, incitent à ne pas trop avancer dans le temps la datation de la crypte mauriennaise, qui peut fort bien ne pas avoir été entreprise longtemps après que la vallée eut, grâce à l'expulsion des Arabes du Freinet, recouvré quelque sécurité.

Il n'est pas moins avéré, pour justifier encore plus cette précocité, que l'édification de l'église haute fut conduite selon de tout autres modes, où rien ne se retrouve de l'esprit décoratif qui animait la crypte, et qui sont ceux du premier art roman méditerranéen dans sa linéaire pureté et sobriété. Mais ces dissemblances ne constituent pas une raison suffisante pour la retarder jusqu'à la seconde moitié du XIe siècle, et invoquer à l'appui les deux chartes précitées de 1041 et 1075. La démonstration que ni l'une ni l'autre ne concernaient la cathédrale, ni, plus précisément encore, son histoire monumentale, a été exposée, avec une prolixité suffisante, dans le même livre évoqué ci-dessus, pour qu'il ne soit pas indispensable d'y revenir longuement. La première n'a pour propos que de justifier le secours d'urgence que l'évêque Thibaud concède aux chanoines de son chapitre réduits à l'indigence par la destruction du «lieu» dont il est censé (*videor*) être l'évêque; il aliène pour les assister «quelques terres» et les revenus afférents, qui sont propriété diocésaine, avec l'espoir que «Dieu, rétributeur de tous biens, daigne à Son tour accorder à tous ceux qui auront en Son saint nom fait œuvre de charité envers les clercs de Sainte-Marie et de Saint-Jean-Baptiste la récompense de la vie éternelle».

Quelles que soient les causes des dévastations subies : séquelles des raids sarrasins, guerres féodales, famine de 1031-1033 ou simple calamité naturelle, il paraît bien évident que le substantif *locus* n'a ici d'autre acception que territoriale : «district» ou «domaine», et non pas monumentale : en quoi donc la seule ruine matérielle d'une cathédrale eût-elle pu priver les chanoines de leurs revenus fonciers, extérieurs par définition à cet édifice? Quant à la seconde charte, insérée comme sa devancière dans la *Gallia christiana,* elle n'en constitue que le complément. Il faut croire en effet que la libéralité de l'évêque Thibaud n'avait pas été suffisante pour rétablir la condition matérielle des chanoines, puisque son successeur Artaud estime nécessaire d'aliéner en leur faveur d'autres biens «qui sont de son droit et domaine propres» : outre les aumônes reçues dans les deux églises du groupe épiscopal, Sainte-Marie citée, comme il convient, en premier, et Saint-Jean-Baptiste, c'est essentiellement le moulin construit sur le torrent des Arves et tout le territoire qui borde ce cours d'eau et l'Arc. Ces donations sont assorties du rappel que les bénéficiaires auront à les gérer en commun sans les disperser entre eux et que, l'esprit dégagé des soucis matériels, ils pourront célébrer dorénavant l'office divin «avec plus de liberté, de meilleur cœur et avec plus de zèle». Qu'il s'agisse de Vézelay, de La Charité-sur-Loire et d'Avenas, de Berzé, de La Salle-les-Alpes ou même de Cluny, que de casse-tête auraient été épargnés aux archéologues s'ils ne s'étaient aussi volontiers contentés d'une lecture hâtive ou approximative des textes prétendus explicatifs dont, abusivement, ils s'emparaient : soit dit sans amertume aucune, car nul ici-bas n'est infaillible, et que celui qui est sans péché leur jette la première pierre.

Le mérite de la cathédrale, dénudée des voiles qui l'opacifiaient, ne sort pas amoindri de cette rectification, et c'est en termes monumentaux qu'il s'apprécie. Il s'exprime d'abord par la longueur impressionnante de la nef, rendue plus sensible par l'absence de transept, et dont l'allongement du chœur réalisé à l'époque flamboyante accroît encore l'impression. Les arcades de la première travée, plus basses que les suivantes, et la moindre longueur de celle-ci suggèrent toutefois qu'elle faisait office de narthex, peut-être moins ouvert qu'aujourd'hui sur la nef, dont le nombre de travées aurait ainsi été réduit à huit. Cette suite impressionnante d'arcades, toutes construites de même, frappe par deux qualités presque contradictoires : leur nudité d'une part, la régularité de leur appareil, bien servie par la restauration de l'autre (pl. 23). Elles reposent uniformément sur des piles maçonnées de section carrée, sans aucun intermédiaire tel que chapiteau, imposte ou simple tablette de pierre, comme il en est par exemple à Aime. Mais leur appareil à gros joints est relativement soigné, fournissant une preuve supplémentaire que les maçons du premier art roman méditerranéen étaient tout à fait capables, quand ils le voulaient, d'assembler correctement la pierre. En extradossant les arcs par un léger décrochement de leur courbe sur l'épais enduit des surfaces planes, le restaurateur a très heureusement évité l'effet disgracieux de découpage irrégulier des claveaux sur la partie enduite, et sensiblement amélioré la vision. Il a, de même, respecté les traces des fenêtres primitives, coupées ainsi qu'on l'a dit par les baies flamboyantes à deux formes, de dessin sec.

Enfin, lors du décapage des supports, ont réapparu, ici et là, des bas-reliefs réemployés, qui proviennent selon toute vraisemblance de la cathédrale préromane (pl. 26). Ce sont par exemple (cinquième pile Sud), une pierre à entrelacs, et une jolie rose à sept pétales accolée à une étoile de sept rayons ; plus beau encore (première pile autonome Sud), un fragment allongé de deux rangs de rinceaux alternant avec des grappes, plus deux petites croix à branches égales logées entre les deux rangs (pl. 28) ; ou bien (deuxième pile autonome Nord), une étoile à sept branches inscrite dans un cadre carré de trois brins juxtaposés, dont l'un est agrémenté d'une torsade finement sculptée ; enfin, comme preuve, et de l'esprit décoratif du sculpteur, et de son aptitude à traiter les sujets animaliers, le plus remarquable morceau de la série (cinquième pile Nord) : un cerf broutant, saisi sur le vif avec un sens parfait du mouvement stylisé, et inscrit dans un cadre trapézoïdal que bordent des entrelacs à trois brins (pl. 27). Toutes ces pièces, taillées dans un gypse local, portent la marque carolingienne ; M. Vallery-Radot les datait du VIIe siècle ; il n'est pas exclu qu'elles soient un peu plus jeunes.

L'extérieur de l'édifice, privé de son ornement principal par le portique à triple arcade et fronton du XVIIIe siècle, annonce la sévérité de la structure interne, et, par l'allongement du chœur réalisé sans césure véritable, accroît encore l'effet d'étirement. Un feston de cintres lombards, reposant de place en place sur des bandes verticales, et de construction sommaire, court au haut des murs goutterots de la nef au Nord comme au Sud, sous la lourde carapace du toit d'ardoises. Une gravure du fameux *Theatrum Sabaudiae* de 1682 montre un clocheton à flèche aiguë érigé au-dessus du chœur ; si cette vue est exacte, il faut admettre qu'il a été remplacé par un petit campanile de plan carré, accolé au flanc Sud de la cathédrale, en sorte que rien ne vient rompre le défilement horizontal de la toiture, sauf, à l'arrière-plan, la silhouette de la grosse tour carrée qui ponctue l'angle Nord-Est du parvis, devant l'église Notre-Dame (pl. 29).

ANCIENNE ÉGLISE NOTRE-DAME

Les subtilités grammaticales de la langue latine confirment qu'au XIᵉ siècle encore, le titre cathédral de Maurienne était réparti sur deux sanctuaires distincts : l'un dédié à «Dieu et Notre-Seigneur Jésus-Christ et à Marie Sa mère», et l'autre placé sous l'invocation de saint Jean-Baptiste. La charte de l'évêque Artaud, qui les jumelle dans une seule et unique «église», au sens canonique du terme, emploie le pluriel lorsqu'elle évoque les aumônes offertes «dans les mêmes églises», *in eisdem ecclesiis :* il s'agit là des deux édifices, tels qu'ils subsistent. Mais, dès 1103, une charte de l'évêque Conon, pareillement consignée dans la *Gallia christiana,* ne mentionne plus que «l'église épiscopale Saint-Jean et ses chanoines». Il est vraisemblable qu'entre-temps, l'église de Marie mère de Dieu, autrement dite Notre-Dame, avait été distraite du groupe et était devenue paroissiale : elle conservera ce titre jusqu'en 1831, où elle fut désaffectée.

Une petite rue sépare la cathédrale Saint-Jean de son ancienne annexe, implantée dans le même axe, au Sud, et dont le plan primitif, en dépit des mutilations que le monument eut à subir à travers les âges, se laisse aisément reconstituer : nef unique, de dimensions moyennes, et abside en hémicycle. A l'Ouest, la façade s'accolait à une grosse tour carrée, qui subsiste, mais que le percement d'une ruelle transversale a malheureusement désolidarisée de l'église proprement dite. La façade ainsi tronquée fut alors dotée d'un fronton classique qui n'est pas dépourvu d'élégance.

Il ne semble pourtant pas que la tour se fût jamais ouverte sur l'église autrement que par le jour béant qui se voit encore, percé dans son mur oriental; l'accès au sanctuaire, dès l'époque romane, s'effectuait par l'élégant portail ménagé dans le mur septentrional de celui-ci. Les dimensions et la robustesse de cet ouvrage lui assigneraient plutôt la fonction de donjon de défense, de resserre et de refuge, bien qu'une haute flèche, ordonnée par le cardinal d'Estouteville, et qu'on voit représentée dans la gravure du *Theatrum Sabaudiae,* avec sa galerie de guet et ses quatre échauguettes d'angle, en eût corollairement spécifié la fonction religieuse; elle fut détruite en 1794, et la tour n'est plus aujourd'hui couverte que d'une pyramide basse.

Il n'est pas douteux qu'elle remonte, tout comme l'église, au XIᵉ siècle. Son appareil de galets, posés parfois en oblique, rappelle celui de Saint-Martin d'Aime, et son soubassement, au-dessous d'un bandeau horizontal, est compartimenté par des bandes verticales ou pilastres plats séparant des panneaux en creux (pl. 29). Vestiges de festons lombards étêtés ? rien ne permet de l'affirmer. Au-dessus du bandeau, la tour s'élève d'un jet jusqu'à l'étage du beffroi, qu'ajourent des fenêtres jumelles en plein cintre; l'une des colonnes qui les sépare est coiffée d'un chapiteau difficilement datable, que décore un masque humain surgissant au-dessus d'une corbeille de feuillages.

Des bandes lombardes caractéristiques timbrent extérieurement l'abside et la dernière travée du Nord, bien visible de la rue (pl. 32). A l'extrémité droite du mur septentrional est creusé un portail en plein cintre, qui offre le seul élément décoratif de cette structure sévère. Deux voussures toriques circonscrivent un tympan nu, mais reposent sur des colonnes logées dans les redents des piédroits, et coiffées de chapiteaux sculptés. A gauche se succèdent de l'intérieur à l'extérieur une corbeille à double rangée de feuillages, le rang supérieur chargé de deux grappes pendantes, puis un masque humain barbu qu'encadre un collier de pointes de diamant bloqué, de chaque côté, par une tranche de dents d'engrenage (pl. 30). A droite, et dans le sens inverse, c'est d'abord un chapiteau sculpté de deux rangs de feuilles plates, puis vient le seul chapiteau réellement historié de la série, mais difficilement identifiable (pl. 31). On y voit un évêque, crosse en main et tenant un livre de la main gauche, qui occupe l'angle principal; à sa gauche, un quadru-pède (?); à sa droite, un autre personnage tronqué, tenant dans ses mains une crossette (?) symétrique de la première. Il semble qu'il s'agisse du réemploi d'une œuvre non prévue pour cet emplacement. Les corbeaux qui soutiennent le tympan sont sculptés, à gauche, d'un masque humain de la bouche duquel jaillissent des branchages, et, à droite, d'un personnage grotesque. Stylistiquement, ces corbeilles ne se recommandent d'aucune parenté régionale; seul, le chapiteau de feuillages à grappes offrirait quelques affinités lointaines avec le style décoratif antiquisant du portail occidental de l'église de Sainte-Jalle, dans les Baronnies, mais le rapprochement est insuffisant pour définir une provenance. La maturité relative de la sculpture, le délié de la mouluration des tailloirs et du larmier suggèrent en tout cas une chronologie légèrement postérieure au gros œuvre de l'église, la seconde moitié du XIᵉ siècle vraisemblablement.

L'intérieur de l'église, désaffecté, ne présente pas d'intérêt compa-rable; on sait que ce sanctuaire fut dévasté par les troupes de Lesdiguières en 1597, et ne fut apparemment restauré qu'au XVIIIᵉ siècle, où une voûte d'arêtes, notamment, vint en 1710 remplacer la charpente ou le lambris dont la nef était alors couverte. Il ne semble pas qu'elle ait jamais été voûtée.

TABLE DES PLANCHES

20

SAINT-JEAN-DE-MAURIENNE ▶

24

25

27

28

30

31

33

AINAY
SAINT-MARTIN

35

36

44

45

50

51

52

53

54

55

56

57

58

59

LES BASILIQUES

A vol d'oiseau, 107 km séparent Quintal de Taponas, où les bandes lombardes reparaissent au clocher de l'église, interposée entre la rive droite de la Saône et l'autoroute A6, tout près de Belleville. Plus profondément dans l'intérieur des monts beaujolais, sous le pied oriental du Tourvéon légendaire, le clocher de la petite église Sainte-Marie de Vernay, monté sur une travée de chœur que prolonge une abside semi-circulaire, est timbré sur les quatre faces de ses deux étages inférieurs par deux festons superposés de cintres de même type. Les anneaux du soubassement sont aveugles, ceux de l'étage médian, beaucoup plus haut, encadrent deux baies jumelles en plein cintre, juxtaposées sans aucun lien et à arêtes vives. Au-dessus d'un bandeau chanfreiné, l'étage du beffroi correspond à une surélévation sensiblement postérieure. Chacune des faces est ajourée d'une paire de baies en plein cintre, dont les retombées médianes s'opèrent sur deux colonnettes jumelées sous un unique tailloir, et coiffées de chapiteaux de feuilles plates, à volutes d'angle accusées.

Ces résurgences limitées préfacent celles qui, de l'autre côté des monts, marquent avec la même discrétion les murs des églises de Marcilly-la-Gueurce en Charollais, et d'Anzy-le-Duc en Brionnais. Entre Savoie et Comté de Bourgogne d'une part, Beaujolais de l'autre, l'énormité du hiatus est telle qu'il est impossible de les attribuer à quelque projection, jusqu'à ces vieilles terres, des formes propagées par les *magistri comacini* à travers les Alpes, le Jura et même la Bourgogne, où les appelaient le plus souvent les abbés des grands monastères, Saint-Bénigne de Dijon et Tournus en particulier. Elles ne peuvent s'expliquer que par l'introduction relativement massive des formes du premier art roman méditerranéen dans le Mâconnais limitrophe, et notamment par le rayonnement de la cathédrale de Mâcon elle-même, réédifiée, pense-t-on, sous l'épiscopat de Liébaud II (996-1018), et dont le narthex subsistant, attribué à son successeur Gauzlin (1020-1030 env.), constitue pour la Bourgogne méridionale l'une des expressions majeures, quoique les plus méconnues, de ce style à la puissante originalité. Si Belleville, et par conséquent Taponas, relevaient du diocèse de Lyon, il n'est pas indifférent de noter que Vernay, lui appartenait à l'ancien évêché de Mâcon, et que son église dépendait du prieuré de Charlieu, membre lui-même de ce diocèse. «Bon pays à blé quatre-vingts feux», notait en 1667 encore l'historiographe Louvet

On ne croit pas se tromper en affirmant que, de la Dombes aux confins du Midi, les formes issues, fût-ce à titre de survivances tardives, du premier art roman méditerranéen sont totalement absentes des districts rhodaniens. Les causes en sont certainement diverses. La Dombes, en dépit de la pénétration précoce de Cluny dès les années de l'abbatiat d'Aimard (941-954), ne s'ouvre réellement à l'art roman qu'à partir du XIIe siècle, et, mis à part Saint-Paul-de-Varax, les aspects qu'il y revêt demeurent modestes et rustiques : ce sont précisément l'humilité de ces traits, leur émergence sporadique de tant de fonds d'eaux et de roseaux, qui rendent attachante leur découverte, à défaut de véritable intérêt archéologique. D'un bord à l'autre des monts, la vacuité du Bugey en édifices romans est quasiment totale; rien n'y survit, en particulier, du XIe siècle où l'activité constructive paraît avoir été à peu près nulle; et le plateau savoyard n'est pas beaucoup plus riche.

Reste Lyon, où le XIe siècle finissant n'est plus représenté aujourd'hui que par une entreprise, qui déborde à vrai dire largement sur le XIIe. Mais quelle entreprise! mémorial privilégié de l'antique Primatie des Gaules, comme écrasée sous le poids de son prestige historique, expression la plus adéquate, aussi, du génie lyonnais parmi l'environnement, plus pittoresque qu'il ne peut paraître, des demeures patriciennes derrière les façades sévères desquelles tant de secrets se sont enclos et dont ses clochers ne parviennent pas à percer le tissu compact. Et quant à l'architecture, la plus étonnante juxtaposition synthétique d'un conservatisme encore nourri de la tradition basilicale paléochrétienne, et d'un engagement non moins résolu dans la vague de fond du renouveau monumental qui, on croit l'avoir suffisamment démontré ailleurs, secoue la chrétienté d'Occident à partir des années 1060 à 1080.

Précieuse à la génération des archéologues du passé par les comparaisons avec l'abbatiale de Cluny III, auxquelles pouvait prêter une chronologie apparemment précise; utile aux historiens régionaux par la plongée, en quelque sorte testimoniale, qu'elle offrait dans la nuit des temps sans écriture, la basilique Saint-Martin d'Ainay bénéficie surtout, de la part des Lyonnais, d'un attachement viscéral et jaloux, parce qu'ils y reconnaissent, discrètement mais droitement exprimé, le plus fidèle miroir de leur âme et de leur cœur, *pars hereditatis meae et calicis mei,* un équivalent à leur image de ce qu'est pour un Parisien « sa » basilique Notre-Dame. « Quand on s'y est marié, écrivait plaisamment le romancier Jean Dufourt, observateur ironique et attendri des choses et des gens du Lyonnais d'hier, on a bien des chances d'être reçu dans la bonne société » (*Laurette ou les amours lyonnaises,* p. 27). Les mutations sociales ont certes bouleversé quelque peu ces usages, mais, plus sérieusement, pas un Lyonnais ne saurait encore aujourd'hui désavouer le regretté chanoine André Chagny, lorsqu'il consacrait à Saint-Martin d'Ainay un monumental ouvrage (soit dit sans mauvais jeu de mots), qui ne laisse plus grand-chose à glaner derrière lui. Il ne s'en trouverait sans doute aucun qui ne partageât sa conviction, réputée peut-être excessive aux yeux de certains étrangers, que l'on se trouve ici en présence d'un «monument exceptionnel» (*La basilique Saint-Martin d'Ainay*. Lyon, Masson et Vitte, 1935). Et peut-être sera-t-il du même coup pardonné au présent rédacteur de déséquilibrer à son profit l'économie générale de cette présentation abrégée du Lyonnais-Savoie roman, en se prévalant au reste de l'exemple illustre donné par un maître archéologue qui, sur les 338 pages de son Haut-Languedoc roman, n'en consacre pas moins, et à fort juste titre, de 90 au seul Saint-Sernin de Toulouse.

Pourtant, faut-il l'avouer? la première vision de ce sanctuaire insolite a tout pour déconcerter l'amateur des trésors romans de France, tant celui-ci lui apparaît s'inscrire à contre-courant de tout ce qu'il avait pu voir et apprécier ailleurs, répondre à des normes qu'il a peine à appréhender. Par un jour de semaine, soit en dehors des heures d'office où ses vieux murs semblent secouer leur patine et s'éveiller du songe qui les appesantit, quiconque y pénètre ne peut manquer d'être impressionné d'abord par la pénombre dans laquelle on croirait qu'ils se complaisent (pl. 34). Une demi-lumière glauque, diffusée par les fenêtres des bas-côtés, éclaire seule la nef privée d'éclairage direct, encore assombrie par la pesée de l'épais berceau en plein cintre, par l'écrasement des dimensions verticales et la dilatation des volumes, tandis que les chapelles latérales, ajoutées après coup, achèvent d'absorber l'éclairement parcimonieux. Il faut, en pensée, faire abstraction des rangs de sièges qui ne contribuent pas peu à cet empâtement de la structure pour que celle-ci retrouve l'effet que les constructeurs, selon toute évidence, en attendaient, et qui est tout simplement l'ampleur et la majesté.

Dès l'accès au transept d'autre part, l'impression s'allège; de la chapelle Sainte-Blandine, copieusement ajourée, la lumière frisante du Midi glisse sur les quatre grosses piles rondes de la croisée, aspire le vide de la coupole surhaussée et abondamment éclairée dans sa propre substance. Et l'aménagement récent de l'ensemble oriental n'a pas eu pour unique effet de supprimer, et le disgracieux chancel trop blanc qui, appuyé aux piles occidentales de la croisée, dissimulait en partie et étriquait la magnifique justesse de proportion de la grande abside, et la grosse chaire qui, à la façon des énormes *pulpiti* des églises italiennes, venait non moins malencontreusement couper la perspective longitudinale; le nettoyage qui l'a accompagné, tout en respectant la peinture néobyzantine du cul-de-four, a restitué au somptueux pourtour absidal, avec ses pilastres ouvragés, les arcatures enveloppantes des larges fenêtres, les appuis libérés d'un lambris de bois sombre, tout son éclat et sa jeunesse originels. En un temps où les nécessités de la liturgie nouvelle recouvrent trop souvent d'irrémédiables menaces, on ne saurait assez louer les promoteurs et réalisateurs de cette brillante rénovation.

S'il faut bien persister à admettre que les vues extérieures manquent de recul, et que l'enchâssement de la basilique dans l'étroit quadrilatère concédé par l'habitat civil ne permet pas, en particulier d'apprécier à plein le défilement de la nef et son raccord avec le transept et le chœur, le très opportun arasement du haut mur qui masquait jusqu'à ces dernières années le chevet en a dégagé le bel et majestueux volume : abside principale solidement coffrée par ses collatéraux massifs, robuste clocher de la croisée (pl. 38), sans omettre, naturellement, le pignon oriental de la chapelle Sainte-Blandine, joliment agrémenté de ses marqueteries d'appareil jusqu'alors peu visibles (pl. coul. p. 133). Si bien que le relatif malaise initial le cède peu à peu à une estime et même à un enchantement raisonné, à l'image de cette métropole qui ne découvre réellement les trésors de sa personnalité profonde et de son âme qu'à ceux dont une longue familiarité lui a permis d'estimer qu'ils en étaient dignes, quitte à ne pas leur dissimuler non plus que sa fidélité, jusqu'au-delà des frontières de la mort, s'accommode surtout de silence et de discrétion.

Historique succinct

Un unique texte, illustré et confirmé par un beau fragment de mosaïque romane, vient projeter quelque lueur sur l'histoire du monument. Mais de la fondation du monastère d'Ainay lui-même, de son développement durant l'époque préromane, on ne sait à peu près rien : bon prétexte aux affabulations de la légende, qui s'est exercée à plaisir et n'a pas manqué, entre autres effets bénéfiques, d'entretenir sur le haut lieu une aura de mystère qui a contribué à en accroître le prestige. Il n'est pas douteux cependant que l'établissement d'un monastère d'hommes dans ce qui était encore une île à val du «confluent», bien protégée par ses douves naturelles, ne soit fort ancien. Grégoire de Tours, qui connaissait bien Lyon où il séjourna notamment de 563 à 573, raconte que les cendres des martyrs de 177 avaient pu être recueillies par les chrétiens dans les flots du Rhône, et qu'on éleva près de cet endroit une basilique «d'une merveilleuse grandeur» (*De gloria martyrum,* 1, 49). L'historiographe ne désigne pas davantage cet édifice, qu'on a quelquefois assimilé à Saint-Martin d'Ainay, mais qui doit être en réalité la basilique des Saints-Apôtres, ancêtre de Saint-Nizier. Avant lui, s'il faut en croire la Vie de saint Romain, fondateur de l'abbaye de Saint-Oyend du Jura (aujourd'hui Saint-Claude, comme chacun le sait), ce jeune Séquanais avait rencontré à Lyon l'abbé d'un monastère «Interramne» (Entre les fleuves), et la belle discipline qu'il vit régner dans cette maison le fortifia dans son inspiration. L'épisode se situerait donc entre 425 et 430. Dès 546, semble-t-il, l'abbaye d'Ainay aurait possédé un prieuré à Lémenc (cf. ci-dessus, p. 61), et en 612, la reine Brunehaut aurait décidé la restauration du monastère détruit ou endommagé par la grande crue de 580, que relate Grégoire de Tours.

La nuit des documents s'appesantit sur lui jusqu'au IXe siècle au moins. Au VIIIe, l'abbaye eut certainement à pâtir de l'anarchie résultant, pêle-mêle, des invasions hongroises, des poussées sarrasines à travers la vallée du Rhône, qui se multiplièrent après l'occupation par les Arabes du massif du Freinet de Provence, et des entreprises de Charles Martel contre la Bourgogne. C'est un fait, consigné beaucoup plus tard par le chroniqueur La Mure (André Chagny, *op. cit.,* p. 23), qu'Ainay demeura longtemps «sans abbé, puisqu'on ne découvre personne qui ayt possédé cette dignité jusques vers le milieu du neufviesme siècle». Sa restauration est attribuée à l'abbé Aurélien, connu auparavant comme archidiacre de l'évêché d'Autun, premier suffragant de la métropole lyonnaise, et qui finit ses jours comme archevêque de Lyon (875-895) : titre auquel il participa en 879 à l'assemblée de Mantaille, soit à la création du royaume de Bourgogne ; c'est peut-être à son initiative que le fils de Boson, Louis dit l'Aveugle, roi de Bourgogne et de Provence, concédait par un diplôme l'abbaye d'Ainay «avec toutes ses appartenances» (*ibidem*) à l'évêque de Lyon. Cette sujétion n'empêcha pas de nouvelles dégradations, qui durent être considérables, mais dont les causes restent inconnues. L'archevêque Amblard (956?-978) dut entreprendre, pour la seconde fois en moins d'un siècle, la rénovation des bâtiments. Ayant fait sortir l'abbaye, rapporte La Mure, «du chaos où elle estoit demeurée depuis si longtemps, il lui donna une nouvelle face et fit paroistre de nouveau ce sacré monument de l'antiquité». Il n'eut cependant pas le temps d'achever cette œuvre, qu'à sa mort, il laissait encore «imparfaite». Mais serait-il présomptueux de lui attribuer, entre autres initiatives, celle de la construction de la chapelle Sainte-Blandine, antérieure de toute évidence à l'abbé Artaud?

C'est à cet abbé que l'on rapporte l'initiative de la réédification de l'église abbatiale vers la fin du XIe siècle; son successeur Gauceran la termina; il mit le sanctuaire «dans la forme de bastisse qu'on le void à présent», et «acheva de mesme et disposa tous ses autels pour recevoir à mesme temps la consécration papale», à laquelle procéda Pascal II le 27 janvier 1107, lors de son voyage en France. Gauceran accéda peu après à l'archevêché de Lyon. Est-ce ce titre que représente un fragment de la mosaïque dont le chœur de l'église était autrefois pavé et qui, seul épargné, a été en 1934 remontée «contre le mur du couloir menant de la chapelle Sainte-Blandine à la sacristie»? L'on y voit de fait un personnage en vêtement liturgique d'évêque, mitre en tête et le col ceint du pallium, qui présente des deux mains une maquette d'église copieusement retouchée par les restaurateurs pour l'accommoder à la silhouette traditionnelle de la basilique, avec son clocher-porche (pl. coul. p. 151); l'inscription : *Hanc aedem sacram Paschalis papa dicavit* court de haut en bas à la droite de l'abbé présumé, présentant son œuvre à la bénédiction du Saint-Père. Mais pourquoi l'avoir revêtu du pallium, insigne auquel l'archevêque seul avait droit, et Gauceran ne le devint qu'en 1110, trois ans après la consécration? Il n'est pas interdit de se demander si ce personnage imposant ne serait pas, tout simplement, le pape Pascal, dont le restaurateur aurait truqué le geste de bénédiction; le débat reste ouvert. Et ce morceau fait en tout cas regretter la disparition du tout, qui devait être fort somptueux, fait «de marquetteries et emblèmes, à figures d'oiseaux et divers animaux, faict de pièces rapportées, de la grandeur environ d'un grand blanc, de marbre, orphite et porphire de diverses couleurs» (G. Paradin, cité par A. Chagny, p. 190).

Cette date de 1107 est le seul jalon sûr dans l'histoire architecturale et décorative du monument; il était naturel qu'elle donnât lieu à des débats érudits et à des comparaisons (avec la grande abbatiale de Cluny III notamment!), d'autant plus vains qu'il est absolument impossible d'imaginer quel pouvait être au juste l'état de la construction lors de la cérémonie. Il paraît avéré que l'église subit quelques travaux mineurs de consolidation et de restauration dans le cours du Moyen Age. Les tracés brisés des fenêtres collatérales, tels que les dessina Joannès Drevet en 1828, suggèrent une réfection de la fin des temps romans ou de la période gothique, de même que la trace d'une fenêtre en tiers-point se voit encore dans l'appareil du pignon Nord du transept ; à l'intérieur de celle-ci, les restaurateurs du XIXe siècle ont cru devoir « restituer » une baie dite romane, c'est-à-dire en plein cintre. Par la suite, fut ouverte sur le collatéral Sud une chapelle Saint-Benoît, qui n'a pas survécu aux restaurations du siècle dernier. Le XVe siècle fut marqué par d'importants travaux ; sur la nef fut monté un berceau de bois en cintre brisé, dont une gravure de F. Richard donne une idée assez avantageuse ; en 1485 d'autre part, le « Lombard » Guichard de Pavie fonda au flanc de l'absidiole septentrionale une chapelle placée primitivement sous le vocable de la Sainte Vierge, puis passée sous celui de saint Michel ; c'est un élégant ouvrage du style gothique tardif, période féconde qui a laissé à Lyon bien d'autres échantillons de qualité.

L'abbaye d'Ainay, tombée sous le régime funeste de la commende dès le début du XVIe siècle, subit les ravages des huguenots en 1562, puis entra dans le long déclin qui frappe, aux XVIIe et XVIIIe siècles, la plus grande partie des maisons de l'ordre bénédictin. En 1689, à l'initiative de l'archevêque Camille de Neuville-Villeroy, les religieux furent remplacés par un collège canonial ; dès 1780, l'abbaye perdait son titre et la Révolution rasa les locaux conventuels, transforma l'église en entrepôt. C'est, sinon d'une ruine, du moins d'un bâtiment complètement délabré qu'hérita en 1835 l'architecte Pollet, chargé de la restauration ; en considération de quoi beaucoup doit lui être pardonné. Son méfait principal, en partie excusable par le fait qu'il ne s'agissait déjà plus de la couverture primitive, fut de remplacer, sur la nef, le lambris du XVe siècle par un médiocre berceau de briques en plein cintre. Mais on ne s'en tint pas là ; on voûta de même les bas-côtés, qui furent d'autre part éventrés pour communiquer avec les chapelles qu'on leur accolait : au Midi, une chapelle dédiée à la Sainte Vierge ; de l'autre côté, une chapelle Saint-Joseph et le baptistère. On reprit en plein cintre toutes les fenêtres. Dans l'abside, celles-ci furent agrandies, et encadrées par des colonnes de marbre foncé, pastiches qui ne peuvent donner longtemps le change ; et l'on peignit tout l'intérieur.

A l'extérieur, les remaniements ne furent pas moins étendus. Le plus médiocre consista, en 1828-1830, à surélever les deux bâtisses qui encageaient le rez-de-chaussée du monumental clocher-porche, de manière à conférer au tout un vague aspect de *Westwerk* germanique. On acheva de démolir les ruines du cloître qui s'ouvrait au Nord de l'église, à commencer par la belle porte en cintre brisé qui lui donnait accès à la gauche du clocher. L'aspect de l'ensemble oriental fut complètement modifié par la substitution, aux appentis qui couvraient les croisillons du transept, de toits à deux pentes arrêtés sur des pignons de même tracé. Comme à la cathédrale du Puy ou l'église brionnaise de Bois-Sainte-Marie, tous les murs furent presque entièrement réapparaillés, mais la patine séculaire a suffisamment atténué la fraîcheur de ce rajeunissement pour qu'il ne choque plus aujourd'hui.

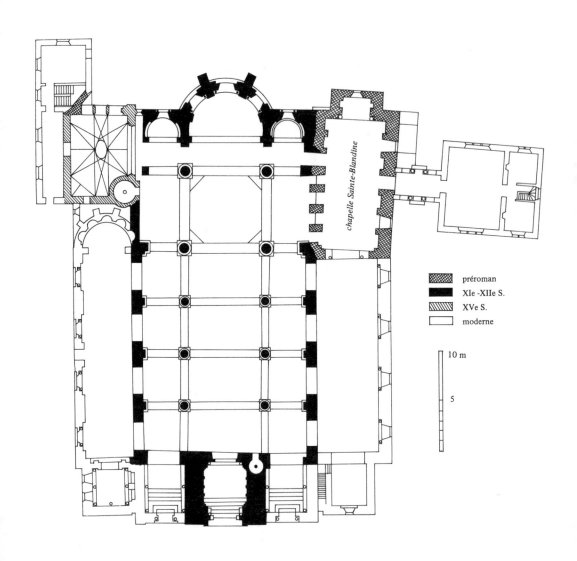

chapelle Sainte-Blandine

▨ préroman
■ XIe-XIIe S.
▨ XVe S.
□ moderne

10 m

5

LYON
CHAPELLE SAINTE-BLANDINE
ET SAINT-MARTIN D'AINAY
(d'après Deshoulières)

Débarrassé des adjonctions postérieures, le plan roman se ramène donc à une nef de quatre travées flanquée de bas-côtés et précédée d'un clocher-porche de section à peu près carrée, d'un transept non débordant, et, enfin, d'une large abside semi-circulaire, un peu plus étroite que la travée droite qui la précède, et flanquée de deux absidioles de même plan intérieur : travées droites et hémicycles, mais compris à l'extérieur dans des maçonneries orthogonales selon un mode traditionnel hérité de l'époque préromane. La symétrie parfaite du plan ne devait être affectée, à l'extérieur surtout, que par la chapelle Sainte-Blandine, accolée au flanc Sud du transept. Barlongues, les travées de la nef sont encore dilatées par la largeur des bas-côtés, qui porte la largeur totale en œuvre à 17 m. Celle-ci frappe d'autant plus qu'elle atteint presque la moitié de la longueur totale en œuvre, qui est, selon les mensurations indiquées par le chanoine Chagny, de 36 m 80. Cette exiguïté d'un des sanctuaires les plus réputés des Gaules a de quoi surprendre ; les dimensions sont celles d'une église rurale ou secondaire. A ne citer que quelques exemples, la longueur totale, à peine supérieure à celle de l'église de Chapaize en Clunysois (34 m 55), ne dépasse que d'un peu plus de 6 m celle de Champagne-sur-Rhône ; elle n'atteint pas celle de la priorale de Chamalières en Velay (39 m 50), mais avec, il est vrai, une largeur très sensiblement supérieure. Et elle est de près de 8 m inférieure à celle de l'église du «petit prieuré» brionnais d'Anzy-le-Duc, qui dépasse les 44 m ! On est loin encore des 56 m de Sainte-Foy de Conques, des 66 m de Saint-Savin-sur-Gartempe, des 76 m de Tournus, et, à plus forte raison, des 115 m de Cluny III, tous sanctuaires dont les chantiers furent à peu près contemporains de celui d'Ainay, voire antérieurs à lui. La première perplexité passée, l'extraordinaire est bien l'impression d'ampleur et de vastitude que la vision suscite. C'est à toute époque, et très particulièrement pour la période romane, le propre de la réussite architecturale : un édifice manqué amenuise presque à tout coup sa proportion, rétrécit ses volumes. Ici, le test est infaillible, et l'on constate alors que l'exotisme de la conception ajoute encore à la réhabilitation que, sans emphase, la basilique propose d'elle-même.

Dès l'entrée en effet, l'analogie saute aux yeux, et tout s'éclaire alors : c'est de propos délibéré, et comme une grandiose pièce justificative de l'histoire politique, sociale, économique et intellectuelle de la métropole lyonnaise, que les bâtisseurs de Saint-Martin d'Ainay lui ont très exactement maintenu la figure d'une basilique romaine, c'est-à-dire d'un type qui, adopté là-bas dès l'époque constantinienne, perdurera en évoluant à peine jusqu'aux temps romans. Toutes les descriptions archéologiques, à commencer par celle, très minutieuse, du chanoine Chagny à laquelle, pour le détail, les archéologues de métier auront toujours à se reporter, ont relevé que l'accent particulier du volume intérieur est conféré par le rythme puissamment scandé de la colonnade de la nef et du transept solidaires (pl. 34). Détail anecdotique, mais qui a son importance : les quatre fûts cylindriques délimitant la croisée, et qui sont de diamètre légèrement supérieur à celui des colonnes de la nef, proviennent presque certainement du temple lyonnais de Rome et Auguste ; on les auraient coupés en deux pour les ajuster à leur fonction de réemploi : d'où leur faible hauteur, qui commandait inévitablement celle de la nef elle-même. Le classicisme de ses supports est impeccable, et d'une remarquable uniformité : bases attiques, renforcées à leur sommet d'une bague très discrètement moulurée, chapiteaux dérivés d'un corinthien très stylisé, à un rang de feuilles grasses et très plates, recourbées en volutes accusées, que surmonte un rang de volutes d'angle spirées, entre lesquelles s'insèrent, sur chaque face, deux volutes plus petites et opposées. Entre les corbeilles du transept et celles de la nef, toutes pareilles à première vue, l'unique et imperceptible différence est obtenue par la nervure verticale en très faible relief, qui, dans la nef, divise chaque feuille en deux. Cette répartition, si étrangère qu'elle soit à la généralité de l'esprit roman, n'engendre cependant aucune monotonie, puisqu'elle dirige la vue, sans la distraire au passage, sur l'espace du *presbyterium* où la fantaisie décorative s'est, au contraire, déployée à plaisir. Les grandes arcades de la nef, comme celles de la croisée légèrement surhaussée à partir d'impostes d'appui moulurées, sont nues, à arêtes vives, et naturellement en plein cintre.

Au-dessus d'elles, du moins dans la nef, l'espace de mur qui les sépare des sommiers du berceau est aujourd'hui aveugle ; il est vraisemblable que, jamais, la nef n'avait reçu d'éclairage direct, en sorte qu'à l'extérieur, un toit unique à deux pentes couvrait, et couvre toujours, le vaisseau principal et ses collatéraux. Les archéologues ont beaucoup discuté du mode de couverture interne ; le chanoine Chagny, après avoir minutieusement examiné les combles, penchait pour une charpente scandée par des arcs-diaphragmes qui articulaient la nef en travées organiques. Il faudrait alors admettre, ou bien qu'ils avaient déjà disparu lorsque fut monté le lambris gothique visible sur le dessin de Jolimont, ou bien qu'ils furent en vue de cette opération supprimés et remplacés par de simples pilastres plats ; et, de toute manière, la faible longueur de la nef ne les rendait pas indispensables, comme c'eût été le cas dans un vaisseau très étiré.

La sobre économie structurale des bas-côtés a été plus maltraitée encore par l'architecte restaurateur du XIXe siècle. Montés presque à la même hauteur que la nef, ils lui fournissaient l'éclairage par des fenêtres dont on ignore le dessin primitif ; agrandies à l'époque gothique, elles ont été remplacées par des fenêtres pseudo-romanes en plein cintre, dont celles de l'étage médian du clocher-porche fournirent l'inspiration. On les couvrit de berceaux en plein cintre. Quant aux pilastres de section orthogonale qui, appliqués contre les murs gouttereaux, devaient supporter la poutraison originale, ils bénéficièrent, de la part de l'architecte Pollet, d'une particulière sollicitude ; grâce à Dieu, l'on ne toucha pas aux chapiteaux anciens qui les coiffaient et qui, de tradition romaine eux aussi, s'offrent comme de larges cartouches rectangulaires, décorés de deux rangs de feuillages très refouillés, de feuillages sous arcades, ou de feuillages, enfin, issant de la bouche de masques animaux ou humains. A un niveau supérieur à leur tailloir court horizontalement sur le nu de la muraille une frise de rinceaux d'aspect très romain elle aussi. L'esprit roman de stylisation et de recréation des modèles antiques ne s'y exerce pas davantage que dans les chapiteaux eux-mêmes; nulle part les reliefs n'y décollent du champ, et le jeu des ombres n'est sollicité que par l'extrême refouillement du détail. A ces supports d'origine, Pollet superposa des pilastres jumeaux inventés de toutes pièces, puis des espèces de statues-cariatides non moins singulières.

Il est évident que le transept, avec ses quatre gros fûts monolithiques, fait organiquement corps avec la nef, dont il a déterminé l'inspiration et dont, par surcroît, il redresse brusquement l'enfilade par la puissante et lumineuse élévation de sa coupole de croisée, où persiste comme un écho des hautes tours-lanternes de l'architecture carolingienne (pl. 33). Il a eu, lui, la chance de n'être pas retouché par les restaurateurs, et subsiste donc dans sa verdeur première. Les croisillons ne font sur les bas-côtés, qui s'ouvrent sur eux par des arcades en plein cintre relativement basses, qu'une saillie minime : un peu plus d'un pied. Parachevant la réminiscence préromane, ils sont du type «bas» défini naguère par Louis Grodecki, et couverts de berceaux transversaux en plein cintre. Au-dessus de la croisée, délimitée par ses quatre arcades égales, simples et à arêtes vives, s'élève la majestueuse coupole grâce à laquelle toute la basilique semble prendre un nouvel élan, et qui compte, de fait, parmi les plus belles qu'ait jamais conçues le génie monumental roman. Au-dessus d'un bandeau mouluré, le passage du carré à l'octogone est obtenu par quatre grosses trompes d'angle, dont la construction est fort originale. Comme à l'abside de la chapelle Sainte-Blandine (pl. 10), l'arc en plein cintre qui dessine la section de chacun des culs-de-four repose sur des colonnettes latérales coiffées de chapiteaux, sur les tailloirs desquels retombe l'archivolte moulurée soulignant le pourtour de l'arc. Chacune d'elles est jumelée à celle qui, exactement pareille, supporte la retombée correspondante de la voussure d'encadrement des baies en plein cintre, larges et ébrasées, dont chaque face orientée de la coupole est ajourée. Une autre colonnette semblable, enfin, est insérée dans l'angle de fond de chaque trompe, et contribue à l'effet rythmique particulièrement heureux de la colonnade. Le lien spécifique du système est obtenu par le prolongement des tailloirs, soulignant en courbe continue le cul-de-four de chacune des trompes, tandis qu'un élément de variété dans l'éclairement est introduit par le dédoublement de la baie creusée dans l'arc-diaphragme qui sépare la nef de la croisée, c'est-à-dire dans la face occidentale du tambour de la coupole. Peu visibles, les petits chapiteaux des colonnettes, sculptés en vigoureux reliefs végétaux, zoo et anthropomorphes, révèlent une facture singulièrement plus évoluée que leurs homologues de la nef, et contribuent discrètement à l'animation du tout.

Il n'est pas excessif d'observer que l'ensemble oriental, travées droites et absides, conclut en apothéose l'acheminement et le progrès de la vision. La travée principale est couverte d'un berceau, les collatérales de voûtains d'arêtes. Comme pour bien signifier l'espace liturgique le plus sacré de l'édifice, les arcades latérales de cette travée retombent, à l'Est, donc face au peuple, sur deux pilastres simples et nus, mais coiffés de deux chapiteaux dont on pourrait dire, par manière de plaisanterie, qu'ils ont beaucoup fait parler d'eux dans le petit monde clos de l'érudition archéologique. Introduite et encadrée par ces propylées majestueux, l'abside principale a bénéficié d'un traitement bien proche de la perfection. Le cul-de-four en plein cintre, très légèrement plus bas que le berceau de la travée qui le précède, est souligné par un cordon mouluré que soutiennent quelques modillons, tandis qu'une haute plinthe, elle-même couronnée par un bandeau saillant, ceint la base du pourtour (pl. 46 et 47). Entre les deux, l'espace ajouré est scandé par une suite de six pilastres plats, mais somptueusement décorés, tous dissemblables ; leurs socles eux-mêmes sont sculptés de petits sujets riches d'animation et de vie, animaux et personnages, parmi lesquels on reconnaît un joueur de harpe (pl. 58) et un orant à longue robe (pl. 54). Dans leurs intervalles s'insère une galerie de cinq arcatures en plein cintre, dont les voussures sont moulurées et les piédroits décorés ; les deux extrêmes sont aveugles, les trois autres encadrent les fenêtres, auxquelles n'ajoute rien la colonnade adventice du siècle dernier.

Le pourtour des deux absidioles a été agrémenté de même, mais avec une composition fort différente de l'une à l'autre. Celle de gauche est la plus proche en esprit de l'abside principale, dont elle s'offre comme la réduction ou le schéma, à l'exclusion des savoureux motifs zoo et anthropomorphes. On y retrouve exactement la plinthe surmontée d'une bande saillante, décorée ici de billettes, la corniche supportée par des modillons, les pilastres ouvragés de motifs géométriques qui engendrent un effet de scintillement, les arcatures décorées. L'absidiole de droite est beaucoup plus sobre, mais traduit l'évolution de la colonne romane qu'on observe ailleurs au XIIᵉ siècle ; les arcatures sont nues, les pilastres, remplacés par des colonnes prismatiques, que surmontent des chapiteaux de feuillages et dont, au-dessus des socles, les fûts semblent jaillir de corbeilles florales. Les exemples les plus proches de tels supports (à l'exclusion de ces décors) sont aux travées romanes de la cathédrale de Vienne, d'où ils seront adoptés dans toute la vallée du Rhône.

Un mot encore des aspects extérieurs, que les remaniements et reprises d'appareil ont quelque peu altérés, et qui, de toute manière, n'annoncent pas la richesse de l'intérieur. Les restaurations, heureusement, ont respecté les contrastes des maçonneries primitives, qui sont, ici comme ailleurs, les indices mêmes de la vie. Seuls, l'abside principale, la travée qui la précède et le clocher-porche sont appareillés de beaux moellons réguliers de calcaire blanc (pl. 38) ; au soubassement de la tour de façade se voient en outre de gros blocs de «choin» qui proviennent peut-être de quelque édifice ou muraille de la période romaine. Partout ailleurs, l'église est bâtie de petites pierres allongées de calcaire ocre et rose, que lient des mortiers épais, et qui représentent, quoique d'assez loin, l'unique concession de l'abbatiale lyonnaise aux modes constructifs hérités du premier art roman méditerranéen.

Les deux clochers se répondent de l'un à l'autre, mais leurs structures n'offrent aucun point commun. Celui qui coiffe la croisée du transept est sans doute le plus typiquement lyonnais et rhodanien, avec sa souche carrée et massive, son étage unique de beffroi quelque peu écrasé. Le soubassement, deux fois plus haut, appareillé de petites pierres plates à chaînages d'angle, n'est ajouré sur chaque face que d'une baie en plein cintre, qui n'est autre que celle de la face correspondante du tambour de la coupole. Au-dessus d'un cordon saillant, l'étage du beffroi, lui, est selon le mode de plusieurs clochers régionaux de même allure, abondamment creusé, sur chacune de ses faces, par deux paires de fenêtres jumelles en plein cintre, qui retombent au milieu sur deux colonnettes accolées, surmontées de chapiteaux de feuillages dont les modelés gras, les volutes accusées dénotent le milieu du XIIᵉ siècle environ. Une pyramide basse le couvre ; il ne semble pas qu'elle ait jamais été plus haute, comme pour ne pas risquer de porter préjudice au clocher-porche, beaucoup plus attractif.

Sur cet ouvrage, célèbre à bon droit, sont venus se rassembler, comme portés par les vents du carrefour lyonnais, plusieurs techniques et types d'influences, dont il réalise une synthèse harmonieuse (pl. 37). Son élan vertical a été quelque peu amoindri, comme on l'a dit, par la surélévation et le remodelage des bâtisses anciennes qui le flanquaient, mais, dès la fin du XIIᵉ siècle, le rez-de-chaussée primitif en était modifié par le percement d'une porte en tiers-point et le voûtement d'ogives de la travée-porche. La voussure de la porte, soigneusement ouvragée à la romaine, repose sur deux pilastres cannelés que flanquent intérieurement des colonnettes, et dont les chapiteaux à double rang de volutes annoncent le XIIIᵉ siècle. Les murs intérieurs de la travée sont timbrés chacun, au Nord et au Sud, par une rangée de quatre hautes arcatures en plein cintre sur pilastres cannelés très plats coiffés de chapiteaux de feuillages. L'analogie de ce sobre décor avec celui des parois internes du chœur de la Primatiale a été relevée. Quant à l'élévation extérieure de la tour, minutieusement décrite par le chanoine Chagny, elle ne compte pas moins de trois étages sur rez-de-chaussée, dont les deux médians ne sont pas sans présenter, avec la silhouette de la monumentale tour-porche d'Ébreuil et toutes proportions gardées, un certain air de ressemblance, accentué par l'inégalité d'ajourement des faces Est-Ouest et Nord-Sud, qui suggérerait à première vue un plan barlong. Selon un usage fréquent de l'architecture des clochers romans, l'ajourement est progressif. A l'étage inférieur, souligné par un cordon saillant, décoré et souligné par un rang d'incrustations alternant losanges de briques rouges et triangles blancs, la face occidentale, seule visible, est creusée de trois arcatures en plein cintre, dont la médiane seule est ajourée ; les trois cintres, soulignés de bandeaux moulurés, sont extradossés par des incrustations de même figure que celles du rez-de-chaussée. Deux modillons, dont l'utilité n'apparaît pas clairement, se détachent du nu du mur, dans les écoinçons extérieurs de l'arcature. Au-dessus d'un cordon semblable lui-même à celui du niveau inférieur, le troisième niveau de l'étagement décompté à partir du rez-de-chaussée et dégagé, lui, sur les quatre côtés, est creusé de trois baies ou arcatures sur les grandes faces (Est et Ouest), et de deux seulement sur les petites (Nord et Sud). Toutes sont semblables. Leurs archivoltes en plein cintre retombent latéralement sur deux colonnettes d'angle, coiffées de chapiteaux dont les tailloirs, prolongés, se profilent en cordon sur tout le tour du clocher ; leurs extrados, très soignés, circonscrits par des archivoltes enveloppantes, sont constitués de claveaux rayonnants liés par des joints de mortier rouge, puis, entre un mince lit de mortier semi-circulaire et le larmier, par les mêmes incrustations rouges et blanches. On remarque que les fonds des arcatures latérales de la face Ouest, flanquant la baie ouverte, ceux des arcatures Nord et Sud et de l'arcature médiane de la face Est enfin, peu visible, sont décorés par des rangées d'incrustations analogues ; ces pseudo-percements, sortes de trompe-l'œil en creux, n'ont donc d'autre fonction que décorative. Au-dessus encore, et sur les faces Ouest et Sud, deux sujets en relief pointent de la maçonnerie à la manière des modillons de corniche, sans raison apparente et pour le seul plaisir de la vue. D'autres occupent les quatre angles, avec notamment, au Sud-Est un bonhomme-atlante (?) qui, le dos à l'arête, semble porter le vide du ciel. Au sommet du pan, enfin, court un bandeau d'incrustations bichromes identique aux précédents, duquel pend une grande croix de marqueterie inspirée de ses motifs, mais qui n'est que de 1858; sous la frise d'incrustations ont été d'autre part insérés, en file sur un rang unique, quinze cartouches sculptés en réserve (pl. 35 et 36) de sujets animaux, oiseaux, quadrupèdes, monstres mythologiques, ou encore d'un paysan tirant un animal par la bride et d'une scène biblique qu'on a parfois identifiée avec le prophète Balaam; un seizième cartouche a été encastré, seul, dans la face méridionale.

Cet usage de réemployer, parfois un peu au hasard, des cartouches sculptés dans des murs plans paraît avoir été inventé, longtemps auparavant, ou réintroduit de l'époque préromane, par les constructeurs du porche de Saint-Benoît-sur-Loire. La région rhodanienne en compte quelques exemples, notamment à Saint-Restitut; les plus proches se voient parmi les vestiges de l'abbatiale de l'Ile-Barbe, mêlés à des fragments que leur savante exégète, Mme Cottinet, assigne justement à l'époque carolingienne («La sculpture carolingienne et le décor roman à l'Ile-Barbe», dans *Bulletin archéologique,* 1943-1945). Il n'est pas possible d'assurer qu'à Saint-Martin d'Ainay, il s'agisse de réemplois.

Le dernier étage de la tour-porche, délimité par un bandeau inférieur et la corniche de la toiture, est à la fois plus généreusement ajouré et de composition plus traditionnelle. Les quatre faces sont uniformément percées de deux paires de baies jumelles, dont les cintres à arêtes vives, très régulièrement clavés, reposent au milieu sur des colonnettes rondes à bases attiques et chapiteaux de feuillages évasés; les retombées extérieures, elles, sont simplement soulignées par des impostes moulurées qui, à l'instar de celles des étages inférieurs, se prolongent en cordons continus sur les quatre faces. Une flèche de pierre carrée, à quatre pyramidions d'angle dont les arêtes biaises sont moulurées d'un rang de billettes, coiffe le tout. La hauteur totale de la tour atteint 31 m.

Il saute aux yeux que cette tour parfaitement équilibrée et ses éléments décoratifs dénotent un esprit tout différent du reste de l'église; il n'en faut pas davantage pour se demander si elle appartient à la même entreprise de construction, et certains archéologues ont même supposé qu'elle serait sensiblement antérieure à la nef elle-même; un de leurs arguments est que (tout comme le clocher de Saint-Savin-sur-Gartempe, qui a prêté au débat archéologique que l'on sait!), son axe diffère de celui de la façade contre laquelle elle s'applique, et que les plans font apparaître imperceptiblement biais par rapport à lui. Mais sont-ce là des indices suffisants? Les incrustations bichromes évoquent certes les églises des Monts du Centre, Auvergne clermontoise et surtout Velay, mais elles ne sont pas les seules à suggérer ces rapprochements: la coupole de croisée en fournit un autre indice beaucoup plus probant. Et elles avaient depuis longtemps conquis droit de cité à Lyon même, à en juger par le mur oriental tout chamarré de la chapelle Sainte-Blandine, d'où, remontant la Saône, elles iront se fixer jusqu'au pourtour du chœur de l'abbatiale de Tournus, en une composition assez voisine des motifs du clocher-porche d'Ainay. Au plus fourniraient-elles une preuve supplémentaire que le milieu monumental roman des vieux monts de granit et de basalte, loin de s'éteindre sur leur ligne de crête, la déborde ·sensiblement vers l'Est, du Valentinois au Lyonnais et à la Bourgogne méridionale elle-même. La seule conclusion sûre résulte d'une observation d'évidence, sensible dès l'accès au visiteur le plus étranger et indifférent aux subtilités chronologiques de l'érudition; elle revient à constater que la tour-porche, si éloquente qu'elle paraisse en sa puissante élévation et l'originalité de son décor, n'est que l'un des quatre membres bien différenciés, tous traités différemment, que l'abbatiale juxtapose d'Ouest en Est bien plus qu'elle ne cherche à en offrir la synthèse ou, à tout le moins, la compénétration organique. Et le second argument, plus irrévérencieux, de cette conclusion première serait, précisément, qu'il est impossible de conclure, faute de toute indication textuelle et chronologique susceptible d'éclairer la marche des travaux, hors cette date de 1107 à laquelle l'archéologie, ballottée entre des impressions stylistiques contradictoires, s'accroche comme le naufragé à une bouée, et le voyageur nocturne égaré à l'étoile «d'où lui viendra le salut».

Essai d'interprétation

La question du clocher-porche étant résolue, il faut en revenir à ces trois membres principaux, c'est-à-dire aux leçons attachantes que chacun d'eux dispense à la suite et aux confrontations qu'ils permettent.

Le premier qui s'offre est, bien entendu, la nef dont la grande originalité au sein (mieux vaudrait presque dire : en dehors) de la constellation romane de France n'est plus à démontrer. Il est bien fâcheux qu'à Lyon même ou à ses parages immédiats, tous les témoins du renouveau de la construction religieuse attesté dès la seconde moitié du XIᵉ siècle aient disparu, sans autre exception que le mur dit de la Manécanterie, tout à fait insuffisant à vérifier si sa solitude y était déjà telle qu'on le constate aujourd'hui. On croit savoir que des analogies existaient entre l'abbatiale d'Ainay et celle de l'Ile-Barbe, dont la chronologie reste d'ailleurs imprécise et dont, au surplus, les vestiges épargnés, impressionnants mais fragmentaires, échappent au cadre du présent répertoire et aux normes absolues que celui-ci s'est fixées : propriété privée, ils ne sont donc pas accessibles normalement à la visite des abonnés et lecteurs de *la nuit des temps*. De leur sœur l'abbatiale de Savigny, entreprise sous l'abbatiat de Dalmace (1060-1083), mais dont la construction traîna jusqu'à la fin du XIIᵉ siècle, il subsiste moins encore : une chapelle extérieure, de la fin de la période préromane, et qui ne peut donc entrer dans le débat. La cathédrale Saint-Jean, presque en ruine au début du XIᵉ siècle, fut rebâtie de fond en comble par les évêques Hugues Iᵉʳ (1082-1106) et Gaucerand, l'ex-abbé d'Ainay (1107-1117), mais détruite lors du saccage perpétré en 1162 par le comte de Forez, et ses rares vestiges furent absorbés dans la reconstruction commencée par l'archevêque Guichard (1165-1180).

Un fragment de mosaïque découvert sous le sol du transept de l'actuelle Primatiale présente quelques analogies de facture avec le morceau remonté à Ainay, mais on ne peut guère aller plus loin.

On l'a écrit plus haut : c'est bien dans la seule tradition des basiliques constantiniennes hypostyles à collatéraux simples et non voûtées que s'inscrit tardivement l'abbatiale lyonnaise. Perpétuée en Lombardie à la fin de l'époque préromane, par exemple à San Salvatore de Brescia ou San Vincenzo de Milan, c'est elle qui prévaut encore pour partie, en l'église de l'abbaye de Cluny, commencée précisément en 948 et consacrée en 981. Les fouilles magistrales de K. J. Conant ont révélé que la nef, non voûtée, mais directement éclairée, y était séparée de ses bas-côtés par des arcades en plein cintre, portées, dans les trois dernières travées de l'Est, par des piles carrées, et ailleurs, soit à l'Ouest, par des colonnes rondes. Pressé par le besoin, le XIe siècle tend, même dans les églises non voûtées, à substituer aux colonnades des piles angulaires plus faciles à construire ; celles-ci, tout naturellement, achemineront à la pile composée, plus conforme encore à la rationalité monumentale romane, et que contiennent déjà en germe les expériences du premier art roman méditerranéen. En fin de compte, et pour la France, les églises romanes à collatéraux scandées de files de colonnes se comptent à peu près sur les doigts de la main. Ce sont, soit des colonnes à tambours de relativement gros diamètre, comme à Saint-Savin-sur-Gartempe, Saint-Nectaire ou Chauriat en Auvergne ; soit des colonnes maçonnées de petit appareil, dont l'exemple le plus illustre est, chacun le sait, la nef de Tournus : mais on sait que, recouvertes à l'origine d'enduits épais, elles offraient avant la restauration de 1912 l'apparence de fûts lisses. Des quatre exemples précités, Tournus était aussi le seul où la colonnade n'avait pas été appelée, dans le principe, à supporter une voûte ; la nef de Saint-Savin fut couverte d'un long berceau continu, sans arcs-doubleaux dans les six dernières des neuf travées ; à Saint-Nectaire comme à Chauriat, le même berceau sans arcs-doubleaux était contrebuté, on le sait de même, par les tribunes collatérales voûtées en quart de cercle.

Incontestablement, et à ce seul point de vue, la nef de Saint-Martin d'Ainay indiquait une stagnation stylistique trop appuyée pour n'être pas volontaire. L'occasion en put être sans doute le réemploi des colonnes romaines de la croisée du transept, mais le choix d'une ordonnance exclusivement hypostyle allait plus loin encore. C'est le temps où le plus romain de tous les papes, Grégoire VII, décrétait ou confirmait en 1079 la Primatie du siège lyonnais, avec autorité sur les provinces ecclésiastiques de Sens, Rouen et Tours. Fort de cette proclamation, l'archevêque Hugues de Die, ancien légat pontifical, se montrera de 1082 à 1106 (ces dates charnières sont significatives) « le plus redoutable instrument de la réforme grégorienne » (Deniau, *Histoire de Lyon,* 1951, p. 29). Tout se passe comme si les commanditaires et maîtres d'œuvre d'Ainay avaient entendu afficher dans la pierre cette allégeance, en telle manière que la basilique lyonnaise rejoint par l'intention l'édifice qui représente sa plus éclatante antithèse plastique, cette abbatiale de Cluny conçue par un autre «romain» non moins résolu, Hugues de Semur ! Et le sang des martyrs «apostoliques» couvrait cette revendication de fidélité.

La première innovation, mais elle est de taille, réside ainsi qu'on l'a dit dans l'élévation de la coupole, inexistante dans les modèles romains et leurs dérivés les plus directs. Il est fâcheux, encore une fois, qu'on ne puisse plus comparer cet ouvrage à la coupole qui s'élevait au-dessus de la croisée du transept de l'abbatiale de l'Ile-Barbe, et qui était, paraît-il, tout à fait semblable. Mais, à défaut, deux parentés fort significatives peuvent être alléguées : Tournus d'une part, la cathédrale du Puy de l'autre.

Depuis que l'architecte inspiré de Sainte-Sophie de Constantinople avait conféré à ce volume très particulier la figure symbolique d'une voûte céleste au-dessus de laquelle siège le Dieu trinitaire, en en décuplant les dimensions et en organisant autour de cette charnière cosmique tout l'espace d'une église, les divers traitements possibles du thème n'ont pas cessé de solliciter l'imagination des bâtisseurs, qui l'ont associé à la tour-lanterne, et en ont multiplié le nombre, distribué tantôt en file, tantôt en croix. L'époque gothique, dont on sait à quel point la généralisation de sa voûte d'ogives a amoindri les prodigieuses compositions internes de la génération antérieure, ne se fera néanmoins pas faute d'y suspendre, à Cahors et comme en plein ciel, la scène peinte de la Lapidation de saint Étienne, et la période baroque, tout enivrée d'illusions et de trompe-l'œil, ira plus loin encore, à la façon du cuisinier soulevant le couvercle de sa marmite d'où s'échappent des vapeurs, en remplissant la calotte aveugle de nuages roses que transperce l'azur de l'infini, et à travers lesquels volettent des angelots dodus. Le génie roman à son apogée n'a cure de telles fantaisies; monumental avant toute chose, il se préoccupe seulement d'éclaircir l'inévitable opacité de la forme et d'en alléger autant que possible la compacité. Le choix de la coupole sur trompes, plus flexible, oserait-on dire, que le mode sur pendentifs, permet précisément ce dispositif souple de colonnettes que montre la coupole d'Ainay. A la croisée du transept de l'abbatiale de Tournus, que l'on a rapprochée depuis longtemps de celle de la basilique lyonnaise, l'agencement de la colonnade, assez différent, cherche à la détacher et projeter davantage encore devant les surfaces de fond. Comme à Ainay, deux colonnettes gardent les montants latéraux de la trompe, mais c'est sur elles, et non pas sur deux colonnettes distinctes, que repose l'archivolte externe circonscrivant la baie de chaque face orientée (la voussure interne retombe pour sa part sur deux colonnettes un peu plus courtes et plus minces que leurs voisines). En manière de compensation, deux colonnettes flanquent l'angle interne de la trompe, qu'une seule masquait à Ainay, et dans les intervalles ainsi délimités, deux autres viennent encore s'insérer : soit en tout, pour chaque trompe, six colonnettes au lieu de trois. On notera en outre que les prolongements de leurs tailloirs, au lieu de souligner en bandeaux courbes la naissance des trompes, se recoupent partout à angles droits, découpant sur le vide une espèce de crénelage horizontal. Et l'on verra enfin que, rompant le rythme des fûts cylindriques, apparaissent ici et là des colonnettes polygonales.

L'antécédence de la coupole d'Ainay paraît évidente, et serait encore plus manifeste s'il pouvait être jamais démontré qu'elle était déjà en place lors de la cérémonie de 1107. Sa cousine germaine de Tournus semble bien, quant à elle, relever de la campagne de remodelage du chœur, que vint sceller selon toute vraisemblance la dédicace célébrée en 1120, sous l'abbatiat de Francon du Rouzay. La postériorité de la coupole tournugeoise n'est pas suggérée seulement par l'apparition des colonnettes polygonales, mais par la complexité du dispositif général, qui contraste, comme il en est souvent des copies par rapport aux originaux, avec la vigoureuse sobriété du système lyonnais, dérivé de façon directe des petites trompes de la chapelle Sainte-Blandine; et son effet plastique et visuel est moins d'étayer le parcours des trompes, comme il en était à Lyon, que de scander comme une illusion de faux triforium le niveau du tambour.

A la cathédrale du Puy, l'on sait que la nef, primitivement voûtée en berceau selon les observations de M. Marcel Durliat, fut dans le cours du XIIe siècle prolongée ou remaniée par le lancement, réalisé en plusieurs campagnes, d'une file de coupoles montées sur les quatre premières des six travées qu'elle comporte depuis lors; celles des deux dernières travées ont été entièrement reconstituées par l'architecte restaurateur du XIXe siècle Mallay, qui modifia considérablement le type de celles qu'il avait trouvées en place, mais dont il n'est aucunement prouvé qu'elles n'étaient pas, et peut-être d'assez loin, antérieures au XVIe ou au XVIIe siècle. Celles des troisième et quatrième travées, en tout cas, les premières du programme du XIIe siècle, sont d'origine et n'ont pas été retouchées. Sans s'attarder au détail de leur construction et à certaines hésitations qui affectent le mur de raccord de la quatrième et de la cinquième travée, on remarque tout de suite que les arcades qui les portent ne sont plus, comme leurs correspondantes d'Ainay et de Tournus, en plein cintre, ou marquées seulement d'une brisure légère mais en cintre franchement brisé déjà : preuve que la tempête monumentale provoquée par la grande basilique clunisienne de saint Hugues était passée sur elles.

Quant au reste, les deux coupoles, exactement semblables, réalisent une sorte de compromis entre les formules d'Ainay et de Tournus. Pareillement soulignées par un bandeau continue, au-dessus duquel les murs Nord et Sud sont élégis d'une triple arcature aveugle meublant et animant l'espace compris entre les grandes arcades, assez basses, et le tambour, les trompes ont leurs montants chargés de colonnettes visuellement jumelées avec celles qui encadrent les baies des faces orientées. Comme à Tournus, ce sont deux colonnettes semblables qui cantonnent l'angle de fond de chaque trompe; mais, comme à Ainay, le prolongement des tailloirs souligne de sa courbe harmonieuse la naissance des culs-de-four.

Les sculptures absidales

Second membre de l'ensemble oriental, et, surtout, conclusion magnifique du volume intérieur, les trois absides. Et, pour commencer, les deux chapiteaux couronnant les pilastres qui supportent les retombées orientales des deux arcades mettant en communication la brève travée droite du chœur et ses bas-côtés; ils sont à juste titre les plus réputés de la basilique, prestige qui leur valut hier d'être abondamment commentés par les archéologues, et même, en raison surtout de leur datation supposée (cette date de 1107 autour de laquelle tourne toute l chronologie de la basilique), comparés à ceux du déambulatoire de la grande abbatiale de Cluny : association à peu près aussi fondée, au demeurant, que serait en botanique celle de la rose et du réséda.

A droite, soit du côté traditionnellement appelé «de l'épître», sont sculptées sur la face antérieure du chapiteau la tentation d'Adam et d'Ève, puis la comparution des deux fautifs devant Dieu (pl. 39). Les deux scènes sont symétriques par rapport à l'arbre de Vie, autour duquel se love insidieusement le Serpent infernal, ou plutôt un monstre dont la queue se termine en un mufle de chien broutant une feuille basse de l'arbre. A gauche, le couple, dans le même temps qu'il porte une main à la bouche pour déguster le fruit qui le perdra, de l'autre commence à masquer son sexe. A droite, dans une composition triangulaire, les deux coupables sont à genoux, en larmes, devant le Créateur, dont la pose, de témoignage plutôt que de malédiction, rappelle celle de la Vierge Marie au bas-relief de l'Annonciation de Charlieu, celle aussi – et c'est le seul rapprochement qui s'impose – du chapiteau homologue de Cluny. Comme à Cluny, et comme dans les peintures murales de Saint-Savin-sur-Gartempe, le Dieu de la Genèse n'est pas le Vieillard barbu et chenu des représentations classiques, mais un adulte dans toute la puissance de sa jeunesse, et auquel le sculpteur prête le visage du Christ.

Sur les petites faces latérales sont représentés, à gauche et en une composition beaucoup plus stricte et dense que celle de la face principale, le Christ siégeant, bénissant de la main droite et tenant de la gauche un livre ouvert où se lit : «E(GO) SU(M) LU(X) M(UND)I» : Je suis la Lumière du Monde (pl. 40) ; les quatre symboles évangéliques l'encadrent ; à droite, selon une typologie familière à l'iconographie romane, l'Annonciation dont la salutation «a changé le nom d'Eva» (pl. 41).

Un peu moins vigoureusement traité peut-être, le chapiteau du côté de l'Évangile présente les conséquences du péché originel, mais les conclut sur la note d'espérance de la Rédemption par le suprême Sacrifice du Christ, *mortem autem Crucis*. Soit, concentrée en peu de termes, toute l'histoire du Salut. Sur la face antérieure, les sacrifices offerts par Abel, le pasteur que bénit un Jahveh à la figure de Christ, et par Caïn (pl. 43). A droite de la face principale, la scène apocalyptique de l'archange saint Michel terrassant le dragon est à compléter par la représentation de saint Jean-Baptiste le Précurseur, sculpté sur la petite face opposée et désigné par l'inscription du phylactère qu'il tient dans sa main gauche : «E(CCE) A(G)NUS D(E)I» (pl. 44).

Émettre le moindre doute sur l'identité de main de ces deux morceaux, également magistraux, serait ridicule ; d'un peu loin, on les jurerait moulés l'un sur l'autre. Les proportions anatomiques sont rigoureusement les mêmes, réduites encore par la station assise, mais avec un rapport des têtes aux corps qui, de toute manière, ne dépasserait guère 1 à 4 ; les gestes, les faciès osseux et allongés, la pose des pieds, l'allure générale sont voisins. Selon la constante pratique sculpturale romane, qu'on a surabondamment expliquée et commentée ailleurs (*Floraison de la sculpture romane,* 2), l'individualisation de chaque sujet, la spécificité de chaque mission assignée dans l'histoire du monde et de l'Église, l'écart infini des personnalités et des natures sont exprimés par une multiplicité de nuances impondérables et d'inflexions apparemment anodines, mais dont la sûreté, la précision quasi millimétrique composent pour finir une ossature et suggèrent une signification synthétique et transcendante, à la manière des touches assemblées d'une toile impressionniste, ou du psychiatre qui, de question en question, pénètre l'âme de son patient jusqu'en ses replis les plus profonds, pour en forcer et extirper le secret sombrement défendu.

La construction du cartouche christique, à commencer par lui, est d'une rare maîtrise, propre à achever de confondre ceux qui, hier encore, prétendaient opposer le grossier archaïsme des chapiteaux d'Ainay à ceux de Cluny pour justifier la datation tardive assignée à ces derniers. Son orthogonalité rigoureuse est affirmée, à deux niveaux différents, par les légers renflements qui séparent chaque groupe vertical de deux symboles évangéliques et par la bordure moulurée du tabouret (pl. 40). Le Christ, inscrit dans un rectangle qui tient lieu de mandorle, occupe tout le centre du panneau, et le déborde par le haut. L'un des indices, ténus mais expressifs, de la majesté «qui recouvre les cieux», est représenté, en effet, par l'incurvation convexe du cadre inférieur de l'abaque, qui permet le libre déploiement du nimbe christique. Nul ne peut soutenir l'éclat de la divine Face; le taureau et le lion, tournés vers l'extérieur, sont obligés, pour céder à la curiosité révérencielle de l'amour, de démancher carrément leurs encolures; l'aigle, lui, qui peut regarder droit le soleil, est vu de face, les ailes repliées, le regard fixé sur la Lumière du monde; mais l'homme ailé de Matthieu, regardant devant lui, se contente de la désigner, comme timidement, de son index droit. Il faut dire que toute la stature du Christ, à travers la discrétion des moyens plastiques, exhale cette souveraineté. Le visage taillé à coups de serpe, l'exagération des globes oculaires, les arcs impériaux des sourcils sous les ondes de la chevelure régulière, ont l'impressionnante et impénétrable gravité, à une autre échelle bien entendu, et par des artifices tout autres, du Christ de Moissac, devant lequel, irrésistiblement, tout genou fléchit. Les pieds calés, bien à plat, sur un tabouret bas, le livre élevé presque jusqu'à l'épaule, de telle sorte qu'il s'ouvre dans la même horizontale que la main bénissante, accentuent la rigueur des drapés hautement signifiants. C'est au Maître des univers et à lui seul que sont en effet réservés les plis traditionnellement appelés «repassés», épithète parfaitement inexacte puisque, dans toute la sculpture romane (et même dans la peinture), il ne s'agit aucunement d'un aplatissement de l'étoffe, mais du relief accusé, dans son opposition des versants, qui est celui d'une côte géographique, avec ses aplats de lumière et de calme et ses ravins d'ombre, comme il en est aux tragiques Hauts de Meuse, de Domremy-la-Pucelle à Verdun.

Que ce parti soit délibéré, il suffit pour s'en convaincre de comparer cette draperie (dont on a déjà dit vingt fois la part que lui réserve le sculpteur roman dans la signification théologique, spirituelle, hagiographique et morale de son œuvre) à celle dont est vêtu l'homme de saint Matthieu. Elle est, celle-ci, à plis lâches, redoublés ou triplés, limitant des plages très lisses : et qui ne voit que déjà s'annonce en elle le dernier esprit de la sculpture romane dans la région rhodanienne, et qui est celui, chronologiquement bien plus tardif, de Semur-en-Brionnais, de Charlieu, de Saint-André-le-Bas à Vienne? C'est ce parti nouveau, si embryonnaire qu'il soit encore, qui gouverne à l'évidence le chapiteau antithétique, soit la petite face consacrée au Précurseur (pl. 44). On est bien loin de l'Essénien farouche, de l'ascète squelettique et couvert d'une peau de bête que représentera si volontiers l'imagerie flamboyante et classique; celui d'Aïnay, ramassé sur lui-même et accablé, semble écrasé d'avance par l'atrocité de la mission qu'après le second Isaïe, il a reçue de prédire non seulement la venue, mais aussi le sacrifice sanglant de l'Agneau traversé par la croix.

La figure est encadrée par un bizarre arc trapézoïdal extradossé de fleurons et que portent deux troncs cannelés, évasés vers le haut et issant de corolles feuillues; comme pour accentuer le tassement de la pose et l'humilité de celui qui ne se jugeait pas digne de dénouer le cordon de la chaussure du Maître, l'encadrement dissimule tout le haut de l'auréole, qui disparaît dans l'ombre portée (pl. 45). L'homme est assis, non plus sur un trône de majesté, mais sur une simple planche posée sur des rochers stylisés, et ses pieds aux orteils recroquevillés reposent sur le sol. Débarrassée de tout apparat externe, la pose serait presque la même que celle du Christ, mais l'effet visé et obtenu est exactement contraire, grâce à la minutie de toutes les intentions suggérées. Le visage très aminci, comme tiré vers le bas, incliné en avant et légèrement penché sur l'épaule droite, le regard abaissé par un désaxement subtil du forage des pupilles, le tracé des lèvres, qui esquissent une moue d'enfant prêt à pleurer, trahissent la douloureuse méditation intérieure. La main gauche, impuissante, croirait-on, à soulever le phylactère, le laisse pendre, à demi déployé, entre les jambes, et l'index de la droite, qui est censé désigner l'inscription, parvient à peine à se décoller des autres doigts. Mais l'élément le plus signifiant est sans conteste la draperie; ce ne sont pas les plis vigoureux et gonflés par une force interne de l'image opposée, mais une étoffe molle et tombante, qui se tire-bouchonne littéralement autour de l'enroulement du phylactère. Sur le buste, cependant, apparaissent en ébauche, et comme un murmure de la pierre, deux des tendances qui vont un peu plus tard, inspirées à l'évidence par la sculpture hellénistique, animer notamment les drapés viennois et leur imprimer une marque de fabrique entre toutes reconnaissable : ce sont, outre les bourrelets typiques du rebord droit du manteau, d'une part les fronces triangulaires qui marquent l'articulation du coude droit, et d'autre part, l'agencement des plis du coude gauche, qui dégagent entre eux une sorte d'ove lisse; il ne manque plus que les plis dits «en amande» pour parfaire le système.

De l'assemblage de tous ces procédés, et par un effet de mimétisme qu'a voulu certainement le créateur unique des deux représentations adverses, le spectateur voit comme dans un trucage cinématographique transparaître en filigrane, à travers cette silhouette affaissée, celle du Serviteur souffrant, préfigure elle-même des futurs Christs de pitié; à travers l'Annonciateur, le Christ en plein exercice de la Rédemption par le sang. Cette véritable osmose est d'une singulière force plastique; en constater la maîtrise et la maturité revient à clore sans réplique toute tentative de comparaison avec les grands chapiteaux précités de Cluny. Se pourrait-il trouver dorénavant un seul point commun entre les longues silhouettes des Vertus ou des Tons du plain-chant qui illustrent ces derniers, aristocratiques, étirées, flexibles, entre leurs graphismes fermes comme des traits d'enluminures, et diaphanes en même temps, avec ce souffle qui retrousse en spirale le bas de leurs robes, idéales et pures comme une vision de montagne, mais si parfaitement inexpressives et indifférenciées qu'elles en deviennent interchangeables – triomphe et perfection d'une forme surhumaine (quoi qu'ait pu en dire Focillon) –, et les deux chapiteaux d'Ainay tels qu'on a essayé d'en discerner la substance ? Stylistiquement beaucoup plus pauvres, bien moins composés et parachevés, frustes comme un travail de tâcheron, c'est précisément leur totale indifférence à l'apparat qui les rachète, car elle s'exerce au bénéfice de l'essentiel qui est l'intériorité, la suggestion expressive, la personnalisation que le cœur de l'artiste gouverne plus encore que sa main ou son instinct décoratif.

On s'est efforcé de démontrer, presque à chaque page des deux tomes compacts consacrés à la sculpture romane, que les chapiteaux de Cluny, en tête de leur lignage régional, concluaient de leur perfection catégorique l'effort et le rêve d'un siècle tributaire à la fois d'une conception quasiment sacrale du décor sculpté (jusque dans ses expressions historiées) et des fantasmes irlandais, et que leurs antécédents étaient à rechercher, notamment en Brionnais, tout au long de ces années ardentes. Au même titre que Moissac, où sur les visages des Vieillards de l'Apocalypse passent toutes les nuances du ravissement extatique, et sur celui du prophète Jérémie celles d'une déploration contenue, au même titre aussi qu'Autun, qui n'a plus guère de clunisien que la tendresse de miséricorde dont rayonnent les trois derniers des grands abbés, les chapiteaux d'Ainay ouvrent, par d'autres moyens et avec une discrétion toute lyonnaise, un nouveau livre qui ne sera plus refermé : celui d'une expression totale obtenue non seulement par la physionomie, mais par la pose, le geste et la géométrie spatiale elle-même, appelée par certains peintres et sculpteurs abstraits d'aujourd'hui aux plus hautes fonctions spirituelles.

Le pourtour de l'abside principale réserve une autre surprise, par l'originalité de son organisation interne, et de sa décoration plus encore. A l'époque romane, on le sait, la forme usuelle d'animation de l'hémicycle absidal est l'arcature sur colonnettes en délit, dont les courbes harmonieuses et épanouies renforcent la singularité mystique et liturgique du *presbyterium* par rapport à tout le reste de l'ordonnance basilicale. Beaucoup plus rarement, au XIIe siècle, des pilastres orthogonaux remplacent la colonnade ; dans la région rhodanienne, un système mixte associe pilastres et colonnettes en un unique support épais, chaque pilastre étant encadré par deux colonnettes. Mais à la combinaison d'Ainay, dont l'articulation essentielle est constituée, ainsi qu'on l'a dit, par un rythme de six pilastres derrière la forte armature desquelles la galerie d'arcatures encadrant les fenêtres paraît s'effacer et rentrer dans la muraille, on ne croit guère connaître que deux répondants, qui ont d'autre part l'avantage d'offrir des repères chronologiques sûrs. Le premier est celui de l'église brionnaise de Varenne-l'Arconce, dont l'édification dut suivre l'affiliation au couvent des moniales clunisiennes de Marcigny, en 1094 ; le parti n'est d'ailleurs pas exactement le même que celui d'Ainay : ce sont en effet des colonnettes, reposant sur l'appui inférieur de l'abside et coiffées de chapiteaux, qui supportent de brefs pilastres cannelés allant rejoindre sans aucun intermédiaire le cordon mouluré qui ceint la base du cul-de-four. A la cathédrale d'Autun, dont le chœur fut entrepris peu après l'acquisition par le chapitre du terrain nécessaire, à la fin de l'année 1119, le dispositif longtemps masqué par un volumineux placage classique est comme démembré selon le triple étagement par lequel l'hémicycle roman est divisé : soubassement et deux niveaux de baies superposés. Les pilastres, montant de fond, sont nus jusqu'au bandeau séparatif des deuxième et troisième niveaux, puis cannelés et couronnés de chapiteaux à leur partie supérieure.

Par rapport à ces corollaires, l'innovation d'Ainay réside dans la décoration foisonnante qui, des pieds à la tête si l'on peut dire, couvre dans une même unité de vision les pilastres majeurs et ceux, plus effacés, qui les flanquent (pl. 46 et 47). Ceux qui, de chaque côté, supportent les retombées de l'arc triomphal ne sont encore que cannelés, avec, au Nord, la fantaisie supplémentaire de motifs cerclés qui interrompent, de place en place, la verticalité des cannelures. Puis viennent de gauche à droite, et à s'en tenir, pour commencer, aux supports majeurs, un pilastre creusé pareillement de trois cannelures, dans le creux de chacune desquelles viennent se superposer des boutons composés chacun de trois cercles concentriques ; de part et d'autre de la fenêtre axiale, deux pilastres richement ornés : onze médaillons circulaires, que délimitent des ganses à trois brins torsadés en boucles dans leurs intervalles ; pris entre deux bordures verticales d'oves, ils enserrent de délicates sculptures d'une verve extraordinaire (pl. 48) : des animaux réels, volatiles (dont un magnifique paon faisant la roue), quadrupèdes (dont un gentil ourson), y voisinent avec un bestiaire mythologique aussi finement traité, et même avec deux sirènes siamoises tout à fait stupéfiants.

Le quatrième et dernier pilastre enfin (deuxième à partir de la fenêtre d'axe) est sans conteste le chef-d'œuvre de la série, et offre une composition tout à fait originale. Entre deux bordures d'oves, un cartouche cruciforme le divise en deux sections dont celle du bas est sculptée, avec une vivacité saisissante, d'une course ascendante de cinq lions qui n'est pas inférieure par l'effet décoratif, quoique d'esprit, de facture et, naturellement, de dimensions fort différents, aux étranges cascades et entrecroisements du célèbre trumeau du portail de Moissac ; au-dessus d'elle, dans une construction unique, un serpent lové et un oiseau à l'œil cruel, qui plante ses serres dans le corps du reptile et le pique de son long bec acéré, terminent le remplissage intérieur (pl. 49). A la section supérieure, ce sont cinq cartouches rectangulaires qui se superposent, de plus en plus petits à mesure qu'on s'élève, et sculptés d'animaux divers.

C'est pour la seule commodité de l'exposé qu'il a fallu dissocier de l'ensemble des pilastres majeurs ceux qui les flanquent de chaque côté, et qui, dissemblables dans leurs motifs et sujets, n'en composent pas moins avec eux une unique et scintillante vision décorative. Ils sont agrémentés, soit de cannelures, soit de sortes de palmettes forées de trous de trépan, soit, au piédroit de gauche de la fenêtre septentrionale, de motifs ondés rappelant ceux de certains sarcophages antiques et paléochrétiens. Leurs socles, surtout, sont d'un grand intérêt ; les faces antérieures, donc les mieux visibles, sont sculptées, toutes différemment, de sujets zoo ou anthropomorphes sur lesquels se sont exercées à plaisir l'imagination du ou des artistes, et, après eux, celle des interprètes symbolistes. Chaque figure est inscrite dans un cadre rectangulaire plus haut que large, qui lui permet de se développer à l'aise; de la gauche à la droite apparaissent successivement un dragon ailé (pl. 50); un poisson sautant hors de l'eau à la verticale (pl. 51); un cerf piaffant (pl. 52); un personnage nu, vu de profil et les mains jointes, plongé jusqu'à mi-corps dans une cuve orthogonale à la face antérieure ondée (on ne s'avance pas beaucoup en supposant qu'il s'agit d'un baptême par immersion) (pl. 53); un homme en robe longue, le visage encadré par une calotte épaisse de cheveux, les avant-bras levés dans la pose de l'orant (pl. 54); un personnage à demi assis, levant la main droite et tenant un volume (?) dans la main gauche (pl. 55); un homme en marche, tenant, lui, un bâton dans la main droite, et brandissant de la gauche un objet rond, couronne de feuillages ou miche de pain (pl. 56); un naute (?) tenant une ancre (pl. 57); un musicien assis jouant du luth (pl. 58); un lion debout sur son arrière-train (pl. 59).

Il est évident que l'iconographe a entendu, non seulement individualiser chacune de ces figurines, mais lui conférer, sinon un sens symbolique explicite, du moins une signification ou, si l'on préfère, une vocation ou un état précis : un peu comme ces bonshommes, le seigneur, l'ecclésiastique, le pèlerin, tenant lieu de tas de charge des contreforts qui épaulent le chœur de l'église de Cassuéjouls en Rouergue. Du catéchumène et de l'homme en prière à l'homme de la mer et à ceux de la terre ou de la musique, on croit les reconnaître à peu près tous.

Au terme de cette revue de détail incomplète (s'il fallait décrire par le menu cette pléthore d'ornements végétaux, d'animaux de l'arche de Noé, de sujets humains les plus divers, un livre entier n'y suffirait pas), un premier ordre de conclusions se dégage, mais leur disparité même oblige à les aligner à la suite, comme les réponses apparemment décousues d'un catéchisme traditionnel, et, plus exactement encore, comme se succèdent les sujets dans l'élévation d'un seul jambage sans autre lien entre eux que la fantaisie imaginative du décorateur. On devra remarquer d'abord combien, sur place et même sur l'ensemble du champ roman couvert par les grandes expériences sculpturales du XIᵉ siècle, cette production, cette composition et ce style manquent d'antécédents immédiats. Il serait imprudent d'en rechercher les précurseurs à l'Ile-Barbe, compte tenu du peu qu'il subsiste de cette abbatiale et de son décor sculpté, et aussi de l'incertitude chronologique de sa reconstruction. Le plus important des morceaux qui ont échappé à une dispersion presque autant marquée de vandalisme abject et de mercantilisme que celle des débris de la grande église clunisienne, soit le superbe fragment d'Annonciation conservée au musée Gadagne (pl. 95), et dont on ignore d'ailleurs la date, révèle une stylistique absolument opposée de la proportion, du drapé, du visage : une autre main, un tout autre esprit.

Sans doute, l'atelier de l'abside d'Ainay, par-delà le saut du XIᵉ siècle, s'inscrit-il, par beaucoup de ses traits de métier, dans un double sillage : celui, d'abord, de l'antiquité impériale, sensible dans les répertoires ornementaux, et de l'art populaire des stèles, d'où sortent directement les savoureux bonshommes des socles. Et celui, ensuite, de la tradition sculpturale préromane, qui fut certainement plus généreuse et fournie qu'on ne l'a souvent dit, et abonda notamment en talents animaliers exceptionnels, par leur aptitude à une stylisation et à un travail par masses musclées qui, à plus d'un millénaire d'intervalle, annoncent déjà ceux d'un François Pompon! Toutes qualités formelles mises au service d'une signification psychologique qui est le propre des vrais animaliers : le monde des volatiles, en particulier, est vu tel que les ornithologues, ou même les simples observateurs de la vie frémissante de la nature la constatent, dissimulant sous la splendeur du plumage et la grâce du mouvement et du vol l'implacable cruauté que traduisent l'œil fixe et rond, le bec acéré comme une épée, ou fort, quand il pince, comme la mâchoire d'une tenaille. Quiconque a, prudemment, assisté au combat d'un rapace et d'une vipère apprécie la justesse sans pitié de celui qu'offre en sa menue dimension l'un des cartouches animaliers les plus expressifs d'Ainay : l'oiseau hérissé de toutes ses plumes, plantant à coup sûr ses terribles griffes dans l'échine du serpent qui se tord de douleur et, déjà s'abandonne, tête basse, tandis que le vainqueur fouaille du bec l'encolure pour achever de neutraliser sa victime (pl. 49). La construction n'est qu'un réseau de courbes suggérant le mouvement et la rapidité du drame atroce, mais organisés, comme certaines des toiles signées de «dom Angelico», en recoupements de dièdres; sans omettre le ballet concertant des deux ailes et de la queue, tout droit issu, dirait-on, de certains reliefs asturiens : ainsi qu'en provient, peut-être, l'usage des suites de sujets inclus dans des médaillons ronds à encadrements de tiges végétales.

Beaucoup plus près dans l'espace et dans le temps s'impose une communauté certaine, sinon de facture, du moins d'inspiration, avec la bordure de l'autel de Bernard Gilduin à Saint-Sernin de Toulouse, qui fut ainsi qu'on le sait, consacré en 1096. Ramenée à l'horizontale, l'ordonnance générale des pilastres lyonnais ne serait pas tellement différente de celle des tranches latérales de ce meuble fameux, avec ses figures — bustes d'homme, mais, ici ou là, animaux fantastiques — encadrées de tiges circulaires à deux brins nouées l'une à l'autre : «invention» que l'on ne retrouve pas sans quelque surprise, miniaturisée pour ainsi dire, en orfroi du manteau de l'extraordinaire statue isolée de l'apôtre Pierre, accrochée au mur de la cathédrale de Vienne, à cette différence près que les bordures circulaires des médaillons sont ici perlées. La perfection technique des petites sculptures lyonnaises n'est pas moindre, pour sa part, que celle de l'autel de Bernard Gilduin, qu'il s'agisse de la maîtrise et du délié des formes et des volumes, notamment animaux, ou de la science extrême du relief qui, sur le principe fondamental de la taille en réserve ou en cuvette, s'accentue imperceptiblement, mais avec sûreté, de l'entrée jusqu'au fond de l'hémicycle absidal, ou, enfin, du savant agencement de la composition, qui sait à merveille, ainsi qu'on l'a remarqué déjà, absorber le fourmillant foisonnement des détails dans une vision globale où miroitent les multiples facettes de la lumière.

Cependant, l'idée qui doit être portée en propre au crédit du maître d'œuvre de l'abside est bien d'avoir redressé à la verticale le système des suites de médaillons jusqu'alors réservé, dans l'économie générale d'une architecture, aux frises et aux linteaux, c'est-à-dire à des volumes horizontaux. Elle est, à un titre voisin, d'avoir tiré un pareil parti des seuls antécédents ou suggestions — mais encore fallait-il les saisir! — que pouvaient lui offrir, soit, on le répète, certains jambages asturiens tels que ceux de l'église San Miguel de Lillo (*L'art préroman hispanique* pl. 117), soit même les croix irlandaises ; en les multipliant et les intégrant dans un unique programme, pareille invention leur assignait une fonction plastique et liturgique d'une tout autre ampleur. Les critiques à l'affût auraient à chercher loin d'éventuels prototypes de la forme, et il est douteux qu'ils les trouvent. Ce ne sera certainement pas dans la région immédiate, ni même à Cluny, point de référence inévitable, puisque l'architecture clunisienne, sauf les deux exceptions recensées ci-dessous, a toujours ignoré, ou refusé, les pilastres décorés, et à plus forte raison historiés. Mais s'il pouvait être un jour prouvé formellement que ceux d'Ainay étaient déjà en place lors de la consécration de 1107 (leur stylistique vigoureuse et drue, pour sa part, ne s'y oppose aucunement), leur descendance, elle, serait beaucoup plus aisée à reconnaître. Des pilastres sculptés de rosaces ou de rinceaux alternant grappes et feuilles décorent, autour de la fenêtre axiale, donc en place d'honneur, l'arcature haute du chœur de l'abbatiale de Tournus, qui fut presque certainement compris dans la dédicace de 1120. Les somptueuses galeries d'arcatures plaquées qui animent les murs du chœur et des clochers de la grande priorale clunisienne de La Charité-sur-Loire, sûrement assez postérieurs, eux, à la consécration du maître-autel de 1107 (la même année que celle de l'abbatiale d'Ainay !) les adoptent avec plus de générosité encore. Même l'ascétique collégiale Notre-Dame de Beaune, sœur cadette, pourtant, du sanctuaire de pèlerinage Saint-Lazare d'Autun, entrepris après 1119 et qui ne s'émancipe pas du pilastre cannelé réintroduit par Cluny, en admet par exception quelques-uns dans sa galerie de triforium.

A Châteauneuf, à Semur, l'art roman tardif du Brionnais utilise volontiers le pilastre décoratif pour les retombées des arcatures absidales. La formule se répand en Dombes et Bresse, à Saint-Julien-sur-Veyle, à Polliat ; des échantillons attardés agrémenteront encore, à la fin du XIIe siècle, l'arcature absidale de l'église de Belleville-sur-Saône (pl. 157). La forme humaine reparaît, timidement, à celle, plus précoce, de la collégiale de Beaujeu. Mais c'est dans l'ombre d'une église rurale de la Dombes, Sandrans, qu'elle triomphe dans les deux silhouettes d'Adam et d'Ève, étirées au maximum afin de meubler toute la hauteur de l'un des pilastres absidaux ; le visage d'Adam évoque les masques en méplat de la sculpture assyrienne, mais l'audace des proportions et du traitement est d'une modernité stupéfiante (pl. 128). Pour ces deux seules images, la Dombes secrète et plus familière aux chasseurs qu'aux archéologues aurait bien mérité de la civilisation romane, mais c'est aussi à sa devancière lyonnaise que, sans le savoir, elle rend le plus volontiers hommage.

UNE RÉPLIQUE MONTAGNARDE : CLÉRY ?

Presque au bord opposé du champ couvert par la présente étude, c'est une attestation d'une autre nature, mais plus éclatante encore, qu'offre l'église savoyarde de Cléry; elle a contribué à lever les scrupules que l'on pouvait nourrir en embrassant dans un unique district archéologique un secteur aussi disparate d'apparence. Comme elle offre incontestablement l'échantillon le plus beau, le plus complet et le mieux sauvegardé de l'architecture religieuse du XIIᵉ siècle en Savoie (qui, on le sait, n'en compte pas tellement), il vaut la peine de grimper jusqu'à ses belvédères, ne serait-ce que pour se repaître du site grandiose dans lequel elle s'est plantée et brandie comme un croc, pour apprécier la saveur de l'attestation de puissance spirituelle qu'elle érige face aux roches et aux neiges, et, ensuite seulement, dégager les leçons archéologiques, quelque peu inattendues, qu'elle offre avec autant de distinction que de volontaire discrétion, mais qu'une restauration intérieure toute récente (1986) met en spéciale valeur.

A son flanc Nord, et un peu plus haut, le col de Tamié creuse une brèche dans l'enfilade, tirée d'Ugine à Miolans, des crêtes acérées de la

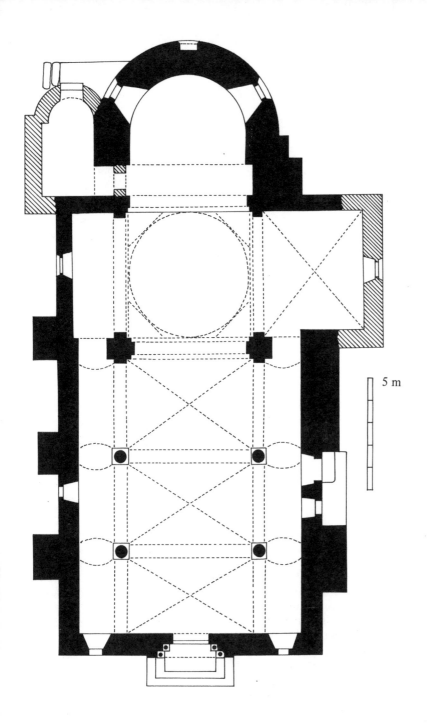

CLÉRY
NOTRE-DAME

5 m

dent de Cons, de la Belle Étoile, ravinée et pommelée comme un visage de très vieille femme, de la Sambuy et de la dent d'Arclusaz, qui sont les rebords des «synclinaux perchés» du massif des Bauges. La surrection du Mont-Blanc, encore invisible mais proche, a laissé leurs falaises comme en suspens dans l'air agité de courants et de tourbillons, les déchiquetant à plaisir dans une sarabande farouche, hérissée comme une rangée de lances. Les lieux, de ce côté, n'ont rien d'avenant, et la spiritualité cistercienne du désert et du refus y trouvait parfaitement son compte. C'est au haut du versant genevois du col, au bord du «plateau des Teppes» dont le vocable à lui seul dit tout ce qu'il veut dire, qu'en 1132, l'évêque de Moûtiers fonda une abbaye de cet ordre, afin d'assainir le passage encore infesté de brigands, tandis qu'à la fin du même siècle, les chartreux s'établiraient de leur côté dans le fond du vallon intérieur d'Aillon.

A l'opposé, dès le col franchi, tout change et c'est un autre monde qui se découvre soudain. Sous la pente très raide, piquetée de vergers qui redoublent au printemps la neige des hautes chaînes, la combe de Savoie fuit au Midi et va se perdre dans des vapeurs d'or; le grondement des convois routiers ne cesse pas, déchiré brusquement et amplifié par le passage d'un train qui s'en donne à cœur joie et tâche de gagner quelques minutes avant la grimpée laborieuse de la vallée tarine. Proche à la toucher, la chaîne du Grand-Arc, redoublée par celle de la Lauzière, étire son rempart crêtée de pyramides aux tons fauves que cuivrera le crépuscule frappant de plein fouet. Plus au Nord, les formes plus douces du Beaufortain pastoral masquent les gradins et les cascades emmêlées du Mont-Blanc; à mi-pente s'interpose un vieux fort grisâtre, invisible parmi les sapins, et tout en bas, derrière les toits d'Albertville la neuve, la cité forteresse de Conflans aux multiples trésors veille, à demi assoupie, sur la province de Tarentaise porte de l'Italie. De plus haut, l'église de Cléry, cabrée sur son promontoire (pl. 60), tient sous sa vue la chaussée impériale, aujourd'hui revitalisée par l'essor des stations de ski des hautes vallées, qui reliait Milan à Genève d'une part, Milan à Vienne de l'autre par Lémenc, à mi-chemin précisément ou peu s'en faut de la basilique d'Ainay et de celles de Lombardie qui sont par plus d'un trait ses parentes.

Du prieuré de chanoines réguliers de saint Augustin fondé à Cléry à une date inconnue, l'histoire n'a rien retenu d'autre que son affiliation à la cathédrale de Moûtiers en 1263, un bon siècle donc, selon toute apparence, après l'édification de l'église. En plan, celle-ci se compose d'une nef de trois travées, flanquée de collatéraux étroits qui sont d'origine, d'un transept très légèrement saillant, d'une courte travée de chœur et d'une abside semi-circulaire (pl. 62), flanquée au Nord d'une absidiole de même plan qui ne doit pas faire illusion : elle ne constitue pas le vestige d'un plan primitif à triple abside, mais une adjonction beaucoup plus récente, qui n'est d'ailleurs pas mal venue. La nef communique avec ses bas-côtés par des arcades non doublées, en plein cintre, qui reposent sur des colonnes cylindriques d'assez fort diamètre, couronnées de chapiteaux de feuillage assez écrasés, à volutes d'angle accusées; leurs bases, de type attique évolué, ont leurs tores inférieurs agrémentés par des griffes d'angle : premier indice d'une construction relativement avancée dans le XIIᵉ siècle. Par rapport au système basilical d'Ainay, l'évolution se marque aussi aux voûtes en berceaux transversaux, concentriques donc aux grandes arcades, qui couvrent les bas-côtés et qu'échancrent longitudinalement les pénétrations des petits arcs permettant de passer d'une travée collatérale à l'autre. La proximité de l'abbaye de Tamié suggère que de tels artifices pourraient être d'influence cistercienne.

Ce voûtement est certainement originel, à la différence des voûtains modernes d'arêtes montés sur la nef principale, dont on ignore la couverture primitive : aucun arrachement ne donnant à supposer que ce large vaisseau aurait pu être voûté, l'on penserait plutôt à une charpente. Comme à Ainay, seuls les membres orientaux de l'édifice avaient, dès le principe, reçu des voûtes, qui ont subsisté. La croisée du transept est coiffée d'une coupole de section plus proche de la circonférence que de l'octogone, et dont des oculi ajourent la calotte à l'Est, au Nord et au Sud (pl. 61); soulignée par un cordon saillant, celle-ci repose sur quatre trompes d'ouverture semi-circulaire logées aux quatre angles, entre les arcades bien appareillées de gros moellons réguliers, mais doublées seulement à l'intérieur, qui délimitent la croisée; à l'Ouest seulement se voit l'amorce hypothétique d'un doublement auquel on dut renoncer très vite. Le croisillon méridional a été élargi et voûté d'arêtes; celui du Nord, moins profond, est couvert d'un berceau en cintre brisé. Dans le mur de fond est percée une fenêtre en plein cintre, sur l'authenticité de laquelle on peut s'interroger. Précédée, tout comme à Ainay, d'une brève section droite, pareillement voûtée en berceau brisé, l'abside un peu plus étroite est couverte d'un cul-de-four; des trois baies en plein cintre qui l'éclairaient primitivement, seules subsistent les deux latérales; celle de l'axe a été intérieurement murée, probablement lors de la pose du grand retable baroque qui a occulté de même tout le fond de l'abside, qu'aucune arcature ne dut jamais enjoliver.

Altièrement campée, la silhouette extérieure est massive et sans apprêts; son plus bel angle de vision est au Nord-Est, avec en toile de fond les escarpements cyclopéens de la Sambuy. On notera l'appareil de l'abside principale, combinant quelques assises discontinues de moellons de gros appareil régulier et de petites pierres carrées ou plates, sans épaulements. Aucun décrochement ne marque la jonction de l'abside et de la travée de chœur. Le clocher occupe tout l'espace de la croisée (pl. 60). L'absence de toute rupture d'appareil autorise à considérer qu'il est roman, malgré l'indigence de ses percements : sur les faces Est et Nord, deux baies en plein cintre, côte à côte et sans lien entre elles; il en existait sans doute de pareilles au Sud, que le surhaussement du croisillon a masquées; à l'Ouest, il ne dut jamais y en avoir qu'une; au-dessus d'elles, presque sous la chute du toit, deux ouvertures plus petites, à linteau légèrement incurvé, ont été creusées sur chaque face. Une pyramide assez svelte, à lanternon, coiffe la tour.

Des appentis de tuiles plates couvrent les croisillons, surhaussés au Nord comme au Sud. Il ne semble pas qu'il y ait jamais eu de pignons; au Nord se voit la trace d'un appentis moins aigu que l'actuel et qui, à un niveau sensiblement inférieur à lui, pourrait représenter le vestige d'une toiture primitive en plan incliné. On sait que, même dans la Bourgogne clunisienne dont la maîtrise architecturale s'est affirmée jusque dans les édifices les plus secondaires, la renonciation aux pignons de transept constitue un indice très sûr de construction relativement tardive. Les contreforts obliques qui sont venus, après coup, épauler les parois latérales de la nef – les «augives» des anciens termes de métier – accentuent encore la rudesse de cette forte stature, que seule allège quelque peu la composition de la façade occidentale. Le portail s'y inscrit dans un avant-corps orthogonal; sa double voussure torique, en plein cintre, est portée, de chaque côté, sur une paire de colonnes en délit, dont les deux extrêmes paraissent être des réemplois. Ni le tympan, ni le linteau, soutenu par deux corbeaux moulurés, n'ont reçu la moindre décoration; les seuls éléments sculptés sont les chapiteaux des colonnes qui, sous des tailloirs moulurés en doucine et profilés sur toute la largeur de l'avant-corps, présentent diverses catégories de feuillages : de gauche à droite, des feuilles lisses à volute accusée, chargées de fleurons, puis une double collerette de feuillages de même espèce, des feuilles à volutes d'où pendent des grappes, et un double rang, enfin, de feuilles nervées; les abaques, rapprochés, tracent au-dessus des corbeilles jumelles une vigoureuse ponctuation de cubes éclairés et d'évidements d'ombre.

Telles quelles, ces œuvres offrent ainsi qu'on l'a remarqué déjà (*Congrès archéologique de Savoie,* 1965, p. 102) quelques liens de filiation indirecte avec certains des chapiteaux décoratifs des parties les plus anciennes de la cathédrale de Genève, et une parenté beaucoup plus proche avec ceux du portail de l'ancienne commanderie des Hospitaliers de Moussy dans la vallée de l'Arve. Ils contribuent à une datation de l'église tournant autour des années 1150 environ; il aurait donc été intéressant de pouvoir comparer cet édifice, unique en son genre, on le répète, dans toute la Savoie, avec la première église abbatiale de Tamié toute proche, et postérieure de peu à 1132. Celle-ci, totalement rasée, n'est malheureusement connue que par les fouilles que le R.P. Anselme Dimier y conduisit durant les premières années de sa profession, et qui ont exhumé les fondations d'un sanctuaire, assez modeste au demeurant, à nef de quatre travées flanquée de bas-côtés moins étroits qu'ici, transept saillant et abside semi-circulaire accostée de deux absidioles de même plan : rien, donc, qui pût rappeler le plan typique de Fontenay. A la différence de Cléry, les supports de la nef étaient cruciformes, mais c'est en une église un peu plus éloignée, celle de l'abbaye bénédictine de Talloires, affiliée à Savigny en Lyonnais dans les premières années du XIe siècle, que se retrouvait une structure basilicale pure, c'est-à-dire hypostyle. Ce monument a lui-même été impitoyablement rasé; cependant, on sait par d'anciens plans qu'il se composait d'une nef de quatre travées à collatéraux étroits, d'un transept saillant à coupole ronde de croisée, et de trois absides, dont la principale fut remplacée au XVIe siècle par un chœur beaucoup plus profond à chevet polygonal. Comme à Cléry, les grandes arcades de la nef reposaient sur des colonnes cylindriques; deux de ces fûts, dont le gabarit paraît assez voisin, ont été réutilisés dans le joli oratoire routier du Toron, édifié à l'entrée méridionale du bourg; mais les chapiteaux de type corinthien qui les surmontent n'ont, eux, rien de commun avec ceux de Cléry.

La sévérité de cette structure externe ne dérogeait pas aux normes imposées par le climat extrême et nival, desquelles le goût baroque lui-même fut obligé de s'accommoder. Mais la nudité du volume absidal interne lui pesait si fort, on l'a vu, qu'il la camoufla purement et simplement par l'érection d'un retable de bois sculpté. L'artifice avait été tellement habile qu'il fallut attendre les années 50 et le hasard d'une promenade effectuée en ces parages par des amateurs de montagne vierge pour qu'on s'aperçût que ses auteurs avaient, certainement à dessein, sauvegardé l'autel de pierre qui lui servait de soubassement, et se révéla être un ouvrage roman finement gravé, ciselé et sculpté, d'une réelle originalité (pl. 64), qu'on s'étonnait de rencontrer dans cette église rurale d'un prieuré sans importance ni richesse! Aussitôt alerté, le peintre et dessinateur André Jacques, qui assumait alors avec abnégation les fonctions de conservateur des Antiquités et Objets d'art pour les deux départements savoyards, en confirma avec enthousiasme l'authenticité et en obtint le classement immédiat. Sans risquer d'être démentis, les promeneurs d'hier sont bien forcés de constater que ce meuble, devant lequel déambula en 1965 la Société française d'Archéologie, s'inscrit en rang honorable parmi la pléiade, d'ailleurs peu fournie, des autels romans que ce pays conserve, et qu'il y occupe même, par son matériau, son type et sa composition, une place tout à fait originale.

Taillées, pour l'ensemble, dans un marbre gris-vert qui est peut-être de provenance alpine, ses trois faces sont limitées par des pilastres d'angle plats, à bases moulurées et chapiteaux sculptés, eux, dans un calcaire jaune compact; un pilastre médian divise en outre la face antérieure en deux panneaux carrés. Chaque compartiment ainsi déterminé est encadré par de larges bordures de guillochages fleuronnés, de facture assez sommaire, détachés en réserve sur les champs nus; des rinceaux traités de même ornent les plats des pilastres, à l'exception du pilastre de gauche de la face antérieure, qui est, lui, gravé d'un très beau fauve à la verticale, lion, léopard ou panthère à la queue fourchue, toutes griffes dehors (pl. 65). Les chapiteaux sont tout à fait curieux. Les deux extrêmes étaient en partie dissimulés par les lambris latéraux du retable; le dégagement total de l'autel consécutif au classement permet maintenant de les identifier à coup sûr et de les incorporer à la série des cinq autres. De la gauche à la droite se succèdent ainsi : un buste de femme tenant un vase sphérique (face latérale gauche), puis une autre femme de pose voisine (pl. 65), tenant un vase identique et la face tournée vers le chapiteau suivant, qui, lui, présente un deuxième buste d'ange (pl. 66), la main droite levée et ouverte, la gauche tenant un sceptre (?), et le visage tourné de trois quarts vers la femme précédente; le chapiteau de droite de la face principale montre, sous une arcade en plein cintre, un sarcophage (?) posé sur une dalle (?) de support à deux pieds, et duquel pend une sorte de lanière à deux pans (pl. 67). Sur la face latérale de droite enfin se retrouvent un buste d'ange semblable au premier et une femme tenant un vase comme les autres, mais présentée dans une frontalité absolue et le chef ceint d'une riche couronne (pl. 63).

Les savants visiteurs de la Société française d'Archéologie ont proposé de reconnaître dans ce groupe à sept personnages le thème des Saintes Femmes venues au tombeau du Christ le matin de Pâques et, à leur grand effroi, le trouvant vide. La scène n'est pas décrite avec précision par les quatre évangélistes. L'Évangile selon saint Matthieu ne cite que deux femmes, «Marie de Magdala et l'autre Marie», et un seul ange «assis sur la pierre» du sépulcre taillé dans le roc; selon saint Marc, que l'iconographe de Cléry semble suivre, les Saintes Femmes étaient trois : «Marie de Magdala, Marie mère de Jacques, et Salomé». Luc, lui, laisse entendre qu'elles se trouvaient plus nombreuses; «les femmes venues de Galilée avec Jésus», «Marie de Magdala, Jeanne, Marie mère de Jacques et leurs autres amies». L'Évangile selon saint Jean, enfin, ne met en scène que Marie de Magdala, qui, elle, vit deux anges assis «l'un à la tête, l'autre aux pieds». L'identification proposée pour la suite des sept chapiteaux de Cléry est donc assez plausible, sous la triple réserve que le sculpteur semble avoir mêlé en une seule les indications données par Marc (trois Saintes Femmes) et Jean (une seule Femme et deux anges); le troisième ange ne jouerait en tel cas qu'un rôle de remplissage. Mais on peut s'interroger sur la troisième Femme présentée, sur sa frontalité qui l'isole des deux autres, et sur sa couronne, attribut royal ou, à tout le moins, nobiliaire qui n'appartient aucunement à l'iconographie des saintes suivantes du Christ.

L'intérêt essentiel de ces figurines réside ailleurs que dans les incertitudes iconographiques qui peuvent persister à leur propos; il tient à l'incontestable parenté stylistique qu'à travers une influence antique évidente, elles offrent, notamment par leurs drapés boudinés et brusquement cassés en pointe, avec la stylistique des ateliers viennois du milieu du XIIe siècle. Le visage de la Sainte Femme couronnée en particulier (pl. 63), par sa sa découpe rectangulaire et ses traits lourds, évoque assez volontiers celui de la Vierge en majesté du tympan de l'Adoration des mages de Saint-Alban-sur-Rhône, non moins que ceux de deux allégories romanes réemployées dans les terrasses des célèbres jardins du château de Montjeu en Autunois, et dont les affinités avec la sculpture viennoise du même temps ont été relevées; d'autres, au prognathisme accentué, feraient penser, de façon fortuite, au maître de Cabestany! L'autel de Cléry ne sort pas diminué de tels rapprochements, et tout visiteur un tant soit peu imaginatif observera d'autre part qu'à sa place, il tient dans la spiritualité monumentale romane un rôle assez équivalent de celui des somptueux décors à portée liturgique de premier ordre dont rutile, loin de lui, la grande abside d'Ainay. Ceux du Centre international d'Études romanes ne sont pas près d'oublier non plus la belle leçon de fidélité lucide et courageuse à l'Église, de conscience de son drame et d'espérance en son unité qui, devant ce témoin de pierre qu'on aurait cru lui-même à l'écoute, leur fut dispensée par hasard, un jour de 1978, par un vieux prêtre en soutane, osseux et anguleux comme les roches de son pays; on devait le découvrir, quelque temps plus tard, sauvagement assassiné dans son presbytère de la vallée par les deux pendards que sa charité lui avait fait accueillir sans méfiance, mais pour lesquels on est sûr qu'il intercède aujourd'hui.

NOTE

Le malheur des temps, dont le «fait divers» qu'on vient d'évoquer n'est qu'une illustration parmi d'autres moins atroces sans doute, contraint de plus en plus à maintenir fermées les églises rurales (et même urbaines). Consciente cependant de la valeur patrimoniale de l'église de Cléry, et dans l'intérêt de ses visiteurs, la Mairie de cette commune a bien voulu signaler que la clé pouvait être demandée à son Secrétariat aux heures d'ouverture de celui-ci (tous les jours de 15 à 17 heures), ou, en dehors de ces heures, au domicile de M. le Maire. Elle a également prévu des visites guidées par les soins d'un conférencier qualifié; les demandes éventuelles devront lui être présentées par écrit en temps opportun.

LES ENRICHISS

5

MENTS DE LA FORME

Note liminaire

Pour une meilleure clarté de l'exposé, forcément disparate, ce chapitre est essentiellement composé des monographies de quelques églises, en majorité rurales, considérées à tort ou à raison comme les échantillons majeurs, recensés pour ainsi dire pas à pas, de chaque progrès de la structure et en particulier du plan ; de brefs textes de liaison réunissent cette suite de notices. On regroupera en annexe, à la fin, un certain nombre d'autres églises dont l'intérêt ne leur est pas obligatoirement inférieur, mais dont l'insertion à leur place logique risquait de démembrer encore davantage une présentation déjà fragmentée ; elles sont désignées dans le corps du texte par un astérisque. Une carte générale, présentée plus haut p. 38-39, regroupe le maximum d'églises ou parties d'églises reconnues romanes, d'après les travaux de Bégule, Matthieu Méras, Guédel, Jean Giraud, J.-F. Reynaud, Jean-Claude Collet entre autres, et le répertoire manuscrit des églises de Savoie, inédit, mais dont un exemplaire est conservé aux Archives départementales de la Haute-Savoie, à Annecy.

Aime, Saint-Jean-de-Maurienne, Ainay, Cléry, Saint-Paul de Lyon : même en tenant compte des monuments détruits, et même en ajoutant les églises de Nantua et de Belleville-sur-Saône, dont les parties hautes sont voûtées d'ogives, on ne croit pas que le chiffre des églises romanes du Lyonnais et de la Savoie dont les nefs aient été originellement flanquées de collatéraux puisse dépasser de beaucoup la dizaine. Pour un territoire de quelque 17.000 km carrés, il est certainement l'un des plus faibles de toute la France actuelle ; comparée à des secteurs limitrophes ou voisins tels que la Bourgogne méridionale, la Franche-Comté lédonienne ou même le petit Tricastin, la proportion devient presque négligeable, la vedette restant au Brionnais, avec ses sept églises à bas-côtés réparties sur un district ne dépassant pas les 660 km carrés, et sans compter Paray-le-Monial et Charlieu qui sont un peu excentriques !

On a suffisamment appris toutefois qu'en matière romane, il serait injuste de paraître privilégier les sanctuaires habituellement réputés «majeurs» par rapport à ceux qui ne le sont pas. C'est un des apanages exclusifs de cet art et de cette civilisation – puisque, dès le temps des premières cathédrales gothiques, la génération suivante aura commencé de le perdre – que la moindre église de campagne, priorale ou paroissiale, pauvre et réalisée avec les seuls moyens de l'indigence technique, recèle autant de spiritualité ou, si l'on préfère, contient la même capacité de recueillement et d'adoration intime que les plus fameuses abbatiales et les grands sanctuaires de pèlerinage où s'entassent les foules implorantes et extasiées. L'un des objets de la collection *la nuit des temps,* poursuivi contre vents et marées depuis plus de trente ans, étant précisément de transcrire, d'exposer, de préciser quand il est possible et d'enseigner ce message, unique à travers les multiples expressions dont il a été revêtu, ce peut être une découverte exaltante que de rechercher comment et combien, de l'intérieur des vallées savoyardes aux granits beaujolais, les districts romans du Rhône moyen ont pu s'associer au «double et fraternel effort» par lequel les peuples de ce temps-là ont offert «à la Sainte Beauté muette au fond du Temple» (René Sauvage) l'enclos de la pierre humblement assemblée, *murus manufactus,* et l'office de la «louange perenne» dont toute la terre retentit : *Domini est terra et plenitudo ejus.*

Absides et travées de chœur sans transept

Ici comme ailleurs, tout est parti de la forme élémentaire d'une nef unique, non voûtée, et d'une abside, le plus souvent semi-circulaire, très exceptionnellement à cinq pans, comme les absides de Morancé* en Beaujolais et de Peillonnex en Faucigny – ouvrage de la fin de la période romane –, ou bien encore empâtée dans un mur droit comme l'absidiole de Desingy en Savoie ou celles, étrangères de peu au district considéré, du transept de l'abbatiale de Saint-Chef. La répartition est fort inégale selon les secteurs. En Lyonnais et Beaujolais, les églises ou chapelles édifiées sur ce plan simple sont fort rares, mais, pour certaines, non dépourvues d'originalité; l'exemple le plus notable est celui de l'ancienne chapelle castrale de Châtillon-d'Azergues, dont l'abside semi-circulaire pointe en encorbellement de la muraille, comme celle de la chapelle du doyenné clunisien de Bézornay, dans la vallée de la Guye; ou encore, pour ne pas quitter la région rhodanienne, comme la chapelle dite des évêques, à Saint-Donat-sur-l'Herbasse, où l'encorbellement, plus évolué, repose sur une colonne en délit coiffée d'un beau chapiteau corinthien. A travers les secrètes étendues de la Dombes, Jean-Claude Collet ne recense que trois églises de ce plan : Chanteins, Saint-Didier-de-Formans (ruinée) et Amareins (avant l'insertion postérieure d'une travée sous clocher); en Bugey, où l'art roman, selon son principal exégète, Jean Giraud lui-même, «est peu représenté», et plus précisément aux confins septentrionaux du frais bassin de la Chautagne protégée par la masse du Grand-Colombier, la reconstruction de l'ancienne chapelle des hospitaliers de Saint-Jean de Jérusalem en 1877, au lieu dit précisément : Lhôpital, a sauvegardé la riche abside semi-circulaire des origines; des procès-verbaux des Visites pastorales, on pourrait inférer qu'elle se raccordait directement à une nef unique, mais on croirait que la simplicité du plan a été volontairement compensée par le raffinement décoratif avec lequel a été traité le pourtour extérieur de l'hémicycle, et plus précisément sa corniche. Couronnant un grand appareil fort régulier et soigné, celle-ci, la plus belle certainement de toute la région, superpose un feston de petits cintres portés sur des modillons moulurés ou sculptés et, immédiatement sous la chute du toit, un bandeau torique chargé de deux rangs de billettes qu'un mince filet sépare. L'un des modillons au moins, sculpté de deux blasons accolés de type flamboyant, a sûrement été refait; d'autres sont décorés de motifs floraux, dont une fleur de lis à cinq pétales d'un dessin superbe, de mufles animaux ou de masques humains au relief vigoureux. La tranche des cintres, elle, est uniformément sculptée de fleurons à cinq tiges épanouies, que séparent des feuilles ou fleurs à trois pétales effilés, dont les deux extrêmes se rejoignent en arcade au-dessus de chaque fleuron. L'on comparera très utilement ces motifs à ceux qui ornent les arcatures en plein cintre du mur de la Manécanterie à Lyon, dont le procédé de taille aux creux profonds retenant les ombres est assez voisin, mais qui, eux, comportent chacun sept folioles, et sont tangents les uns des autres. Le rapprochement n'en est pas moins intéressant.

C'est en Savoie, cependant, que se rencontrent la plupart des sanctuaires, églises de petites paroisses ou chapelles, construits sur le plan d'une nef et d'une abside, dont le type sera perpétué, dans les hautes vallées, jusqu'à la fin de la période baroque. On cite pêle-mêle, outre Saint-Pierre-d'Extravache (pl. 13), Notre-Dame de Saint-Jean-de-Maurienne ou Rotherens (pl. 14) déjà nommés, la chapelle du château des Allinges* en Chablais, intérieurement revêtue des superbes peintures murales que l'on sait, l'ancienne chapelle des hospitaliers de Moussy, où un chœur gothique orthogonal a remplacé, pense-t-on, une abside romane en hémicycle, et l'église de Thiez, dans la même province du Faucigny, puis la chapelle du village de Belleville en Beaufortain, rehaussée en façade d'une émouvante peinture gothique de la Vierge au manteau de miséricorde, et enfin, au plus haut de la vallée de la Maurienne, l'attachante petite chapelle du hameau perdu de l'Écot, qui a tout l'air de remonter bel et bien à l'époque romane. On ajoutera pour mémoire à cette série la crypte de l'église du prieuré clunisien du Bourget-du-Lac*, qui n'est en fait qu'une large abside originellement voûtée d'un cul-de-four, puis recoupée en trois travées, probablement lors de l'édification de l'église haute; l'originalité majeure de ce curieux vaisseau réside dans les deux absidioles de même plan qui le prolongent, l'une dans l'axe, l'autre creusée dans le mur droit qui clôt à l'Ouest la grande abside.

Il est évident que, sur ces plans sommaires, un clocher trouverait difficilement à se placer. Nulle part, sauf erreur, la région n'a adopté la solution italienne du campanile isolé; la plus adéquate, qui est aussi la plus simple, consiste, comme à la chapelle de Belleville, à monter sur le mur de raccord de l'abside et de la nef un clocheton-arcade, au demeurant assez épais, et que le climat nival a incité à coiffer d'un petit toit à deux pans. A la charmante chapelle Saint-Pierre de Brison*, ancienne église paroissiale magnifiquement campée sur la rive orientale du lac du Bourget, face à l'abbaye d'Hautecombe, l'interposition d'une travée de chœur n'a pas incité les constructeurs à monter sur elle un clocher; ils ont préféré s'en tenir au clocheton à arcade unique, élevé sur le mur de raccord de celle-ci et de l'abside, et à le couvrir d'un toit pyramidal.

Il est difficile de réputer primitif le clocher-arcade à pavillon courbe de Chanteins en Dombes. A l'Écot cependant, c'est un clocheton carré, couvert d'une pyramide, qui est inséré à la jointure des deux volumes de la nef et de l'abside, porte-à-faux sans possibilité d'épaulement qu'autorisaient les menues dimensions de l'édifice, et par conséquent les faibles pesées. Partout ailleurs, les deux solutions adoptées sont le clocher latéral et le clocher-porche. La première formule est celle de l'église précitée de Saint-Pierre-d'Extravache (pl. 13), l'un des emblèmes les plus héroïques de la Maurienne et de ses routes romanes ; on la rencontre encore à Rotherens (pl. 14), où, comme ici, le clocher flanque la nef au Nord. A Thiez en Faucigny, qui était dès le XIIᵉ siècle possession du prieuré clunisien de Contamine-sur-Arve, l'église à large nef unique et abside semi-circulaire est introduite par un clocher-porche massif, qui ne remonte peut-être qu'au XIIIᵉ siècle, mais dont la tradition est encore romane. Son étage de beffroi, souligné par un cordon horizontal, est ajouré sur chaque face d'une paire de baies en plein cintre, dont les retombées médianes s'opèrent sur des colonnettes à chapiteaux sculptés. On appréciera le souci qu'ont eu, beaucoup plus tard, les maîtres d'œuvre de la flèche qui le coiffe de rehausser la silhouette romane, très écrasée, par une structure décomposée en une pyramide, un lanternon carré et une mince aiguille, dont le type apparaît dessiné déjà dans un curieux plan de la «dîmerie» de Thiez daté de 1685. On sait qu'à Saint-Jean-de-Maurienne, l'église Notre-Dame était de même précédée d'une monumentale tour carrée, qui n'assumait pas seulement la fonction de clocher, mais, selon toute vraisemblance, celle de donjon défensif (pl. 29). La haute flèche dont cet ouvrage fut couronné au XVᵉ siècle démontre que le souci, pour ainsi dire instinctif, des architectes de la génération baroque d'accommoder aux horizons de montagne tout en pointes les silhouettes trapues de leurs églises, par le montage particulièrement heureux sur les clochers de minces «aiguilles» bulbées et effilées, venait de loin.

☆

La simplicité d'un tel plan ne satisfaisait guère, semble-t-il, le goût et l'esprit romans, puisque, même dans des zones de relative indigence monumentale, Dombes, Bugey ou plateau savoyard, l'usage prévalut dès le XIᵉ siècle, et bien plus fréquemment, d'intercaler entre nef et abside une travée de chœur carrée ou barlongue. Il paraît certain que ce développement avait été, au moins en partie, inspiré par les enrichissements liturgiques que rendait eux-mêmes possibles, en des régions diverses, l'accroissement des effectifs ecclésiastiques attesté par les chartes dès la seconde moitié du Xᵉ siècle. Le maintien ou la pratique des autels majeurs au fond des absides orientées imposait pour sa part une séparation franche entre l'espace du *presbyterium* de plus en plus garni et la nef affectée aux fidèles. Enfin, l'insertion d'une travée de chœur permettait, mais sans en faire jamais une contrainte absolue, de monter sur son piédestal un clocher qui, incorporé à la bâtisse générale, en améliorait sensiblement la silhouette, tout en facilitant la diffusion de la voix des cloches rythmant la journée de travail et appelant aux offices.

Toutes ces travées étaient, autant qu'il semble, voûtées dès l'origine et prévues comme telles dès le niveau de leurs fondations. Il y a lieu cependant de distinguer les deux types précis qui déterminent à l'intérieur de l'église une économie structurale et une vision sensiblement différentes. Le premier, qui n'est pas le plus fréquent, est constitué par les travées voûtées autrement que par le mode incontestablement plus élaboré que représente une coupole : ce qui ne signifie en aucun cas qu'il soit antécédent à l'autre. Il s'agit, soit d'une voûte en berceau longitudinal, le plus souvent brisé, soit encore d'une voûte d'arêtes. Parmi les échantillons du premier système, on citera d'abord quelques églises des monts du Lyonnais-Beaujolais, peut-être parce que le matériau lourd dont elles étaient construites se prêtait mal au lancement d'une coupole : ainsi en est-il, en remontant du Sud au Nord, en l'ancienne église paroissiale Saint-Jean-Baptiste d'Yzeron, campée sur la pointe orientale des monts bocagers du Lyonnais, et d'où la vue rayonne à loisir sur la grande ville poussant ses tentacules jusqu'au pied de la montagne enrubannée de sapins, sur la vallée du Rhône embrumée de ses fumées d'usines, et, par temps clair, sur les Alpes qui, au-dessus de ce matelas d'ouate bleuâtre, semblent accrochées au ciel sans piédestaux terrestres ; puis à Poule * des Écharmeaux, vieux bourg routier perché tout en haut de la vallée de l'Azergues, presque sous le col, où le mur Nord de la travée est élégi, comme il est fréquent, par un arc de décharge, tandis que celui du Sud s'ouvre sur une élégante chapelle carrée de la Renaissance ; enfin, et pour ne citer que les exemples extrêmes, à Saint-Christophe-la-Montagne, juchée sur une croupe granitique dominant le vallon de la Grosne occidentale, celle qui naît sous les landes bien nommées du Grand Fond, près du col de Crie. La travée est ici barlongue, tandis que le clocher qu'elle est censée supporter est, lui, mince et de section carrée, avec un étage de beffroi ajouré de deux baies en plein cintre à colonnette médiane.

Une trentaine d'églises de la Dombes, où n'ont pas été recensées moins de quarante-huit églises ou parties d'églises romanes (soit un peu moins des deux tiers), sont construites sur le même plan ; J.C. Collet n'en dénombre que neuf qui possèdent ou ont conservé une coupole. Parmi les exemplaires les plus notables de celles qui n'en comportent pas, on citera, en tête, l'église de Saint-André-sur-Vieux-Jonc *, minutieusement décrite par le regretté Jean Giraud, où le berceau qui couvre la travée très légèrement barlongue est en plein cintre : indice possible d'une chronologie relativement précoce, puisque J. Giraud la date de la seconde moitié du XIe siècle et a observé quelques réemplois d'un sanctuaire plus ancien. Dans la même province aux étangs, pourront être citées à ses côtés les églises de Condeissiat * et de Sandrans *, mieux connues pour la variété et l'originalité de leurs décors sculptés ; la seconde surtout, soigneusement bâtie, ne manque pas de pittoresque, avec la fenêtre axiale de son abside encadrée de deux colonnettes polygonales (indice de relative jeunesse), supportant une voussure échancrée de petits lobes qui en perforent toute la tranche et rappellent très exactement les motifs des galeries aveugles de la grande priorale de La Charité-sur-Loire : rapprochement singulier, que l'histoire n'explique pas. Plus originale encore dans sa structure, la travée de l'église de Bey est voûtée d'un berceau transversal, dispositif qui a permis l'allégement des murs Nord et Sud par des arcs de décharge ; J.C. Collet évoque, parmi les exemples les plus voisins, l'église de Bissy-sur-Fley, qui appartenait à l'ancien diocèse de Chalon, et dont la travée sous clocher est, comme celle de l'église de Vaux-en-Pré (ancien diocèse de Mâcon), contrebutée par deux demiberceaux appliqués contre les arcades Nord et Sud; et l'on sait que, dans les premiers replis morvandiaux, l'église de Sainte-Radegonde (ancien diocèse d'Autun), comporte une travée sous clocher tout à fait originale qui, à la différence de la travée de chœur qui la suit, est couverte d'un système de voûtement en encorbellement d'une cohésion parfaite : berceau transversal en plein cintre, arcades de décharge et croisillons très courts, voûtés de même, mais plus bas.

En Savoie, la sporadicité même des formes romanes rend plus pertinentes encore les observations auxquelles elle prête. Quatre églises y sont en effet bâties sur le plan d'une nef unique (au moins à l'origine), d'une travée de chœur et d'une abside en hémicycle. Outre celle de Brison déjà citée, ce sont l'église de Lovagny*, où l'abbaye de Savigny, on le notera, avait fondé un prieuré au XIᵉ siècle, la chapelle de Gévrier (commune de Cran-Gévrier), presque invisible autrefois parmi les vergers de la banlieue occidentale d'Annecy, sous la garde du massif château d'Aléry, et l'église de Viuz-Faverges* enfin. Le trait commun aux trois premières est que la travée de chœur n'y supporta jamais de clocher proprement dit, puisqu'à Brison, il ne s'agit que d'un clocheton-mur. A Lovagny, dont le village est bâti en retrait du monumental château de Montrottier, perché dans une position vertigineuse à l'aplomb des gouffres des gorges du Fier, le clocher de souche romane (l'étage du beffroi est de la fin du Moyen Age) flanque le chœur au Nord. La chapelle de Gévrier perdit au XIXᵉ siècle son titre paroissial, qui passa à la nouvelle église de la commune industrielle de Cran; sa large nef fut dans le même temps démolie, à l'exception de son portail à accolade, qu'on réemploya dans la nouvelle façade. Détail curieux : le linteau de celui-ci est gravé de l'inscription : *Jo(hann)es Revillieti fecit 1 febr. anno 1521;* or le nom de famille «Revillet» fut commun aux XVIIIᵉ et XIXᵉ siècles dans la région de la Bourgogne méridionale. Quelques différences, notamment d'éclairement, distinguent ces trois édifices, mais leurs travées de chœur sont identiquement voûtées de berceaux en plein cintre.

A Viuz-Faverges*, il en va différemment. La restauration toute récente de l'église, dont la silhouette, vue du chevet, se découpe vigoureusement sur les escarpements du massif de l'Arclozan, en a bien mis en valeur les trois articulations principales, et confirmé ce qu'on savait déjà, à savoir que la nef, unique à l'origine, ne fut augmentée de bas-côtés qu'à partir de 1827. Le clocher lui-même fut surélevé à la même époque, mais sur une souche carrée, massive, exactement superposée aux côtés de la travée de chœur, et qui est, selon toute vraisemblance, originelle. La voûte d'arêtes actuelle de la travée est récente, mais la décomposition des supports, coiffés de frises de feuillages en faibles reliefs, suggère qu'elle a remplacé un voûtement de même type, celui que les constructeurs romans considéraient, on le sait, comme l'un des plus «robustes»; il paraît en tout cas certain qu'il n'y eut jamais de coupole. Des arcs de décharge allègent les épaisses parois Nord et Sud, et les profils en cintre brisé des arcades et du cul-de-four absidal suggèrent une construction plus récente que les exemples précités : probablement la seconde moitié du XIIᵉ siècle.

La Savoie ne paraît pas avoir pratiqué le lancement de coupoles sur les églises construites selon un tel plan, comme si elle préférait attendre que l'architecture baroque la dédommageât amplement de cette carence. Ce sont, une fois de plus oserait-on dire, les vieux monts du granit qui, au bord opposé du district rhodanien, offrent la plus belle structure d'église à trois volumes dégressifs et coupole coiffant la travée de chœur qui puisse se rencontrer sur les hauts lieux de France. Sa position évoque, en plus grandiose, celle de la petite église paroissiale Saint-Quentin, dite «des Hauts», que les bénédictins de Perrecy-les-Forges allèrent percher au faîte d'une lande granitique projetée assez loin au-devant de la superbe «dorsale» qui, ancrée sur la Montagne eucharistique du Saint-Rigaud, prolonge presque jusqu'à Chalon-sur-Saône, et avec les mêmes accents et arômes ensorcelés, la prodigieuse enfilade moutonnante issue de la Cévenne vivaroise. Ici comme là-bas, l'église ou chapelle Saint-Vincent-d'Agny* a été plantée directement sur le roc d'une croupe avancée des monts, battue des vents, et d'où la vue rayonne, plus librement encore qu'à Yzeron, sur le glacis tabulaire interposé entre l'alignement des dômes de l'Ouest, et la vallée du Rhône en contrebas opposé. Des blocs de granit aux formes étranges bossellent la terrasse, cadre rêvé pour le songe d'une Nuit de sabbat tel que l'imagina Hector Berlioz; on croit même reconnaître une clôture rectiligne de pierres levées, et quelques pierres à cupules. En bas, de rares maisons aux toits rouges s'agrippent à la pente, vestiges d'une paroisse qui existait là dès la période carolingienne; sous le nom de Daignins ou Daygnins (qui a donné ensuite: d'Agny), elle est mentionnée dans le Pouillé du diocèse de Lyon dressé au XIIIe siècle, comme relevant de l'église lyonnaise de Saint-Just. Posée, à l'Est, sur un robuste soutènement, bâtie tout entière de petit appareil irrégulier noyé dans un mortier épais, avec par places, quelques assises ou chaînes de granit brun, l'église étage en gradins ses trois volumes successifs, que redresse vigoureusement un fort clocher carré établi sur la travée de chœur; la souche seule, totalement aveugle, en est romane: l'étage du beffroi ne date que de la fin du Moyen Age. Il est creusé sur chaque face de deux grandes baies jumelles en plein cintre, qui lui confèrent une allure tout à fait forézienne. L'air des monts vient caresser d'ailleurs cette puissante ossature, inspirant en particulier la porte latérale Sud de la nef, à linteau en bâtière et tympan décoré de losanges bichromes à la mode auvergnate ou velaunienne. On notera que tout l'intérieur est voûté, malgré la visible précocité de la construction, mais que tous les profils sont en plein cintre. Une coupole octogonale couvre la travée de chœur, et l'on constate que ses trompes d'angle sont arrêtées sur de petites tablettes horizontales, autre artifice spécifique des trompes auvergnates. Une restauration conduite par l'architecte lyonnais Mortamet a mis en spéciale valeur tous ces détails attachants.

La façade des monts sur la Saône compte pour sa part assez peu d'églises bâties selon ce type. On citera celles de Saint-Jean-d'Ardières, postée au bord de la chaussée Agrippa, tout près de Belleville, sous la réserve que sa coupole paraît avoir été remaniée au XVIIIe siècle, de Charentay, qui a conservé son clocher roman sur coupole à trompes d'angle; plus au Sud, la coupole de l'église de Charnay est romane, mais les *oculi* qui l'ajourent seraient, eux, postérieurs. Elles font de toute manière figure modeste à côté des collégiales de Beaujeu et de Belleville, de l'ensemble monumental du prieuré de Salles*, et même de l'église d'Avenas parée de son autel sculpté unique en France (pl. 102 à 104), qui restent les illustrations majeures du Beaujolais roman. C'est en

Dombes, et nul ne s'en étonnera, que la concentration des églises à nef unique, travée de chœur et abside semi-circulaire est la plus forte; la prise en charge de ces zones amphibies, amorcée par Cluny au Xe siècle, poursuivie et développée aux XIe et XIIe par les abbayes lyonnaises et la collégiale Saint-Paul de cette ville, qui revêtit l'aspect d'une véritable «colonisation» (P. Perceveaux), la modicité des paroisses assumées ou crées dans les «îles» *inter stagna aquarum,* et, dans un autre ordre, la rareté et l'éloignement des carrières de bonne pierre à bâtir imposaient la construction d'églises simples et peu dispendieuses, mais ç'aura été le mérite de M. Jean-Claude Collet d'avoir révélé ou confirmé la variété que savaient revêtir ces stéréotypes, grâce à d'ingénieux artifices et, notamment, aux belles arcatures absidales agrémentées de décors sculptés dont il faudra dire un mot tout à l'heure. Avant lui, le flair de l'infatigable ingénieur-archéologue Jean Giraud avait fort bien choisi, entre tous ces monuments de formule identique, ceux qui, à un titre ou un autre, lui paraissaient les plus originaux. Ainsi, pour s'en tenir aux coupoles de travées de chœur, avait-il sagacement observé, par exemple, qu'à Saint-Pierre de Monthieux, charmant village niché au bord de son étang, les trompes de la coupole sont arrêtées sur des culots d'angle qui rappellent les tablettes de Saint-Vincent-d'Agny; au Plantay, dont l'église Saint-Didier, toute proche de l'abbaye cistercienne de Notre-Dame des Dombes, relevait du doyenné clunisien de Montberthoud, la travée de chœur, déclarée «bien voûtée» lors de la Visite pastorale de 1655, est coiffée d'une coupole dont les trompes «présentent la particularité de petits décrochements, au quart environ de leur profondeur», sans doute afin d'en alléger autant que possible l'encorbellement. A Charnoz* enfin, qui n'appartient plus à la Dombes, mais, agréablement situé en rive droite de la rivière d'Ain sous Meximieux, ne relève pas encore tout à fait du Bugey, ni même de la plaine sableuse de la Valbonne, un cordon arqué souligne la base de chaque trompe, et il est soutenu par une colonnette à chapiteau sculpté, insérée dans l'angle et portée sur une console moulurée encastrée, elle, entre les sommiers des arcades qui délimitent la coupole. On a déjà reconnu un dispositif dérivé, en réduction, des trompes de la coupole d'Ainay et de la chapelle Sainte-Blandine, qui lui sont antécédentes. Étendant ses investigations au Haut-Bugey, M. Giraud avait reconnu à Étables, hameau rattaché aujourd'hui à la commune de Ceignes, le long du «grand chemin» de Nantua à Pont-d'Ain, une église très rustique, placée sous le vocable de saint Laurent, relevant de l'abbaye de Nantua, et bâtie sur le même plan que celle, assez voisine, du prieuré lui-même institué par Nantua à Mornay, sur le versant d'un chaînon jurassien qui domine à l'Ouest le val d'Izernore : nef unique (celle de Mornay ne remonte, avec son berceau brisé, qu'à la fin du Moyen Age), travée de chœur un peu plus étroite et abside semi-circulaire, dont les murs extérieurs sont, à Mornay, construits en oblique, comme ceux des tours féodales à «fruit». Il est de fait qu'à Étables, l'abside a dû être coiffée, plusieurs siècles plus tard, par des pans droits en manière de larges contreforts qui en vicient quelque peu la silhouette. La travée de chœur, bien qu'elle n'ait apparemment jamais eu à supporter le poids d'un gros clocher, est voûtée d'une coupole fortement barlongue, qu'élargissent encore deux arcs de décharge au Nord et au Sud. La faible profondeur de la travée (1 m 85 selon les mensurations de M. Giraud, soit à peine plus que le tiers de sa largeur!) engendre ce résultat que les retombées des trompes sont tangentes au Sud et au Nord, «où des petites tablettes d'angle triangulaires, non moulurées, leur servent d'assise» (J. Giraud, «L'église Saint-Laurent d'Étables», extr. de la revue *Le Bugey*).

On s'attarderait volontiers sur ces menus sanctuaires, que leur humilité même rend particulièrement attachants; mais ce serait fausser le principe essentiel de la construction romane qui, la démonstration en a suffisamment été faite, répugne à la répétition et à l'imitation pure et simple à la façon des préfabriqués modernes, ne se fixe jamais sur un succès, fût-ce le plus grandiose, et rejaillit de formule en formule et de progrès en progrès dans une permanente réincarnation de soi-même.

TABLE DES PLANCHES

63

67

68

71

74

PEILLONNEX

SAINT-MAURICE-DE-GOURDANS

77

78

79

80

DESINGY

SAINT-PAUL DE-VARAX

82

83

84

86

87

88

89

LHUIS (AIN)

De cette impressionnante mobilité, une preuve est donnée par l'église paroissiale de Lhuis en Bugey. Dans d'autres régions plus riches en grands témoins de la civilisation romane, elle passerait presque inaperçue, à l'instar, par exemple, de l'attachante église de Saint-Martin-de-la-Vallée, ancienne paroissiale de la ville de Semur-en-Brionnais, aujourd'hui presque désaffectée, et que contribue à desservir davantage encore sa position retranchée dans le fond d'un vallon, à l'écart des routes du tourisme bourguignon. Invisible, ce très humble sanctuaire est, par surcroît, totalement écrasé par le prestige délicat de sa sœur aînée, l'ancienne église du château en nid d'aigle où naquit saint Hugues de Cluny et qui, mémorial du plus illustre enfant du pays brionnais, est aussi comme la paraphrase monumentale du Cantique des cantiques, constellée de paillettes et de diaprures. Curieusement, l'église de Lhuis offre, à quelque 125 km de distance à vol d'oiseau, presque exactement les mêmes plan et structure que la petite enfant perdue de l'école romane du Brionnais : deux absides et travées droites accolées, l'une portant le clocher ; les deux seules différences étant que le clocher flanque ici la travée de chœur au Nord, et non pas au Midi, et que l'abside secondaire, prise dans son mur oriental, n'apparaît pas de l'extérieur. A cette nuance près, aussi, que des deux silhouettes, c'est la brionnaise qui se trouve être la plus paysanne, et la bugeyenne, la plus aristocratique; il va sans dire que la rareté du Bugey méridional en édifices romans en accroît encore la qualité.

Le bourg de Lhuis groupe ses maisons aux parois de calcaire blanc, coiffées de très hauts toits bruns selon le mode des «terres froides» dauphinoises, sur un très léger ensellement de vergers et de bocages. A l'Est, une ligne de crêts forestiers d'altitude moyenne, 644 m, 1.019 m (à peu près l'altitude du Saint-Rigaud beaujolais!), 786 m, suffit à masquer le belvédère suprême, ce «Molard de Don» que l'on voit, des «montagnes» mâconnaises, redoubler à la façon de la grenouille de la fable le môle titanesque du Mont-Blanc, séparé de la terre par une bande de vapeurs isolantes que l'intense pollution d'aujourd'hui opacifie de ses lourdeurs violacées. De l'autre côté, par-delà le Rhône qui en oublie de divaguer dans ses lônes, il y a Brangues où voulut attendre la Résurrection, seul en face de Dieu, l'homme du Soulier de satin et des Cinq grandes odes, mais aussi Creys, qui signifierait peut-être «la méchante terre», la «Cras», et s'est en tout cas associée à Malville, le «mauvais bourg»; une colline de fraîcheur sépare heureusement le bourg de ces maléfices. Au IXe siècle, Lhuis n'est encore désigné que comme *villula,* petit domaine, moindre que la *villa* des temps carolingiens. L'abbaye de Saint-Rambert y fonda plus tard une «celle», désignée en 1191, tandis que la paroisse n'apparaît qu'au XIIIe siècle sous le vocable de l'Assomption de Notre-Dame. L'importance acquise entre-temps par la position était marquée par l'érection d'un *castrum,* cité au XVe siècle, et la création d'un fief relevant au XVIe de la forte seigneurie de Roussillon.

Il est permis de se demander si le plan particulier des éléments romans de l'église actuelle, soit, on le répète, la travée de chœur et l'abside principale, prolongeant une nef qui, elle, est datée de 1735 et dans la façade de laquelle apparaissent des réemplois de blocs romans, plus la travée avec absidiole et le clocher qui flanquent la première au Nord, ne reflètent pas, directement ou indirectement, la dualité institutionnelle du sanctuaire primitif. Il est naturel d'en commencer la description par le second membre, qui est, fût-ce d'assez peu, antérieur à la grande travée de chœur : le mur septentrional de celle-ci vient en effet s'appliquer contre la paroi Est du clocher, qu'il recouvre visiblement. Au rez-de-chaussée, la structure de cette tour est fort originale. D'abord, en ce qu'une abside semi-circulaire a été creusée, ainsi qu'il a été dit, dans l'épaisseur de sa paroi orientale (pl. 70); le rapprochement s'impose aussitôt avec les tours qui, à l'abbatiale de Saint-Chef, arrêtent de leur masse les deux croisillons du transept; ensuite, parce que la travée sous clocher proprement dite est pour sa part couverte d'une coupolette ronde reposant sur des trompes d'angle qui sont un modèle de stéréotomie non indigne des coupoles romanes des églises de Provence (pl. 69). Cette élégance même, la qualité générale de l'appareil de petits moellons réguliers, rectangulaires ou carrés à la mode romaine, assignent à l'édification du clocher, du moins de sa souche creusée de trous de boulin, une date voisine de 1100; l'étage du beffroi est moderne.

Plus avant donc dans le XIIe siècle, fut accolée à la face méridionale de la tour une spacieuse travée de chœur qui, n'ayant pas de charge à supporter, a été voûtée d'un simple berceau brisé, que souligne un bandeau (pl. 68) ; son appareil de calcaire ocré ne présente pas tout à fait la belle régularité du membre voisin, et l'on voit de l'extérieur qu'elle a été surélevée à partir d'un décrochement horizontal, puis couverte d'un toit à deux rampants. Sa sobriété contraste avec le réel raffinement de l'abside, elle-même large comme sont certains chevets du Velay, mais qui, du fait de la surélévation du sol, paraît de l'extérieur plus basse qu'elle n'est en réalité ; le creusage récent d'un fossé de dégagement a, comme à Saint-Chef, atténué cet inconvénient. En dépit de la différence de traitement constatée, il n'est, semble-t-il, pas nécessaire d'imaginer pour l'un et l'autre élément deux campagnes de construction distinctes. Un cul-de-four légèrement brisé couvre l'abside, introduite par un simple redent que garnit de chaque côté une colonnette coiffée d'un chapiteau ; le tailloir de chacun de ceux-ci est prolongé le long de la courte partie droite qui précède le déploiement de l'arcature ceignant le pourtour. Dans le pseudo-pilastre de droite est encastrée une pierre gravée d'une inscription en capitales d'allure romaine ; le texte de celle-ci, dont la première ligne est fort mutilée, a été reconstitué comme il suit :

MATRIS SACRUM EX VOTO
CIRCUM SAEPTUM FANI ET ADITUS
CATULLUS COMBARDI FIL(IUS)
ERGA MERITA SALVISQUE LIBERIS EJUS
S L M

En interprétant sans plus d'hésitation MATRIS (génitif singulier) comme s'il s'agissait tout simplement de MATRIBUS (datif pluriel), on a supposé que l'inscription s'appliquait à un temple dédié en ce lieu aux Déesses Mères et commémorait la construction ou l'aménagement du «pourtour et des accès» du sanctuaire par un certain Catullus ou Catulius, fils de Combard, en accomplissement d'un vœu. A propos du fameux quatrain amphigourique de l'autel d'Avenas, l'hypothèse d'un solécisme au demeurant moins énorme a permis d'en fausser radicalement l'interprétation. Dans le présent cas, si l'on s'en tenait à la logique grammaticale la plus élémentaire, rien n'empêcherait de traduire «Matris Sacrum» par «temple (cf. le *Dictionnaire de latin classique* de Gaffiot) de la Mère». On se souviendrait alors que le pédantisme romanisant des clercs du XIIe siècle n'avait d'égal que l'insuffisance de leur syntaxe, et rien n'empêcherait, l'imagination du conteur apportant son coup de pouce, soit de considérer l'inscription, à la place où elle a été intentionnellement encastrée, comme un honnête plagiat applicable au beau *circumsaeptum* de l'abside romane, conclusion d'un sanctuaire dédié à la Mère de Dieu ; soit de penser que le bâtisseur, ne voulant pas perdre ce précieux document, l'aurait en quelque sorte actualisé en en christianisant la vocation païenne, un peu comme les décorateurs arabes travaillant pour le compte des chrétiens n'hésitaient pas à mêler, de-ci de-là, à leurs ornements telle ou telle acclamation à la gloire d'Allah inintelligible à leurs pieux commanditaires.

L'arcature absidale en plein cintre, portée sur un bahut, enveloppe les trois baies ; ses retombées s'effectuent, de chaque côté, sur une colonnette, celles de la baie axiale, jumelées de ce fait, étant réunies par leur tailloir. Toutes sont cylindriques, sauf celles de l'axe, à droite, dont les sections polygonales répondent à un mode devenu de plus en plus fréquent dans la vallée du Rhône, et dès Tournus, à partir de 1120 environ. Les chapiteaux qui les couronnent sont, à l'exception d'un seul, des corbeilles de feuillages refouillées et diversement traitées, tiges entrelacées au premier chapiteau septentrional, chapiteaux à volutes spirées sur les colonnettes polygonales. Par exception, le chapiteau le plus proche de la fenêtre axiale, à gauche, est sculpté d'un homme aux bras levés, thème qu'on retrouvera à l'extérieur. Toutes les bases sont attiques.

Les arcatures absidales, on le sait, n'ont pas de géographie bien précise; la plupart des églises de la Dombes édifiées au XIIe siècle en comportent, parfois plus décorées encore que celle-ci. Mais ici, le traitement du pourtour externe correspond à la richesse de l'intérieur appareil, composition, sculpture (pl. 72). L'abside, à commencer par son soubassement, est bâtie de beaux moellons réguliers de calcaire jaune ou blanc. Ce haut socle aveugle est couronné par un bandeau taluté, qui enveloppe également les deux gros contreforts à glacis au-dessus, chacune des trois fenêtres en plein cintre est percée à l'intérieur d'une archivolte profonde et sobrement moulurée, qui retombe sur deux colonnettes rondes; celles-ci, posées sur la tablette du soubassement, sont surmontées de chapiteaux dont les tailloirs sont prolongés en cordon sur tout l'hémicycle, contreforts y compris; la fenêtre axiale a été refaite, mais en réemployant peut-être, à gauche, la colonnette polygonale et les chapiteaux d'origine, dont l'allure est tout à fait romane. Ceux-ci, dans leur ensemble, sont d'une qualité équivalente à ceux de l'arcature interne; du Sud au Nord en suivant le pourtour, ils juxtaposent trois corbeilles de feuillages nerveux et refouillés, forés au trépan, le deuxième à volutes fortement accusées, le troisième malheureusement mutilé. La figure humaine apparaît au quatrième chapiteau, sous l'aspect d'un masque grotesque qui s'efforce d'engouler une petite tête renversée et qu'encadrent, à gauche un mufle de lion et un petit masque, à droite deux palmes superposées. Plus explicite encore, le cinquième montre des hommes à petites jambes et bras qui s'entrecroisent. Le dernier au Nord, enfin, présente deux personnages à très petits corps et grosses têtes, bras levés; celui de droite semble aux prises avec un serpent (pl. 71) : il est difficile de penser qu'il puisse s'agir de la tentation d'Adam et d'Ève. Deux masques humains complètent cette iconographie d'interprétation aléatoire, et l'indécision des draperies et graphismes assez mous ne permet d'en rattacher le style à aucun atelier connu, à commencer par ceux du Viennois au milieu du XIIe siècle, qui sont sensiblement contemporains et auxquels on serait tenté de songer en premier. De toute manière et dans un tel contexte géographique et historique, le mystère d'une création aussi soignée, élaborée et harmonieuse que cette abside unique en son genre à travers le Bugey méridional, demeure entier

Par une association toute naturelle d'idées antithétiques, on fera suivre immédiatement cette monographie par la description d'une église faucignerande construite sur le même plan simple que les précédentes : nef unique, travée de chœur, abside, soit trois volumes en décrochement successif l'un sur l'autre. Mais, à quiconque aura conservé en mémoire aussi bien le fier élan vertical de la chapelle de Saint-Vincent-d'Agny, sur son piédestal de murailles, que la richesse décorative des absides dombistes et les modelés épanouis et gras de celle de Lhuis, un seul coup d'œil révélera le profond bouleversement introduit dans la sensibilité romane par l'irruption de la spiritualité monumentale issue de Cîteaux (et peut-être aussi de Cluny, on le sait mieux maintenant), et propagée par les ordres religieux sensibles à son ascèse et à la tension d'âme et d'esprit que celle-ci engendrait : templiers, chalaisiens, chanoines réguliers réformés. Au lieu-dit : Peillonnex, sous les escarpements du Môle qui, rétrécissant soudain la vallée de l'Arve, ouvre, avec sa correspondante de l'autre rive la pointe d'Andey, le royaume du Mont-Blanc encore invisible, mais déjà dominateur, l'évêque de Genève Gérold avait, avant 988, fait bâtir une église qui fut, en 1156, donnée par le comte Amédée Ier à l'abbaye des chanoines réguliers d'Abondance ; celle-ci y fonda un prieuré dont les seigneurs de Faucigny, tout proches, assurèrent la tutelle. La commende y fut introduite au début du xve siècle ; puis vinrent les guerres : en 1589, des bandes bernoises dévastèrent le prieuré, mais, apparemment, sans toucher à l'église. Celle-ci, après la sécularisation consécutive à l'occupation de la Savoie par les Français en 1792, fut affectée au culte paroissial. Elle devait bénéficier en 1951 d'une restauration qui révéla ou remit en parfaite lumière la qualité de son appareil et son parti résolu d'ascétisme.

Trois éléments successifs et de plus en plus étroits composent donc l'église priorale : nef, travée de chœur, abside. A la différence cependant des exemples précédents, tous trois furent certainement voûtés dès l'origine, et de façon homogène, bien que la travée de chœur eût été appelée à supporter un clocher prévu sans doute assez fort. D'autre part, l'abside n'est pas semi-circulaire, mais bien à cinq pans, dessin qui est encore rare dans la région du Rhône moyen à l'époque romane. Nef et travée sont voûtées uniformément de berceaux brisés, très régulièrement appareillés de tuf sur des parois un peu moins soigneusement construites (pl. 73). Le retable baroque modelé sur le pourtour absidal empêche de discerner le mode de voûtement de la travée polygonale de chevet ; il devait s'agir d'une sorte de voûte en arc de cloître. Aux deux tiers environ de la nef, longue et étroite, la voûte est renforcée par un arc-doubleau simple, à arêtes vives, dont la nécessité n'apparaît pas clairement ; il repose sur deux brèves consoles moulurées. De chaque côté, quatre fenêtres en plein cintre, largement ébrasées, éclairent le vaisseau ; deux d'entre elles ont été creusées dans la première section de la nef, soit à l'Ouest de l'arc-doubleau ; les deux autres le sont à l'Est, mais laissent jusqu'au chœur un assez long espace de mur aveugle, la travée sous clocher, elle, n'étant pas directement éclairée. Pour compenser quelque peu cet assombrissement, la dernière fenêtre à l'Est est un peu plus large que les autres, et, par surcroît, une baie en plein cintre a été ménagée dans le pignon de façade, au-dessus du portail, et trois fenêtres d'assez grandes dimensions ajourent les murs extrêmes de l'abside. Les clavages de tuf sont d'une belle régularité. Au Sud, la première fenêtre a été postérieurement éventrée afin de permettre un accès direct à l'église depuis l'étage du bâtiment prioral.

Ce n'est pas porter tort à la sévérité voulue de cette architecture ni en amoindrir le mérite que de convenir qu'elle n'a pas été desservie, bien au contraire, par la pose en 1720 d'un monumental retable baroque à claire-voie qui, habillant de brocarts stuqués les encadrements des fenêtres, les séparant par des colonnes torses à pampres, juchant des saints sur les corniches, parmi les nuées et les pots de fleurs, a revêtu la voûte absidale, par une composition très stricte sur fond de draperie que soutiennent des angelots dodus, du double thème de l'Assomption de la Vierge Marie, patronne de l'église, et de son Couronnement : non plus, comme au Moyen Age, par le Fils seul, mais par la Trinité tout entière. L'œuvre, plus proche du baroque allemand que de l'italien, respecte la structure essentielle beaucoup mieux que n'a fait le retable de l'église romane de Cléry, et la naïveté du style, la construction aérée lui épargnent la pompe emphatique qui alourdit si souvent les œuvres sculptées de cette époque. Et le verset inscrit au fronton du retable, sur la tranche de l'arc triomphal, en résume la leçon : montant, assistée par les petits anges tout joyeux, du désert rébarbatif d'une structure exagérément nue, la Vierge de l'Élection pénètre victorieuse dans l'univers des délices illuminées de vapeurs et irradiées par l'Esprit. Après tout, pourquoi non?

L'extérieur de l'église, un peu sec comme il en est dans plus d'un oratoire de chanoines réguliers, est néanmoins d'une belle venue, servie d'ailleurs par l'ampleur du cadre (pl. 73). Le frontispice, outre la fenêtre précitée, est creusé, au-dessus, d'un petit jour rectangulaire destiné à l'éclairage des combles. Un «chapiteau» à trois pans de tuiles bicolores protège le portail en plein cintre; dépourvu de tympan à l'origine, celui-ci est circonscrit par une triple voussure de molasse régionale, matériau facile à tailler, mais qui s'émousse. Les voussures interne et externe reposent sur de simples impostes, qui prolongent directement les tailloirs des chapiteaux couronnant les deux colonnes cylindriques logées dans les redents des piédroits, et qui supportent la voussure médiane. Les corbeilles avaient été sculptées de deux rangs de feuillages aux ciselures délicates, dont l'inspiration antique était évidente, mais dont les reliefs, d'année en année, s'estompent : en trente ans, on les a vu presque disparaître. Du côté de l'intérieur, les tailloirs font l'office de corbeaux soutenant le linteau de la porte; ils sont gravés de curieuses rosaces à pétales courbés en façon de svastikas! Au tympan, fermé par un pan de bois, une niche a reçu une touchante statuette baroque de la Madone, protégeant de son voile la tête de l'Enfant qu'elle porte dans ses bras; les vantaux de la porte sont de beaux ouvrages de menuiserie probablement contemporains. Les tranches du pignon de façade et la nef, au niveau de l'arc-doubleau intérieur, sont épaulées par des contreforts à glacis, sans ressauts, alors que ceux du chœur, plus minces, sont quant à eux redentés. Enfin, une robuste souche carrée à peine plus haute que les murs latéraux de la nef porte, par l'intermédiaire de quatre pans pyramidaux de tuiles, le clocher moderne constitué d'un étage de beffroi ajouré sur chaque face de deux baies jumelles, et couronné lui-même par une flèche métallique à soubassement pyramidal, mantelet de section octogonale et aiguille effilée.

Il serait injuste de ne pas signaler enfin que, placée dès les origines, semble-t-il, sous un vocable marial, l'église de Peillonnex fut et demeure le siège d'un pèlerinage fréquenté par tout le Faucigny; pour sa desserte fut construite, accolée au mur septentrional de la travée sous clocher, une chapelle particulière qui existait déjà en 1730. De plan carré, voûtée d'un berceau en plein cintre sous toiture très aiguë à trois pans, elle abrite la statue vénérée de la Dame du lieu; on y accède de l'Ouest, par une porte rectangulaire dont le linteau sert d'appui à une fenêtre en plein cintre de même largeur.

Adjonction d'un transept et abside unique

A l'instar des basiliques civiles romaines, d'où est issu, selon les archéologues, le plan basilical des premières églises chrétiennes, celles-ci ne comportaient que très rarement un transept. Les premiers exemples cités sont ceux de Saint-Pierre et de Saint-Paul-hors-les-Murs de Rome, mais ces édifices ont par la suite subi des remaniements tels (et l'église du Vatican a, par surcroît, disparu au XVIe siècle) qu'il n'est guère possible d'en reconstituer les figures primitives. En Gaule, l'adoption d'un transept à la cathédrale de Clermont est mentionnée par Grégoire de Tours, et, dès le début de l'ère romane, l'usage en est devenu commun, sans qu'on sache au juste les raisons de cette adjonction. L'intention symbolique est évidente, et confirmée par les textes, qui évoquent en ce cas les églises construites *in modum Crucis*, tout en assimilant quelquefois, tel le fameux *Guide* du pèlerin de Saint-Jacques, le transept à une véritable nef : «In navibus Crucis». L'argument allégué par Robert de Lasteyrie ne paraît pas valide, selon lequel cet artifice constructif aurait eu pour objet de «faciliter aux fidèles la vue des cérémonies qui se célébraient autour de l'autel» (*L'architecture religieuse en France à l'époque romane,* p. 88) : une expérience maintes fois prouvée démontre que, du fond d'un transept saillant, le fidèle, non seulement ne voit rien, mais n'entend pas grand-chose de ce qui se passe à l'autel, pour peu que celui-ci soit placé au fond de l'abside ou se trouve séparé de la croisée du transept par une ou plusieurs travées de chœur. L'inconvénient des bas-côtés de nef étant, à ces points de vue, assez analogue, il n'est pas impossible que c'eût été leur constatation qui incita les bâtisseurs préromans à imaginer autour du *presbyterium* ces galeries de circulation que le génie roman sut transformer en de superbes déambulatoires avec ou sans chapelles rayonnantes. Même dans certaines églises monastiques, il semble que les simples fidèles y aient eu libre accès (le plan de Saint-Gall, le premier, délimite strictement le *chorus monachorum*), et aient pu de ce fait, non seulement approcher les reliques des saints et processionner autour d'elles, mais mieux voir et entendre les actes qui se déroulaient à l'autel majeur. Reste l'avantage plastique, qui est probablement le principal. Qu'on regarde seulement un enfant qui s'amuse à construire un espace avec son jeu de cubes : le plus doué aura tôt fait de se lasser des simples et faciles empilements, et cherchera sans tarder des volumes composés et redentés, dans le sens hardi de la verticale, certes, mais aussi dans une organisation horizontale de masses réparties, solidaires et opposées, qui se font mutuellement valoir et créent, grâce à leurs combinaisons rudimentaires, l'une des fins suprêmes de l'art d'architecture qui est la perspective. L'implantation d'un clocher à l'intersection des bras de la croix corrige tout éventuel excès de lignes de fuite et parachève la silhouette jusqu'à la perfection.

De la basilique d'Aime, dont on essaiera tout à l'heure de suivre la postérité jusqu'en pleine époque gothique, et de Quintal jusqu'à Avenas, Beaujeu ou Saint-Georges de Thizy (sensiblement à l'Ouest de la ligne de crête beaujolaise), nombreuses sont les églises romanes du secteur considéré à posséder un transept. L'intérêt particulier de leur examen réside dans la manière et l'art dont les bâtisseurs des églises secondaires à nef unique ont su organiser et combiner le membre transversal avec le volume rectangulaire de la nef et l'espace du chœur clos par un hémicycle. La solution la plus simple consiste, bien entendu, à greffer directement sur la croisée une unique abside semi-circulaire. Les exemples qui accourent immédiatement à l'esprit sont ceux, précisément, de Thizy, où les croisillons sont fort courts et l'abside précédée d'une travée droite, ou de Saint-Nizier-le-Désert au cœur de la Dombes, où, pourtant, les croisillons ne sont guère que des arcs de décharge approfondis, mais dont la longueur totale est inférieure à la largeur de la nef, et dans laquelle, par surcroît, la coupole primitive de croisée a été remplacée par une voûte d'arêtes (J.C. Collet) ; c'est encore l'église de Morancé*, ancien prieuré des «Dames de Saint-Pierre» de Lyon implanté dans la basse vallée de l'Azergues, dont le plan juxtapose une nef de deux travées, remaniées à l'époque gothique, une travée de chœur flanquée de bas-côtés qui forment des sortes de croisillons, et une abside semi-circulaire dont le pourtour interne est allégé par une élégante galerie d'arcatures. La pseudo-croisée de transept, n'ayant pas à supporter la charge du clocher, n'est couverte que d'un berceau en plein cintre ; mais, au Nord et au Sud, des arcades en cintre brisé s'ouvrent sur les croisillons ou faux croisillons voûtés eux-mêmes de berceaux longitudinaux : anomalie d'autant plus bizarre que le joli clocher carré a été monté précisément sur le croisillon Nord, sans voûtement, renforts ou épaulements particuliers.

Les exemplaires les plus notables d'églises à transept et abside unique sans interposition de travée de chœur sont ceux d'Ouroux* et d'Avenas en Beaujolais; proches l'une de l'autre, elles sont situées, la première au fond de la vallée encaissée de la Grosne, avant que la chaussée «romaine» du Chalonnais à *Ludna* amorce son ascension splendide du col du Fût par Les Agnoliers; la seconde, sous la selle même du col, dans un léger repli de la montagne de Rochefort qui la protège des vents du Sud et de l'Ouest. La nef de l'église d'Ouroux – *Oratorium* – a été, selon Jean Virey, «en grande partie reconstruite ou remaniée dans les derniers siècles et la dernière fois vers 1830»; cet archéologue ne précise pas si c'est alors que la nef fut augmentée de collatéraux, mais on le penserait volontiers. L'effet de cette dilatation de volume, qu'un unique toit recouvre, a été d'anéantir la saillie du transept roman, bien marqué avec ses deux pignons Nord et Sud. A l'intérieur, les formes brisées règnent aussi bien au cul-de-four de l'abside que dans les berceaux des croisillons et les arcades délimitant la croisée qui, supportant le clocher, est couverte d'une coupole octogonale sur trompes. La massiveté des structures de granit, très basses, est rachetée par la tour du clocher, plus haute à elle seule que les pignons des croisillons mesurés depuis le sol. Soubassement aveugle élevé, deux étages de percements, le supérieur copieusement ajouré sur chaque face par deux paires de baies en plein cintre sur colonnettes médianes. Selon un mode originaire peut-être du Brionnais (la tentation est forte chez les archéologues de rapporter toute innovation monumentale de la Bourgogne romane du Sud à cette province si riche et féconde en jaillissements), deux demi-colonnes s'appliquent aux deux extrémités de chaque face de l'étage du beffroi, et un troisième s'insère au milieu, entre chaque couple de fenêtres (voir ci-après la note brève sur cette église, p. 273).

L'église d'Avenas est célèbre à travers le monde entier pour l'autel sculpté que recèle sa pénombre, et qui est, de fait, l'un des plus beaux, sinon le chef-d'œuvre absolu du genre, que l'âge roman ait laissés. Mais l'écrin qui enclôt ce trésor n'est pas lui-même tout à fait négligeable. A la différence de l'église de la vallée, et mise à part une restauration peut-être un peu sèche, il s'est conservé intact, avec sa nef plafonnée, son transept en forte saillie, son abside semi-circulaire greffée directement sur la croisée. Celle-ci est couverte d'une coupole octogonale sur trompes, les croisillons de berceaux brisés, l'abside d'un cul-de-four; une petite baie en plein cintre ajoure le mur de raccord entre croisée et abside, et le pourtour de celle-ci est décoré d'une rangée de cinq arcatures en plein cintre, dont trois encadrent les fenêtres, et qui reposent sur des pilastres diversement ornés; Jean Virey les apparentait, non seulement à celles des églises de Beaujeu et de Belleville, mais à plusieurs types brionnais qui n'ont, en vérité, pas grand-chose de commun avec celui d'Avenas.

L'extérieur de l'église, qui sent bien son pays du granit, est de stature meilleure encore que celle d'Ouroux. Le plan cruciforme s'y affirme vigoureusement par les deux pignons bien saillants du transept; des contreforts à glacis épaulent le pourtour de l'abside, couronné par une corniche à modillons nus, et le clocher de croisée superpose un haut soubassement de plan carré, comme à Ouroux, et un unique étage de beffroi, ajouré par une baie unique au Nord et au Sud, par des baies jumelles à colonnettes médianes sur les deux autres faces. Par les brefs jours de l'hiver, quand la tourmente, qui n'a rien à envier à celles d'Auvergne ou d'Aubrac, déferle à travers les bois de Rochefort et de la Croix du Py, la *Casa Dei* prend vraiment figure de refuge de montagne auquel avaient certainement songé les initiateurs plus ou moins légendaires du «moutier de Pélage anciennement fondé en la *villa* d'Avenas», selon la charte 586 du Cartulaire de Saint-Vincent de Mâcon; tandis que les rafales cornent au-dehors, le pèlerin encore trempé de neige croit entendre résonner à ses oreilles la chasse infernale de Ganelon, et il contemple l'image du roi pieux et un peu pusillanime qui croyait s'assurer contre la mort en détruisant là-haut, de l'autre côté de l'Ardières, le château que le traître s'était bâti sur la pointe du Tourvéon, et en confiant l'église aux chanoines de Mâcon afin qu'ils en gardent et exorcisent les parages. Mais, si le Christ fait miséricorde à tout pécheur qui se repent, et, de Sa main démesurée, bénit le passant frigorifié en le regardant avec une douceur extrême et une tendresse que tout Son visage exhale (qui donc n'aurait vu dans le Christ roman qu'un juge impitoyable et vengeur?), le Père, lui, n'appécie pas tellement qu'on prétende le commander, fût-on fils d'empereur, et douze jours ne passèrent pas que la mort ne vînt cueillir celui qui, pleutrement, avait tenté de «poser un obstacle à son trépas»!

Transept et absides multiples
diversité des types

L'un des avantages architecturaux majeurs du transept, sauve toute autre considération, est la possibilité offerte de greffer sur lui un nombre variable d'absidioles, de deux à six, qui forment autour de l'abside principale comme une cour d'honneur, et engendrent, surtout si le maître d'œuvre les échelonne en profondeur, les admirables perspectives de volumes décroissants aux modelés arrondis et rebondissants, *exsultantes ut arietes, sicut agni ovium*. Modestes, les régions du Rhône moyen et de la Savoie n'ont pas dans leur quasi-totalité, et pour des raisons qui demeurent mystérieuses (on en entrevoit qui sont seulement liturgiques), adopté la formule du chœur à déambulatoire et chapelles rayonnantes; l'unique exemplaire connu est celui qu'ont révélé les fouilles conduites à Saint-Just de Lyon par M. J.F. Reynaud, et que cet historien assigne au XIe siècle, mais qui demeura inachevé. Nulle part ailleurs qu'à Belleville – qui n'est plus tout à fait roman –, les églises ne dépassent le chiffre de trois absides; elles se rattrapent, si l'on ose dire, sur la diversité des agencements. La solution la plus simple consiste évidemment à embrancher sans intermédiaire l'abside principale sur le carré du transept, et les deux absidioles sur les croisillons; les plans de celles-ci sont toujours semi-circulaires (sauf à Chazay-d'Azergues où les trois murs de chevet sont droits, sans qu'il soit nécessairement besoin d'alléguer une quelconque influence cistercienne). Ce dispositif paraît avoir été celui de l'église de Saint-Didier-sur-Chalaronne, dont il ne subsiste plus de roman que les absidioles latérales, un gros clocher carré ayant remplacé l'abside majeure. Il était peut-être celui de l'église paroissiale de Montmelas en Beaujolais, où l'éventuelle absidiole Nord a disparu. Mais on le trouve, intact, en l'église de l'ancien doyenné clunisien de Romans*, «la seule église dombiste à présenter un chevet trichore sur un transept débordant» (J.C. Collet), le tout assez copieusement remanié; ou encore à La Boisse dans la banlieue orientale de Lyon, à Taluyers* dans le Sud des monts du Lyonnais, où les absidioles représentent peut-être une adjonction à un plan primitif qui ne les prévoyait pas, et mieux encore à Saint-Maurice-de-Gourdans, dont l'église méconnue des touristes, malgré sa réelle prestance et ses peintures murales, méritera une notice un peu détaillée; ou enfin à Desingy en Genevois, qui, pour des raisons équivalentes, bénéficiera de la même faveur.

Dans plusieurs églises de la région, le souci qu'on a déjà relevé d'amplifier les espaces choraux incite les constructeurs à démarquer en quelque sorte l'abside principale de ses accompagnatrices, en interposant entre la croisée du transept et elle une travée droite de chœur, que viennent encadrer les deux absidioles; par ordre alphabétique pour ne vexer personne, on citera l'église de Chaveyriat* en Dombes, du moins dans l'état qu'elle présentait avant la Révolution, celles de Salles* en Beaujolais, de Ternay* perchée sur sa colline dominant le Rhône à l'Est, et, pour finir, l'église Notre-Dame des Marais à Villefranche-sur-Saône, dont c'était peut-être le plan avant les aménagements gothiques qui l'ont bouleversé. Par exception, ce sont à Saint-Paul-de-Varax deux chapelles carrées qui flanquent la brève travée droite; à Saint-Mamert* enfin, et surtout à la collégiale de Beaujeu, qui clora la suite des monographies justificatives de cette recherche de volumes de plus en plus développés, la travée droite du chœur est flanquée de collatéraux qui introduisent aux absidioles, ainsi ramenées presque au même niveau que l'abside principale.

Ce village placé sous l'invocation du martyr chef de la Légion thébaine était dénommé, dans les textes les plus anciens (1263, 1269), Saint-Maurice d'Anthon; une charte de Cluny (n° 4014) spécifie qu'en 1130 environ, Guichard, seigneur d'Anthon, remit par testament à l'abbaye d'Ainay «la garde et l'avouerie» du lieu de Saint-Maurice. Le village, que commencent à peine d'effleurer les tentacules de l'expansion lyonnaise, est situé à quelques pas de la rivière d'Ain, et à deux lieues environ au Nord du confluent de celle-ci avec le Rhône, qui roule ses flots verts sous la forteresse d'Anthon gardant l'autre rive. L'année qui suivit l'épopée de Jeanne d'Arc, le jeune sénéchal de Lyon Humbert de Groslée (dont la seigneurie d'origine est toute proche de Lhuis) et le vieux gouverneur de Dauphiné Raoul de Gaucourt y sauvèrent une seconde fois, en une seule journée, le royaume de France. Si rase est en ce coin de sables, de galets et de lônes la plaine de la Valbonne que les maisons du village, qui ne prit que tardivement son nom de Saint-Maurice-de-Gourdans (du nom de la seigneurie voisine, inféodée depuis 1285 au comté de Savoie), y feraient presque figure de montagnes. Vers l'Est, les inquiétantes chaudières évasées de la centrale nucléaire, d'où s'évadent des vapeurs aux reflets violacés, interrompent le défilement des tables calcaires du plateau de Crémieu, d'où pointe une fois de plus la pyramide du Molard de Don, décidément le repère de toute cette région de confins indécis.

Topographiquement, 28 km à peine séparent Saint-Maurice-de-Gourdans de Lhuis, qu'on devinerait presque là-bas, niché sous ses roches. Et c'est pourtant un monde qui sépare leurs deux églises : étonnante fertilité de l'art roman jusqu'en ses plus modestes fleurettes ! En plan, la première, bien dégagée sur sa placette, heureusement restaurée et entretenue, tout environnée de fleurs et de verdure, se compose d'une longue nef unique (pl. 76), refendue en deux sections, comme celle de Peillonnex, par un arc-doubleau et précédée d'un narthex, d'un transept en forte saillie sur elle, et d'une abside semi-circulaire flanquée de deux absidioles, toutes trois entées directement sur lui. Il apparaît que l'arc-doubleau de la nef sépare deux parties d'âge différent. A l'Ouest, l'appareil rustique en *opus spicatum* coupé d'assises de briques semble dénoter une tradition encore toute préromane (encore qu'en Dombes, en Viennois, en Valentinois, la pratique des murs construits en chevrons de galets se soit perpétuée de longs siècles encore); trois arcs de décharge en plein cintre allègent chacun des murs latéraux; de simples impostes grossièrement moulurées les reçoivent. Une arcade en plein cintre sépare cette section occidentale d'un narthex de même aspect, mais qui, selon toute vraisemblance, ne doit pas être antérieur à l'époque gothique. De nouveau, trois arcs de décharge élégissent chaque paroi latérale, mais on constate que, du côté Nord, la dernière à l'Est a été surhaussée et élargie pour permettre de loger à l'intérieur de gros fonts flamboyants.

A l'Est de l'arc-doubleau, la construction de la nef se révèle plus raffinée, et manifestement plus récente. Les arcs de décharge, qui persistent, y reposent alternativement sur des pilastres coiffés d'impostes et sur des colonnettes galbées couronnées de chapiteaux de feuillages bien diversifiés; sur la face principale de l'un d'eux, des palmes épanouies en éventail jaillissent d'une colonne cannelée à base et imposte (pl. 77); sur l'autre, un buste de lion ou de chat surgit de feuilles lancéolées (pl. 78); de ses pattes levées en diagonale, l'animal tient deux cabochons logés aux angles. On s'interroge sur le berceau bas qui couvre tout le vaisseau : est-il original? Viendrait à l'appui de cette présomption le fait que le mur méridional a dû être extérieurement épaulé par un énorme contrefort, du type des «augives» savoyardes : indice d'une forte poussée latérale peut-être imputable à une voûte. Mais il ne peut exister aucun doute en ce qui concerne le transept : les croisillons sont voûtés de berceaux en plein cintre, tandis que la croisée a reçu une coupole octogonale sur trompes, que délimitent quatre arcades soulignées par de simples impostes. Les trois absides sont couvertes de culs-de-four en plein cintre, et le pourtour – *circumsaeptum !* – de l'abside majeure est élégi par une arcature en plein cintre, du type usuel en Dombes et en Rhodanie (pl. 79). Celle-ci prend son départ, à chaque extrémité, sur une colonnette d'angle unique, surmontée d'un chapiteau dont le tailloir se prolonge en cordon sur toute la section de la pile correspondante de la croisée; partout ailleurs, les colonnes, posées sur un bahut à hauteur d'appui, sont jumelles. Elles ont des bases attiques et des chapiteaux abondamment sculptés, dont certains semblent d'ailleurs avoir été refaits ou copieusement retouchés ; du Nord au Sud s'y succèdent des feuillages aux volutes parfois accusées (chapiteaux 1, 2 et 3), des griffons affrontés (4), un homme nu (5), un second nu qui est sûrement un pastiche (6), trois nouveaux chapiteaux de feuillages (7, 8 et 9), et un aigle aux ailes éployées enfin (10). Le style relativement évolué de ces œuvres, le bon creusement de leurs reliefs, leur assignent une date comprise entre 1100 et 1120 environ.

L'époque gothique qui, l'on est bien forcé d'en convenir, n'a pas toujours compris ni embelli les monuments romans qu'il lui arrivait de reprendre ou d'amplifier (qu'on songe par exemple à Tournus !), a su enrichir celui-là d'une parure incomparable, qui n'a pas échappé à l'œil sagace du regretté V.-H. Debidour dans le livre qu'il a signé sur Lyon avec M. Lafarrère, mais qui, de son aveu même, mériterait d'être beaucoup mieux connue. Toute l'église, nef et absides, est en effet presque entièrement revêtue d'extraordinaires peintures murales, à l'iconographie originale, aux coloris chatoyants et riches, restaurés avec une relative discrétion, et d'effet réellement saisissant. M. Debidour semblait hésiter quelque peu sur leur datation, qu'il assigne une fois au XVe, une autre fois au XVIe siècle ; il paraît certain que, selon leur allure générale, elles ne dépassent pas l'époque flamboyante, et évoquent les fraîches compositions, articulées comme celles-ci en caissons, dont les peintres ambulants tapissaient volontiers en ce temps les chapelles alpestres. Au cul-de-four de l'abside est peint, comme il sied, le Christ entouré des symboles évangéliques. A l'absidiole méridionale se voient un autre Christ et la scène majeure de l'Annonciation, qui ouvre le cycle évangélique de la Passion, agencé sans transition selon un ordre tout à fait incertain le long des murs de la nef. C'est au Nord de celle-ci et d'Ouest en Est qu'il faut chercher la suite immédiate : Baiser de Judas, cortège du Christ prisonnier, *Ecce Homo,* Portement de Croix. On passe ensuite au Sud où sont représentés d'Est en Ouest, la Mise au tombeau, la Résurrection, un couple (Adam et Ève) sortant du Léviathan, l'Apparition du Christ à Marie-Madeleine, et, terminant le tout sur une note tragique, la pendaison de Judas. Comme un redoublement et un complément de cette iconographie, apparaissent successivement dans l'avant-nef, à l'Est du narthex : au Nord, les représentations plus dégradées du Gethsémani, de la Pentecôte, de l'Ascension ; au Sud et d'Ouest en Est, le Christ aux enfers (?), avec une croix qui se profile en fond de décor, le Christ et un Homme nu qui serait peut-être Lazare ; enfin, un nu énigmatique.

Bien qu'en matière d'art populaire, et c'est ici le cas, toute appréciation de valeur soit difficile, chacun conviendra que la qualité de la seconde série est quelque peu inférieure à la première : différences qui posent, indirectement, le problème des commanditaires. Une litre noire courant à l'abside suggérerait-elle que les seigneurs du lieu, c'est-à-dire de Gourdans, ne furent pas étrangers à l'initiative d'un tel décor, et le fait que le fief fût savoyard les aurait-il incités à chercher dans la province mère le principe des églises ou chapelles entièrement peintes à l'intérieur, et peut-être leur main-d'œuvre ? La solitude de ces peintures dans un milieu où on ne leur connaît aucun répondant autorise à tout le moins à se le demander. Leur profusion charmante est en tout cas d'autant plus inattendue que rien, dans la stature extérieure de l'église, sévère et dépouillée, ne l'annonce.

Outre la sobre beauté des volumes du chevet trichore (pl. 75), dont la silhouette et la proportion offrent quelque ressemblance avec le chœur de l'église de Sainte-Jalle en Diois, on remarque surtout ici la différence d'appareil déjà notée, irrégulier à l'Ouest, et de type encore préroman mais composé, à l'Est, de petites pierres régulières de section carrée, mode qui semble hérité de l'Antiquité romaine. Les corniches absidales sont constituées, elles, de pierres plates, soutenues, à l'abside principale, par quelques minuscules modillons sculptés. Le clocher de croisée, affecté d'une reprise d'appareil au-dessus d'un soubassement nu, est certainement moderne, et d'un ascétisme absolu : deux baies juxtaposées par face, dont les cintres sont simplement découpés dans des linteaux extradossés en triangle. Le portail de façade, roman, a peut-être été rapporté lors de l'édification du narthex ; en plein cintre, il est circonscrit par un larmier décoré de fleurons en méplat, qui sont bien, eux aussi, de couleur locale. Un rapprochement s'impose avec les voussures des façades de certaines églises dombistes : tympan de Vandeins, voussure externe du portail occidental de Saint-Paul-de-Varax, et avec, au premier chef, certains des tailloirs, archivoltes et cordons décoratifs du mur de façade dit «de la Manécanterie», qui demeure l'un des monuments les plus énigmatiques du Lyon roman.

Entre les derniers plis jurassiens qui bordent à l'Est le Bugey et la surrection puissante du front occidental des Préalpes annéciennes, s'interpose une zone de vallonnements lâches dont l'appellation courante de «plateau savoyard» falsifie quelque peu la réalité beaucoup plus mouvante que ce vocable ne l'implique, et son charme d'intimité bocagère. Le torrent des Usses, paradis des pêcheurs, y serpente en un cours très capricieux qui, descendu du lointain Salève, s'oriente ensuite carrément à l'Ouest, puis bifurque au Sud, appelé par le Rhône dans lequel il se jette avant Seyssel; dans la large boucle ainsi dessinée se niche le village de Desingy, autrefois petite ville illustrée dans l'histoire de l'ancien diocèse de Genève par le traité qui y fut conclu en 1219 entre l'évêque et le comte; lors de la Visite pastorale de 1444, elle comptait encore 100 feux, soit environ 600 âmes.

L'église paroissiale est l'un des édifices romans les mieux conservés de l'actuel diocèse d'Annecy qui, on le sait, en compte assez peu; surtout, on le précise, dans cette région de l'avant-pays submergée par la vague des reconstructions de la période flamboyante. Aujourd'hui, son plan ne comporte qu'une nef de trois travées, une travée sous clocher accostée de deux chapelles gothiques visiblement remodelées, on le verra, à l'intérieur de croisillons d'origine, et une abside semi-circulaire non précédée d'une travée ou section droite (pl. 81), mais flanquée, au Nord, par une absidiole intérieurement de même plan, et extérieurement empâtée dans un mur droit qui représente peut-être la simple consolidation d'une paroi antérieure en hémicycle (pl. 80); dans l'axe est creusée une petite fenêtre romane dont le linteau est échancré d'un plein cintre. La présence, au Sud de l'abside majeure, d'une sacristie moderne ne permet pas de conclure formellement qu'une absidiole symétrique existait de son côté; la présomption est cependant tout à fait plausible, et l'on retrouverait de la sorte un plan analogue à celui de Saint-Maurice-de-Gourdans.

La nef elle-même a conservé ses murs romans, mais a reçu une voûte d'arêtes moderne. Il est possible qu'elle n'ait été originellement que charpentée; néanmoins, ses parois très épaisses sont allégées par de profonds arcs de décharge en plein cintre, qui laissent en saillie les pilastres recevant les arcs-doubleaux. Quatre gros arcs en plein cintre, non doublés, couronnés de simples impostes moulurées en doucine, délimitent la croisée du transept, qui est voûtée d'ogives chanfreinées. On ne sait si ce mode de couverture est primitif; une restauration récente et bien conduite n'a apparemment dégagé aucune trace de trompes d'angle. La travée avait subi en tout cas un gros déversement, qui a contraint d'épauler, du côté de la nef, les murs de l'arcade occidentale par deux fortes «augives» avec fruit. Les deux chapelles qui s'ouvrent latéralement sur elle sont voûtées, au Sud, d'ogives chanfreinées; au Nord, d'ogives moulurées d'un cavet. Cependant, le retour des impostes romanes de l'arcade méridionale de la croisée sur ce qui constitue aujourd'hui le mur Nord de la chapelle donne bien à supposer qu'avant elle déjà, cette travée s'ouvrait sur un croisillon : indice confirmé par le fait qu'au Nord, les impostes correspondantes ont été écornées pour permettre d'insérer les consoles d'angle sculptées qui reçoivent les nervures d'ogives; ces culs-de-lampe ne sont d'ailleurs dénués ni de pittoresque, ni d'intérêt archéologique : bustes humains grossiers et grimaçants, visage féminin encapuchonné, dont la facture dénote le XVe siècle; la clé de voûte est décorée d'une couronne de torsades circonscrite par une roue creusée de spires hélicoïdales. Les consoles de la chapelle méridionale sont beaucoup plus sobres; trois sont nues, la quatrième sculptée d'un masque grotesque; la clé de voûte est ornée d'armoiries qui ont été identifiées comme celles de la famille de Pelly.

L'abside, moins large que la travée qui la précède, est voûtée d'un cul-de-four en plein cintre, comme l'absidiole, et dépourvue de tout ornement (pl. 81); des trois fenêtres qui l'éclairent, seule celle de l'axe est en plein cintre, les deux autres, en cintre brisé, ont peut-être été remaniées à l'époque gothique; il n'y a d'ébrasements qu'à l'intérieur. L'aspect extérieur est massif, avec de puissants contreforts «augifs» qui ne font défaut qu'au chevet. Le clocher carré couvre exactement la croisée (pl. 80). Au-dessus d'un soubassement nu, l'étage du beffroi est souligné par un cordon horizontal boudiné; les faces Est et Ouest sont ajourées de baies géminées en plein cintre, dont deux colonnettes à tailloir unique reçoivent les retombées médianes; leurs chapiteaux sont sculptés de feuillages aux volutes vigoureuses, qui semblent dénoter la première moitié du XIIe siècle, et confirmeraient en ce cas le soupçon que la voûte d'ogives de la croisée n'est pas primitive. Au Nord comme au Sud, une réfection de date inconnue a substitué à ces supports harmonieux des pilastres que surmontent de simples impostes moulurées en cavet. Telle quelle, il est sûr que, dans des provinces aussi riches en matière romane que la Provence, l'Auvergne ou la Saintonge, l'église de Desingy passerait presque inaperçue. Mais, selon l'image des humbles bijoux populaires des hautes vallées de la montagne, et jusqu'au triomphal épanouissement de leur art baroque, la Savoie n'offre que ce qu'elle possède, et ce surtout qu'elle a su conserver : la croix que l'église étend au-dessus des champs durement conquis sur la «teppe» et les éboulis, le cœur avec lequel, non seulement elle entretient ses sanctuaires, mais assure aussi leur garde afin que, autant qu'il est possible, ses églises demeurent ouvertes et vivantes : avantage aujourd'hui inappréciable, moins encore pour l'archéologue que pour le chemineau passant, car le pauvre sait trouver en elles, comme hier il en était partout, le réconfort d'une fidélité, d'une familiarité, d'une fraternité qui, bien avant la fameuse devise du «Bicentenaire», était celle de l'âme chrétienne, «pour ici-bas et pour là-haut». Que celui qui, pièces et «preuves» en main, se ferait fort de démontrer le contraire veuille bien s'avancer!

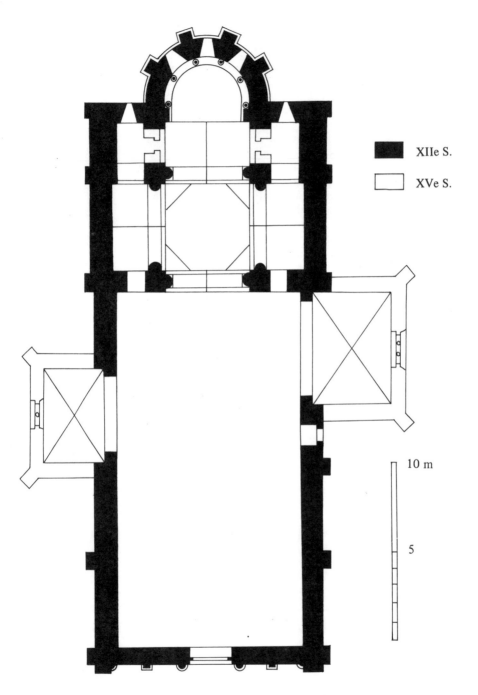

XIIe S.

XVe S.

10 m

5

SAINT-PAUL-DE-VARAX
(d'après J. Vallery-Radot)

Retour à la plaine de Dombes, fière de son plus beau fleuron roman qui est l'église de Saint-Paul-de-Varax! Relais privilégié sur le grand chemin de Bourg à Lyon, par sa position sur une terrasse sèche investie des premiers étangs de la Dombes, la *villa* de Saint-Paul était dite «en Bresse» en l'an 1103 : à la vérité, la limite des deux provinces est restée longtemps indécise. Au civil, Saint-Paul relevait de la seigneurie, puis comté de Varax dont le château de briques, l'un des plus beaux de la région, existe encore à peu de distance à l'Est, mais bien visible seulement de la route secondaire reliant Saint-Paul à Dompierre-sur-Veyle. Selon la Topographie historique du département de l'Ain, c'est en 1103 que l'archevêque de Lyon Hugues Ier la remit au chapitre de la collégiale Saint-Paul; c'est donc, selon toute vraisemblance, à cette communauté que doit être attribuée l'initiative de la construction de l'église actuelle, probablement au terme de la première moitié du XIIe siècle.

En plan, puisqu'il s'agit surtout d'architecture dans ce chapitre, l'édifice est constitué d'une nef unique, sur laquelle vinrent s'accrocher au Nord et au Sud deux chapelles gothiques rectangulaires, et d'un ensemble oriental d'une particulière originalité. C'est de l'intérieur seulement que l'on s'aperçoit qu'il est composé de plusieurs éléments, si étroitement imbriqués et solidarisés qu'ils s'inscrivent dans un périmètre presque rigoureusement carré, d'où n'émerge que l'abside. En fait, s'y succèdent d'Ouest en Est trois membres distincts : un transept en très légère saillie sur la nef, une courte travée de chœur de même largeur flanquée de bas-côtés que terminent à l'Est, non pas, comme on s'y attendrait, des absidioles semi-circulaires, mais des murs droits, et une abside enfin, dont une galerie d'arcatures rétrécit un peu le pourtour par rapport à la travée droite. La nef communique avec les croisillons par des passages en plein cintre, hauts mais très étroits (pl. 91), que certains archéologues s'obstinent à qualifier de «berrichons», alors que des exemples s'en observent dans bien d'autres régions : le plus proche est celui de Saint-André-de-Bâgé (v. *Franche-Comté-Bresse romane*, plan p. 314). Mais, regardant mieux, l'on s'aperçoit qu'il s'agit ici, plus encore qu'en la belle église bressane, d'un principe constructif délibéré d'encagement du clocher à l'intérieur d'un volume orthogonal plus large, de telle sorte qu'il est possible de tourner ou de processionner autour des quatre faces de cette souche carrée; techniquement, la rationalité d'un tel système est parfaite. Les quatre arcades délimitant cette pseudo-croisée sont en cintre brisé de profils excellents; celles du Nord, de l'Est et du Sud ne sont doublées qu'à l'intérieur; seule, celle de l'Ouest l'est également du côté de la nef. Les piles qui les reçoivent sont toutes quatre de même type : un noyau carré, auquel s'adosse une demi-colonne recevant le rouleau interne de l'arcade correspondante, par l'intermédiaire de chapiteaux sculptés; une base de colonne est, par exception, décorée de rinceaux. Une coupole octogonale sur trompes, soulignée d'un bandeau, couvre le carré; les croisillons sont voûtés, eux, de berceaux brisés transversaux, la travée droite et ses collatéraux, de berceaux longitudinaux de même profil, l'abside d'un cul-de-four brisé. Une galerie de cinq arcatures en plein cintre, portées sur un bahut, ceint le pourtour; les deux extrêmes sont aveugles, les trois autres, de diamètre un peu plus grand, encadrent les fenêtres au fort ébrasement intérieur. Les colonnettes rondes qui les reçoivent sont couronnées de chapiteaux de feuillages refouillés, dont la facture évoluée contribue à une datation relativement tardive. Dans l'ensemble, le traitement de cet artifice est moins riche et décoré qu'en d'autres églises de la Dombes, plus simple aussi qu'à Saint-André-de-Bâgé; une seule des bases de colonnettes est ornée de rosaces juxtaposées et enrubannées, dont les cercles sont forés de trous.

La façade exceptée, l'extérieur peut être rapidement décrit dans l'extrême simplicité de ses volumes. Joliment implantée sur sa terrasse d'herbe, au point le plus élevé du village, l'église est essentiellement «maçonnée de cailloux et de mortier béton (*sic*)», mêlés de «quelques zones de moellons, de briques et de tuileaux» (rapport de l'architecte Darme, 1853, cité par J. Vallery-Radot, *Congrès archéologique de Lyon-Mâcon,* 1955). Des contreforts à glacis épaulent aussi bien la nef que le transept et l'abside; le clocher octogonal est moderne. Mais le regard est attiré d'emblée par la façade remarquablement appareillée, et dont la composition n'a pas d'équivalent dans la région, hormis, peut-être, le reflet ténu qu'en amorce le portail de l'église de Vandeins, sise un peu au Nord, aux limites de la Dombes et de la Bresse (pl. coul. p. 267).

Sous le pignon beaucoup plus aigu que le toit de la nef s'ouvrent de haut en bas un oculus rond et un jour rectangulaire; mais, d'un contrefort à l'autre, tout le rez-de-chaussée est décoré d'une suite de cinq arcatures dont la médiane, plus haute, enveloppe le portail et son tympan, tandis que les latérales sont aveugles (pl. 82). L'agencement général en est complexe et raffiné. A chaque extrémité et de part et d'autre du portail, les cintres reposent sur d'assez fortes colonnes à tambours; mais, entre elles, les retombées médianes s'opèrent sur des pilastres creusés chacun d'une double cannelure. Le décor des voussures varie lui-même; les quatre arcatures latérales sont simplement moulurées, de l'intérieur vers l'extérieur, par un tore auquel succèdent sans transition un cavet évasé, puis une profonde rainure que des billettes garnissent de place en place; quant à celle du centre, qui fait office de voussure du portail, elle comporte la rainure externe, mais aux moulures nues des cintres latéraux est substitué un élégant décor de fleurons à l'antique. Les supports ont des bases attiques, posées sur des socles orthogonaux, et sont coiffés de chapiteaux dont la plupart, à la différence de ceux de l'intérieur, sont historiés. Deux colonnettes plus minces s'insèrent en outre de chaque côté de la porte, l'une, cannelée, à gauche, l'autre, torsadée, à droite; romanes de toute évidence, elles soutiennent les extrémités du faux linteau, pénétré lui-même d'un arc surbaissé, qui fut maçonné à l'époque gothique pour consolider d'urgence le linteau du XIIe siècle menacé de fracture.

L'élément le plus singulier, dans le milieu roman de cette zone des confins de la Bourgogne et du Lyonnais, est constitué par la frise horizontale qui court à la base des cintres d'un bord à l'autre de la galerie d'arcatures, complétant ainsi et élargissant l'important décor sculpté du tympan et du linteau. A son propos, J. Vallery-Radot trouvait seulement à dire que la qualité de cet ensemble, «qui contraste avec la nudité des façades des autres églises de la Dombes, s'explique par l'illustre patronage de cette église de campagne (sic), qui dépendait du chapitre de Saint-Paul de Lyon». D'autres, et J.C. Collet en particulier, n'ont pas manqué d'évoquer la parenté frappante de la façade avec celles de certaines églises saintongeaises; mais le jeune archéologue vaudois signale non moins justement que, dans le voisinage, celle de Saint-André-de-Bâgé témoignait «d'un souci de composition et d'harmonie» comparable, mais, obtenu, il est vrai, par des modes assez différents de panneaux cloisonnés et de festons de type «lombard». Secondairement, et sans quitter la région envisagée, on pourrait y ajouter le fronton de façade de l'église de Salles-en-Beaujolais, dont le pignon à deux pentes est souligné par un feston de même origine, mais dégénéré, et que divisent, sous un oculus percé bas, d'abord deux assises saillantes de pierres plates, puis un cordon de même allure que celui du pignon et traversant toute la façade; les petits cintres n'y sont pas, selon le système traditionnel, appareillés, mais creusés chacun dans une dalle unique. Deux pilastres verticaux, ouvragés de rosaces à quatre pétales qu'encadrent des carrés tressés et des trèfles à quatre feuilles coupés par les bordures de losanges, s'en détachent pour rejoindre les pilastres cannelés délimitant le portail, par l'intermédiaire de cordons décorés qui prolongent latéralement les tailloirs des chapiteaux de feuillages; ils sont eux-mêmes couronnés de chapiteaux à spires opposées, dont celui de gauche reproduit presque exactement le thème de la voussure en plein cintre. Sous le feston cintré les relie une bande d'oves enrubannés qui appartient tout à fait au répertoire décoratif clunisien.

La Dombes ne comptant pas au nombre des grands foyers de la sculpture romane, les archéologues se sont ingéniés à rechercher les «influences» qui ont pu inspirer l'ensemble de celle de Saint-Paul-de-Varax. Avec assurance, un de leurs chefs de file, M. Vallery-Radot, professait qu'au même titre que le portail de l'église de Vandeins, le tympan de Saint-Paul «trahit une empreinte très nette de l'art du Brionnais», et allait jusqu'à émettre l'hypothèse que «certains morceaux de la sculpture de la Dombes... ont peut-être été sculptés avant la pose et importés tels quels de cette région» (*ibidem,* p. 255). Appelant pêle-mêle à la rescousse les tympans «de Charlieu, de Saint-Julien-de-Jonzy, d'Anzy-le-Duc, de Perrecy-les-Forges et de Montceaux-l'Étoile», comme s'ils constituaient une entité unique, «il est clair, conclut-il, que le portail de Saint-Paul-de-Varax appartient sans aucune hésitation au cycle des beaux ensembles bourguignons qui viennent d'être énumérés»; et Jean-Claude Collet, sans hésiter davantage, emboîte le pas. Ceux qui ont passé une bonne part de leur existence à mettre en valeur le foyer d'art roman du Brionnais, son originalité par rapport à Cluny, les aléas de son éclosion, de son épanouissement, de son évolution mouvementée, ne peuvent que se réjouir de tels jugements, tout en se demandant avec une certaine inquiétude si, finalement, leur mariée ne serait pas un peu trop belle, et si ce n'est pas, de quelque manière, outrager à la fois la création brionnaise et les expressions de la sculpture romane à l'Est des monts beaujolais que d'y reconnaître «cette chaîne de portails romans bourguignons qu'on peut suivre du Brionnais jusqu'au fond du Bugey, à Nantua, à travers la Dombes». On tâchera de discuter dans un instant la part de rêve qu'implique l'évocation de cette route inattendue et à sens unique. A l'usage du touriste, on se contentera, pour le moment, de citer les principaux éléments d'une iconographie à laquelle ce n'est pas faire injure que de constater qu'elle est à la fois prolixe et généreuse, copieusement assortie de pseudo-commentaires explicatifs à la mode du XIIᵉ siècle lettré et déclinant, et d'un décousu d'autant plus impressionnant que les divers épisodes en sont parfaitement lisibles.

En simplifiant les choses, on les ramènerait à trois cycles, présentés dans l'ordre le plus fantaisiste : biblique (vétéro et néo-testamentaire), eschatologique, paulinien enfin.

1) Le premier chapitre de cet abrégé catéchétique est à rechercher, solitaire, parmi les chapiteaux qui surmontent les arcatures de la droite du portail. Alors que, de droite à gauche, se succèdent une gueule de monstre de laquelle s'échappent deux volatiles (?) à queue de serpent, puis une belle corbeille d'acanthe, c'est la Tentation d'Adam et d'Ève qui apparaît sur le chapiteau soutenant, de ce côté, la voussure centrale (pl. 84). La suite immédiate, par-dessus tout l'Ancien Testament, est représentée au chapiteau du pilastre cannelé de l'arcature de gauche, en trois tableaux successifs : la Nativité, dont le placement rappelle celui, correspondant, de l'autel d'Avenas, l'Adoration des mages (pl. 83), et, enfin, un roi assis qui donne un ordre à un personnage assis tenant un glaive en pal (l'exécution des Saints Innocents ?).

2) De là, on passe à cette conclusion triomphale de l'histoire du Salut qui conjoint, dans une pensée unique et comme en raccourci, l'Ascension présentée au linteau du portail – Apôtres et Vierge Marie – et le Christ siégeant en gloire dans une mandorle que deux anges soutiennent, tel qu'il est sculpté au tympan (pl. 85). Il ne conviendrait pas de rechercher dans les inscriptions gravées en capitales autour du tympan d'une part, à la base du linteau de l'autre, une exégèse quelconque des scènes figurées. La première rappelle seulement les multiples patronages sous lesquels l'église de Saint-Paul-de-Varax avait été placée : «Au nom de Notre-Seigneur Jésus-Christ et en l'honneur de la Bienheureuse Vierge Marie, de saint Paul apôtre, et de tous les saints de Dieu». La seconde contient, en vers léonins desservis par une graphie barbare, la recommandation faite au fidèle de n'entrer dans un tel lieu que purifié de ses péchés ; des avertissements du même ordre sont inscrits aux portes d'autres églises, Vandeins, la cathédrale du Puy elle-même : «Si ceux qui entrent mêlent les larmes à leurs prières, la grâce avec le pardon les comblera à leur sortie». Dans le cadre supérieur du linteau sont gravés les noms de quelques-uns des témoins de l'Ascension ; trois d'entre eux tiennent, soit un livre ouvert sur l'inscription D E I (Matthieu ?), soit sur le mot VERB(UM ?) (Jean ?), soit sur les trois lettres inintelligibles MVE ou NVE.

La frise de droite est tout entière consacrée au Jugement, et plus restrictivement, par le fait d'une interprétation janséniste avant la lettre, aux damnés, qui occupent ici, oserait-on le dire, les places d'honneur, et en tout cas la plus grande surface ! De gauche à droite se voient deux démons conduisant chacun un damné enchaîné (pl. 86), puis un ange au geste décidé, qui, brandissant son glaive, isole du lot un groupe encore tout apeuré d'élus à la panse rebondie, et un démon enfin qui, en une belle cadence diagonale, pousse dans la gueule du Léviathan trois autres pécheurs qui n'ont trouvé «ni grâce, ni pardon» (pl. 87).

3) Pour faire en quelque sorte pièce à ces terrifiantes images, la frise de gauche raconte quelques épisodes de la vie de saint Paul, plus prenante dans sa véridicité, confirmée pas à pas par les exégètes, que les romans d'aventure les plus échevelés de tous les temps. Le foudroiement de Saul de Tarse sur le chemin de Damas est raconté à l'extrême droite (pl. 89) ; le futur apôtre des Gentils gît par terre, la main droite à plat, la gauche posée sur le genou ; une énorme main de Dieu jaillit d'un triple ruban de nuées ondées et forées au trépan. Il faut passer ensuite à l'extrême gauche pour découvrir la deuxième scène chronologique, soit la comparution du nouveau converti et de Simon le Magicien devant Néron, puis la chute de Simon précipité du ciel où il tentait de s'élever, dans une complète désarticulation de ses membres et appareils de vol (pl. 88). Il faut revenir à la section de droite de la frise pour lire successivement la condamnation de Paul par l'empereur siégeant en justice, puis son exécution, représentée dos à dos avec l'épisode du chemin de Damas, et boucler ainsi la boucle iconographique (pl. 89).

C'est certainement une autre main qui, pour faire en quelque sorte bonne mesure, a adjoint au cycle paulinien, dans une facture plus experte et avec un sens de la construction très supérieur, la jolie et pittoresque représentation du voyage qu'entreprit à travers le désert d'Égypte saint Antoine afin d'y rencontrer son confrère en retraite érémitique, qui portait le même nom que l'apôtre Paul sans avoir naturellement le moindre lien avec lui ; comme il risquait de s'égarer, la Providence des marcheurs lui dépêcha tout à point un chèvre-pied qui, obligeamment, s'offrit à le guider (pl. 90). Pour camper cette aventure pittoresque, le sculpteur a saisi l'occasion que lui offrait la petite porte ouverte dans le mur Sud de la nef, à l'angle de la chapelle latérale. Il a remarquablement exploité le champ semi-circulaire du tympan ; les deux personnages, légèrement inclinés l'un vers l'autre, l'ermite, reconnaissable à son bâton de marche (la tête manque), et le faune qui, de la main gauche tendue à bout de bras, désigne l'itinéraire, sont séparés et encadrés par trois essences d'arbustes très différentes, et qui donnent une idée avantageuse de la fertilité de ce désert-là. A droite, ce sont de plantureuses ramures ondulées, dont les prototypes lointains pourraient être les arbres sculptés en fort relief, et plus

vigoureusement encore, sur le fameux chapiteau clunisien des Fleuves du paradis ; à gauche, d'une tige ondulant en sens inverse se recourbent gracieusement deux palmettes opposées. Au centre, s'élève un tronc très droit et haut, à l'écorce striée, chargé d'une triple rangée de branches et de feuillages. Un rang de demi-disques sépare le tympan d'une voussure non saillante, mais remarquablement clavée, aux sommiers de laquelle ne manque pas même un redent destiné à assujettir ceux du tympan lui-même par un raccord en baïonnette jointive. Trois gravures au trait délimitent deux bandes semi-circu-laires ; un épigraphiste avait commencé de graver un A sur l'externe, puis, changeant de parti, a inscrit sur l'interne, en superbes capitales, la totalité du distique léonin d'une parfaite banalité qui authentifie la scène :

ABBAS QUEREBAT
PAVLV (M),
FAVN(VS)Q(VE) DOCEB(AT)

La confusion des deux « Paul » est-elle vraiment involontaire ? On penserait plutôt à un rappel délibéré, de la part du sculpteur ou de son commanditaire, que Paul de Tarse n'était pas le seul des saints à porter ce nom, et la vogue de l'érémitisme, telle qu'on la voit refleurir dès le XIe siècle, dans les textes et dans les faits, fournirait un complément d'explication particulièrement adéquat au site de l'église et du bourg : de leur perchoir, tandis que les routiers d'Alémanie marchant vers Le Puy, les Alyscamps d'Arles et les sanctuaires languedociens défilaient devant la grande fresque en relief de la façade et se réconfortaient un moment des encouragements au bien qu'elle leur avait prodigués, la vue régnait sans partage, au Nord, à l'Ouest, au Midi, sur les déserts de la Dombes où miroitaient à l'infini les étangs sous les ciels parcourus de vols d'oiseaux ; à l'Est, l'arrêtait la ligne sombre de la profonde forêt de Seillon, propice entre toutes à l'établissement des moines-ermites de Chartreuse : *O beata Solitudo, o sola Beatitudo !*

L'église abbatiale de Belleville exceptée, il n'existe des monts du Beaujolais et du Lyonnais à la Savoie pas plus d'églises romanes à multiples absidioles échelonnées, selon le plan qualifié bien à tort de bénédictin, que de chevets à déambulatoire et chapelles rayonnantes : le premier de ce type qui apparaisse dans l'aire considérée est, on le sait, celui de l'abbatiale des chanoines réguliers d'Abondance en Chablais, qui ne remonte qu'au XIIIe siècle. Mais, en la collégiale Saint-Nicolas de Beaujeu, le plan, dûment expérimenté déjà, d'un transept s'ouvrant, à l'Est, sur une abside principale flanquée d'absidioles est porté à une espèce de perfection, grâce, non seulement à l'insertion d'une travée de chœur pourvue de collatéraux, mais à l'aisance, d'une réelle ampleur et d'une souple aération, avec laquelle le système a été traité. Beaujeu relevant sous l'Ancien Régime du diocèse de Mâcon, Jean Virey n'a pas manqué, avec quelques restrictions imméritées, d'en signaler le mérite monumental, et le grand historien du Beaujolais, Mathieu Méras, de montrer la place que le monument tient dans l'histoire de cette seigneurie, appelée ainsi que nul ne l'ignore à un destin royal.

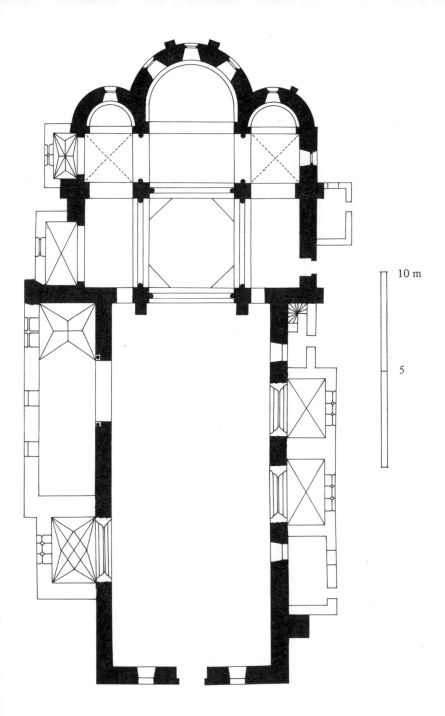

10 m

5

BEAUJEU

Le site dans lequel l'édifice s'enclôt ajoute encore à son intérêt monumental. Ici, le rempart oriental des monts du Beaujolais, quasiment compact depuis la profonde percée de l'Azergues, sensiblement plus au Sud, s'y échancre d'une profonde entaille qu'a creusée le torrent de l'Ardières descendu des flancs du mont Saint-Rigaud, entre les môles granitiques du Tourvéon d'une part, de Rochefort le bien nommé de l'autre. L'opposition entre les deux mondes qui se partagent le Beaujolais de la vigne et celui de la forêt coupée de pâturages est immédiate. A l'Est, le vignoble qui laisse jusqu'au début de l'été transparaître la douce couleur du grès rose tapisse uniformément les versants bien exposés au soleil du matin, ainsi qu'il sied; il descend de ce côté jusqu'à frôler la plaine, soudain revigoré par la motte isolée de Brouilly qui, émergeant d'elle comme un récif en pleine mer signalé par la chapelle construite à son sommet, porte un cru réputé. A l'opposé, il vient lécher les premières maisons de la petite ville et l'enveloppe comme d'une tenaille. Mais, sans transition, les lopins s'arrêtent sous le pied même des dômes forestiers où stagne l'humidité permanente, et qui protègent le royaume des «alpes» beaujolaises, ainsi que le désigne fièrement un texte du XIIᵉ siècle. Avec les pâturages d'altitude, qui ne se décident que tardivement à se dévêtir de leur manteau roussâtre du printemps, les landes de genêts où l'on croirait, le crépuscule venu, voir danser les korrigans, les hautes futaies que hante le souvenir de Ganelon, le contraste est saisissant, et sa jointure s'opère exactement sur la vieille ville sinueuse aux toits mordorés, entre chaque degré de cet ample escalier, grimpant de la vie roulante et trépidante que l'hiver lui-même n'arrête pas le long du sillon de la Saône, des mouvements joyeux dont s'animent en toute saison les versants viticoles, jusqu'à ces hautes solitudes exposées aux bourrasques, où les fermes dispersées semblent vouloir s'enfoncer dans la roche qui les protège; mais transfigurées soudain, par les jours limpides de l'hiver, lorsque, par-dessus la nappe de brouillards opaques qui tapisse les fonds et qu'agitent des remous, elles émergent comme des cristaux et dialoguent à travers l'éclat coupant du ciel avec les crêtes du Jura qui paraissent alors toutes proches, le Mont-Blanc trônant sur elles comme un Bouddha : spectacle et impression quasiment mystiques que leurs bénéficiaires occasionnels n'oublieront jamais plus.

Apparus vers la fin du Xᵉ siècle, les seigneurs de Beaujeu semblent être rapidement descendus, selon M. Méras, de leur *castrum* du Tourvéon pour s'établir sensiblement plus bas, au défilé de *Pierre Aiguë* d'où le contrôle de la plaine leur était plus facile; l'importance du site et de sa nouvelle fondation est signifiée par deux actes successifs de la fin du XIᵉ siècle. Durant l'épiscopat de Dreux ou Drogon, évêque de Mâcon, et plus exactement encore entre 1004 et 1070, l'église appartenant au château, et placée sous le vocable de Notre-Dame, était érigée au rang de collégiale; ses autels furent consacrés le 8 décembre 1078 (date rétablie par M. François Villard) par le légat du pape, Hugues de Die, l'archevêque de Lyon et l'évêque de Mâcon. En 1095, la bulle par laquelle le pape Urbain II délimitait le «ban» inviolable de Cluny cite expressément «l'estrée» par laquelle on va à Beaujeu, et qui n'était autre que la «voie romaine(?)» de *Ludna* (Sud de Belleville) aux Angerolles (aujourd'hui Pari-Gagné), maintes fois citée par la suite sous les noms de «grand chemin» ou de «levée» de Cluny à Beaujeu par Ouroux;

c'est la preuve, apparemment irréfutable, que dès cette date, Beaujeu avait soutiré à son profit le terme traditionnellement assigné à cette voie antique, soit la chaussée Agrippa suivant le cours de la Saône.

L'église Notre-Dame a disparu; mais, en 1132, le pape Innocent II consacrait, sous le vocable de Saint-Nicolas, la nouvelle église paroissiale du bourg: autre indice de l'importance que celui-ci s'était acquis entre-temps. Les caractères archéologiques du monument s'accordent tout à fait avec cette date. En plan, l'église se compose d'une nef unique, que sont par la suite venues augmenter des chapelles latérales, tant au Nord qu'au Sud, engendrant une dilatation du volume externe qui alourdit quelque peu la silhouette, d'un transept primitivement saillant, mais au croisillon Nord duquel a été accolée une autre chapelle, et d'un chœur enfin, constitué ainsi qu'il a été dit d'une travée médiane flanquée de bas-côtés et close par une abside semi-circulaire qu'accostent deux absidioles de même plan.

La nef, relativement large, n'a jamais été que plafonnée: au Nord s'ouvrait sur la rue sa porte principale, cantonnée de deux colonnettes à chapiteaux de feuillages, qui sert aujourd'hui d'accès à la seconde chapelle latérale. Avec les croisillons du transept, elle communique par deux passages étroits en plein cintre, qui appellent immédiatement la comparaison avec ceux de Saint-André-de-Bâgé et de Saint-Paul-de-Varax, mais le programme de l'ensemble oriental est ici d'une autre ampleur, et de portée en quelque manière conclusive. Quatre arcades en cintre brisé délimitent ou, si l'on préfère, encagent la croisée du transept supportant le clocher; toutes sont doublées, et leurs rouleaux intérieurs reposent sur des demi-colonnes adossées aux faces correspondantes des piles à noyau carré; du côté de la nef, ces deux supports sont en outre épaulés par des contreforts épais, auxquels font un peu penser les «augives» appliquées aux parois occidentales de la travée sous clocher de l'église de Desingy; mais, à Beaujeu, ces renforts paraissent bien d'origine, et ne nuisent pas du tout à l'impression aérée, légère et élancée de cet ensemble d'un seul tenant, dont l'aisance et les multiples dégagements devaient servir en premier les fastes de la liturgie traditionnelle.

Une coupole octogonale sur trompes couvre la croisée (pl. 92), tandis que les croisillons sont voûtés de berceaux brisés, suivant le dessin des arcades qui y introduisent; ils communiquent avec les bas-côtés de la travée de chœur par des arcades de même profil, mais plus petites et nues. Tandis que cette travée est voûtée elle-même en berceau brisé, ce sont des voûtes d'arêtes qui couvrent ses collatéraux; elle communique avec eux par des arcades identiques aux précédentes. Les trois absides sont voûtées de culs-de-four brisés (pl. 93); celui de l'abside a été monté à la même hauteur que la voûte de la travée antécédente, de sorte qu'aucun intervalle de mur nu ne le décroche par rapport à celle-ci. Les pourtours intérieurs des trois absides sont décorés de galeries d'arcatures, selon le type régional le plus usuel, ainsi que l'ont remarqué chacun pour leur part Jean Virey et Jean Vallery-Radot. Mais celle de l'abside principale mérite attention, par sa qualité et les enseignements qu'elle comporte. Plus «lyonnaise» ou «dombiste» que «brionnaise», elle est constituée de cinq arcatures en plein cintre, dont les deux extrêmes sont aveugles, les trois autres encadrant les larges fenêtres. Les quatre pilastres intermédiaires sont sculptés, de la gauche à la droite :

1) de rosaces superposées;

2) d'un personnage nu, purement décoratif, de la bouche duquel s'échappent des tiges de feuillages;

3) de guirlandes fleuronnées;

4) de deux cannelures, dont les plats sont décorés de rinceaux en faible relief.

Par son deuxième pilastre, l'arcature absidale de Beaujeu relève donc d'une série très spéciale à la région lyonnaise; inaugurée à Ainay, celle-ci s'épanouira, on va le voir, dans le fameux pilastre de Sandrans en Dombes. La date de la consécration, que le bonhomme de pierre a pu voir, fournit un repère chronologique tout à fait intéressant, et l'extérieur, le clocher surtout, confirment les assez éclatantes parentés lyonnaises de l'intérieur. Jean Virey avait sans doute l'humeur un peu morose lorsqu'il visita Saint-Nicolas de Beaujeu. Il vit «cette grande église bâtie en quartiers de roches éruptives, noirs, irréguliers, qui donnent à la maçonnerie l'apparence d'un blocage noirâtre noyé dans du mortier» (*Les églises romanes de l'ancien diocèse de Mâcon,* p. 80), alors qu'elle est en réalité vêtue de toutes les gammes polychromes du granit, ocres, rouges, brunes, dans un flamboiement que la chaude lumière beaujolaise transfigure en joyaux de vermeil, et que parsèment seulement ici ou là, comme pour en accentuer le chatoiement, quelques blocs plus sombres. La silhouette extérieure ne trouve pas davantage grâce à ses yeux que l'appareil : elle «n'est guère curieuse, surtout guère homogène»; il est de fait que les adjonctions postérieures ont empâté, ainsi qu'il a été dit, le simple volume de la nef, dont la surélévation à un niveau sensiblement supérieur à celui de la corniche primitive encore visible a atténué l'effet produit par l'amplification de l'ensemble oriental (pl. 94). Bref, concluait bizarrement Jean Virey, l'église «est en somme intéressante parce que la date de sa construction nous est connue» (*ibidem,* p. 80).

On concédera que cette apparence externe n'annonce ni l'ampleur, ni l'illumination intérieure. De «tempérament» tout à fait rhodanien et lyonnais, l'église réserve ses meilleurs trésors à ceux qu'elle admet à franchir sa porte; et c'est déjà, d'autre part, une église de montagne, qui limite au maximum les risques de dégradations locales; ainsi renonce-t-elle aux pignons du transept, dont les toits ne sont que des appentis. La façade occidentale est d'une sévérité telle que Jean Virey refuse de la décrire : une porte en plein cintre, trois baies côte à côte, et un oculus sous le pignon (pl. 94). Le clocher, lui, carré et large, non seulement rachète cette sobriété, mais redresse considérablement la silhouette trapue, puisque la hauteur de la tour est à peu près l'égale de celle du transept qui la porte. Le soubassement, aveugle, est couronné par un cordon mouluré, de même que l'étage moyen, creusé seulement d'une baie en plein cintre par face. Mais l'étage du beffroi, copieusement ajouré, ne comporte pas moins de deux paires de baies jumelles en plein cintre, dont les retombées médianes s'effectuent sur un dispositif tout à fait exceptionnel de quatre colonnettes agencées en losange. Et comme il en était, non loin de là, à Ouroux, deux demi-colonnes sont appliquées aux extrémités de chaque face, une troisième s'insérant entre les deux systèmes de fenêtres. Une flèche moderne à quatre pans couvre la tour. Telle quelle, l'église Saint-Nicolas offre en définitive beaucoup plus qu'un «relais sur la route» (?) conduisant du Brionnais à la Dombes. La vaste, claire, légère et rationnelle composition de son espace oriental (pl. coul. p. 233) marque réellement l'apogée de l'effort permanent d'enrichissement des volumes liturgiques qui rend tellement émouvante, des Alpes de Savoie aux autres «alpes» du granit, la découverte des églises romanes secondaires et instaure de l'une à l'autre une homogénéité certaine d'intention et de vision. L'originalité de la parure sculptée de l'abside, dont on cherche en vain ce qu'elle pourrait devoir au Brionnais, la relie pour sa part aux recherches que, de l'abbatiale d'Ainay à la Dombes, les décorateurs régionaux du XIIe siècle ont conduites avec opiniâtreté pour donner forme nouvelle, plus vigoureuse et plus spécifique, au type traditionnel de l'arcature sur colonnettes nues qui n'a pas de frontières, et offrir de la sorte à l'expansion finale de la sculpture romane une contribution qui soit son propre et qu'aucune autre province de ce temps ne puisse lui disputer.

Saint-Paul-de-Varax
L'église, vue du Nord-Ouest

NOTES SUR

QUELQUES ÉGLISES ROMANES DU LYONNAIS, DE LA DOMBES, DU BUGEY ET DE LA SAVOIE

1 *ALLINGES (LES) (HAUTE-SAVOIE). DE LA DOUBLE FORTE-*resse qui couronnait la butte stratégique des Allinges ne subsistent que des ruines, dont l'archéologue genevois Louis Blondel a excellemment retracé l'histoire. La chapelle castrale, intacte, elle, flanquait au Nord un redent de l'enceinte du «Château Neuf», face au donjon. Elle se compose d'une nef, courte et étroite, et d'une abside semi-circulaire, moins large encore, que Blondel pensait être du XIᵉ siècle, mais qui a été surmontée, au siècle suivant, d'une tour de défense en forme de demi-lune. La nef est voûtée d'un berceau en plein cintre dont un crépi récent masque l'appareil de petits moellons allongés; un cul-de-four de même profil couvre l'abside. Des peintures romanes décorent toute la paroi interne de celle-ci et le mur de raccord avec la nef; sur des fonds superposant, de bas en haut, une bande ocre, une blanche et une verte, qu'encadrent les symboles des quatre évangélistes, inscrits chacun dans un cercle. De part et d'autre, deux séraphins, la Vierge Marie et saint Jean occupent l'espace demeuré libre. Au registre inférieur, les bustes de quatre Vertus, séparées par des décors de grecques, se juxtaposent au-dessus d'une tenture semée de croix; trois d'entre elles sont identifiées par les légendes *Caritas, Humilitas, Paciencia.* Sur le mur de raccordement, du côté Nord, a été dégagée l'image en pied de saint Martin, revêtu d'un costume épiscopal.

Le hiératisme de la construction, les cartouches des Vertus dénotent certes une influence byzantine que tous les historiens de l'art ont relevée, mais M. Clément Gardet allègue en outre des parentés avec Fulda, Naturno, Reichenau. La datation la plus volontiers admise est celle de la fin du XIᵉ siècle; il n'est pas exclu qu'elle soit un peu précoce. De ce «vestige le plus ancien et le plus vénérable de l'art pictural en Savoie» (Clément Gardet), l'on retiendra en tout cas l'originalité, l'aisance et l'équilibre de composition, l'heureuse trouvaille des blancs qui illuminent la pénombre, la maîtrise très sûre des gammes complémentaires, génératrice d'une harmonie et d'une translucidité qui évoque les eaux du Léman tout proche, telles du moins qu'elles étaient autrefois!

2 BOURGET-DU-LAC (LE) (SAVOIE); CRYPTE. LE PRIEURÉ CLUNISIEN *du Bourget fut fondé au XIᵉ siècle sur un domaine du comte Humbert aux Blanches Mains, le fondateur de la dynastie de Savoie. Son église, placée sous l'invocation de saint Maurice, date du XIIIᵉ siècle; au XIVᵉ siècle, le priorat de plusieurs membres de la famille de Luyrieu lui valut d'importants embellissements et la construction, à ses côtés, d'un joli cloître flamboyant. En 1582, le prieuré déclinant passa aux jésuites de Chambéry, qui le conservèrent près de deux siècles.*

Sous le chœur de l'église subsiste une fort curieuse crypte que Camille Enlart assignait à l'époque carolingienne, mais qui doit remonter plutôt à la fondation même du prieuré, et subit d'ailleurs très vite des remaniements qui en altérèrent l'originalité primitive. En plan, il s'agit d'un hémicycle d'assez vastes dimensions, fermé à l'Ouest par un mur droit, à l'exception d'une absidiole creusée dans son milieu, voûtée en cul-de-four et éclairée dans son axe par une étroite baie en plein cintre. A l'opposé, l'hémicycle est prolongé par une absidiole de même figure, qui évoque les dispositifs de la crypte de la cathédrale d'Auxerre et de l'église d'Anzy-le-Duc à ses deux niveaux, ainsi que celui que les fouilles ont exhumé à Charlieu. Primitivement voûté d'un cul-de-four large et bas, il a été après coup (peut-être lors de l'édification de l'église haute) divisé en trois sections, à l'Est par deux pilastres quadrangulaires, à l'Ouest par deux demi-colonnes de fort diamètre, peut-être réemployées de quelque construction romaine. Les faces planes de ces derniers supports regardent la nef centrale. Les trois galeries ainsi déterminées sont couvertes de berceaux en plein cintre rudimentaires, et communiquent les unes aux autres par des arcades en plein cintre.

3 BRISON-SAINT-INNOCENT (SAVOIE). CHAPELLE DE BRISON (ancienne église paroissiale Saint-Pierre). En face de l'abbaye d'Hautecombe, le charmant édicule domine la rive d'*adret* du lac fameux du Bourget; de sa terrasse, la vue rayonne sur la Cluse de Savoie, La Chartreuse, les crêts du Jura bugeyen. Il est constitué d'une nef unique que prolongent à l'Est une travée barlongue, plus étroite, et une abside semi-circulaire, moins large elle-même que la travée. La nef n'est éclairée que par une fenêtre en plein cintre; on y accède par une porte en cintre brisé, percée ou aménagée dans la paroi septentrionale; non voûtée à l'origine, elle a été, à l'époque moderne, divisée en trois travées par une voûte d'arêtes. Elle communique avec la travée de chœur par une arcade en plein cintre, et cette travée est couverte d'un berceau de même profil; elle est éclairée, au Nord, par une baie très ébrasée, dont le linteau rectangulaire est extérieurement gravé d'une accolade. L'abside, voûtée d'un cul-de-four en plein cintre, est éclairée par une unique fenêtre percée au Sud.

A l'extérieur, nef et travée ne composent qu'un seul volume rectangulaire; sur le pignon du mur de raccord avec l'abside en hémicycle, que couvrent des dalles en escalier, a été monté un clocheton à arcade unique que coiffe un pavillon à quatre pans.

4 CHARNOZ (AIN). EN CONTREBAS DE LA VIEILLE VILLE DE PÉrouges, le village de *Charnoz* s'est établi sur les premières pentes de la « côtière » d'Ain, presque au bord de la rivière qui partage en deux la plaine ingrate et broussailleuse de la Valbonne. La monographie minutieuse que Jean Giraud avait consacrée à son église a été publiée en hommage posthume, par la revue Visages de l'Ain en septembre-octobre 1974. Placé sous le vocable de l'Assomption, relevant de l'abbaye d'Ambronay, puis passé en 1515 à la

nouvelle collégiale de Meximieux, ce sanctuaire se compose d'une nef dont les murs, selon l'archéologue burgien, sont romans, d'une travée sous clocher et d'une abside semi-circulaire voûtée d'un cul-de-four, mais dépourvue de la galerie d'arcatures qui décore le pourtour interne de la plupart des absides romanes de la Dombes. L'élément archéologiquement le plus intéressant est sans conteste la travée de chœur, que coiffe une coupole sur trompes de structure originale. A chacun des quatre angles, le cordon semi-circulaire qui souligne le cul-de-four de la trompe est soutenu par une colonnette portée elle-même sur une console de section triangulaire, et surmontée d'un chapiteau faiblement sculpté. Ce genre de tablettes horizontales est familier aux coupoles des églises auvergnates, mais la colonne d'appui des trompes est tout à fait exceptionnelle : Jean Giraud ne retrouve de supports analogues qu'en l'église clunisienne de Ruoms en Vivarais, où ils ont d'ailleurs disparu, et en l'abbatiale cistercienne de Sénanque, où les colonnes ont fait place à des pilastres cannelés; le dispositif des trompes de la crypte de la chapelle Sainte-Blandine de Lyon en constitue sans doute le prototype le plus direct (cf. ci-dessus p. 85). De toute manière, le rapprochement est éloquent.

5 CHAVEYRIAT (AIN). DÈS LES PREMIÈRES ANNÉES DE LA fondation de Cluny, l'église Saint-Jean-Baptiste de Chaveyriat fut donnée à cette abbaye, qui y fonda un prieuré, élevé au début du XIIe siècle, sinon déjà auparavant, au rang de doyenné rural. Romane, l'église n'a survécu qu'amoindrie : avant la Révolution, sa nef unique, large, débouchait sur un transept peu saillant, mais sur chaque croisillon duquel était greffée, à l'Est, une absidiole semi-circulaire flanquant la travée droite du chœur, close elle-même par une abside en hémicycle que couvre un cul-de-four en plein cintre. Croisillons et absidioles ont disparu : d'où le chœur actuel, introduit par une arcade en plein cintre, produit une impression d'étirement encore accentuée par sa largeur relativement faible. L'arcature absidale est, en cette zone de confins, l'une des plus belles de toute la Dombes; selon un type volontiers usité dans la région du Rhône moyen, les arcs y reposent, par l'intermédiaire d'un unique tailloir mouluré en doucine, sur un massif constitué d'un pilastre cannelé que flanquent deux colonnettes en délit; celles-ci sont surmontées de chapiteaux sculptés de sujets animaux [aigles (pl. 118), lions (pl. 115)] ou humains qui comptent eux-mêmes parmi les plus beaux, les plus vigoureux et les plus accomplis de toute la région.

6 CONDEISSIAT (AIN). A LA POINTE SEPTENTRIONALE DE CETTE CAmargue en réduction qu'est le pays de la Dombes aux étangs, l'église des Saints-Julien-et-Laurent de Condeissiat, qui relevait sous l'Ancien Régime du *prieuré lyonnais de la Platière, se signale de loin par son haut clocher octogonal (moderne, sur une souche romane carrée), que coiffe une flèche domicale annonciatrice de la Franche-Comté proche. Trois volumes le composent : une large nef unique, qui s'ouvre par un portail en partie sculpté, décrit ci-dessus (p. 340), une travée sous clocher et une abside en hémicycle. Exceptionnellement, la travée de chœur n'est pas, ici, couverte d'une coupole, mais d'un berceau brisé qui repose, au Nord et au Sud, sur deux arcs de décharge creusés dans la paroi. L'abside est voûtée d'un cul-de-four brisé que souligne un cordon chanfreiné ; son pourtour intérieur est agrémenté d'une galerie de cinq arcatures en plein cintre, que reçoivent des colonnettes surmontées de chapiteaux sculptés ; les bases, complexes, sont parfois décorées d'oves (première base Sud, et base correspondante au Nord).*

7 ILE-BARBE (L') (LYON 9). LES VESTIGES DE LA PUISSANTE ABbaye de l'Ile-Barbe étant inclus dans des propriétés privées, l'on s'abstiendra de les évoquer ici, à l'exception de la *chapelle de Sainte-Marie-Madeleine*, dont les peintures murales, dégagées en 1972, ont donné lieu à un article substantiel de Mme Cottinet-Bouquet (*Bulletin archéologique*, année 1979, publ. 1982). Prolongeant une nef rectangulaire, son abside en hémicycle, plus étroite et voûtée d'un cul-de-four très aigu, est en effet décorée d'un ensemble iconographique daté par cette archéologue de l'extrême fin du XIIe siècle ou des premières années du XIIIe, que complétaient des figures, aujourd'hui très dégradées, peintes sur la surface du mur de raccord. Au cul-de-four siège en majesté le Christ bénissant, à l'intérieur d'une mandorle dont la pointe supérieure dessine, prophétiquement, une accolade ; sur son visage passe à l'évidence un reflet du prestigieux Christ de Berzé. Sur le pourtour absidal se succèdent de gauche à droite, en ordre quelque peu dispersé, un groupe de trois saints anachorètes, deux femmes et un homme : Thaïs, Zosime, Marie l'Égyptiaque ; sur les ébrasements de la fenêtre Nord, deux bustes féminins très marqués de byzantinisme ; puis l'Apparition du Christ à Marie-Madeleine ; sur les ébrasements de la fenêtre axiale, deux personnages en pied (Saintes Femmes ?) ; à leur droite, sainte Marie-Madeleine, patronne de la chapelle, et sainte Marthe, dont les silhouettes évoquent quelque peu les suivantes de l'impératrice Théodora de Ravenne. Du dernier panneau, à droite de la fenêtre Sud, ne subsistent que «des fragments inidentifiables», comme il en est des peintures du mur de raccord. Selon Mme Cottinet, «Byzance et l'Italie paraissent le tronc commun» de ces œuvres, où fourmillent «des analogies», mais qui ne se rattachent, peut-être en raison de leur date, à aucun ensemble régional connu, Saint-Chef, Berzé, voire Les Allinges. «La douceur équilibrée des teintes, elle, s'adapte au paysage ambiant, transition

entre la Bourgogne et le Midi», dont cette historienne a eu tout le loisir d'apprécier le charme.

8 ILLIAT (AIN). A LA NOMINATION DE L'ARCHEVÊQUE DE LYON, *l'église d'Illiat, implantée au sommet d'une terrasse limoneuse de la Dombes occidentale, s'impose assez peu de l'extérieur, mais, bien lyonnaise, révèle à qui prend la peine d'en pousser la porte des trésors inattendus. Porche, nef et clocher sont modernes, mais la travée de chœur, de plan carré, et l'abside semi-circulaire, un peu moins large, relèvent de la bonne période romane. Introduite par une arcade en plein cintre, la travée est couverte d'une voûte d'arêtes ; l'abside, voûtée d'un cul-de-four en plein cintre, a son pourtour creusé d'une galerie de sept arcatures portées sur un bahut élevé et reçues par des colonnettes en délit. Les chapiteaux sont vigoureusement et pittoresquement sculptés : il s'y voit notamment une sirène à queues, et deux masques, l'un animal, l'autre humain, remplissant toute la corbeille ; les bases sont elles-mêmes ouvragées. Dans les fonds des quatre arcatures aveugles (les autres encadrent des fenêtres en plein cintre), la restauration récente a dégagé les vestiges de peintures qui sont de toute évidence romanes : au Nord, un saint auréolé, auquel font suite, de la gauche à la droite, un personnage (?) détaché sur un fond superposant bande sombre et faux appareil peint, puis une belle image en pied de la Vierge Marie, et un personnage assez dégradé enfin. Jusqu'à nouvel ordre, ces peintures sont les seules que la Dombes conserve du XIIe siècle.*

Il revient à dom Angelico Surchamp d'avoir découvert que la crédence horizontale scellée dans le montant de l'arc triomphal, à droite, était en réalité un autel roman, petit, mais de taille très fine et de forme rectangulaire. La face supérieure de cette table est creusée (afin d'éviter que toute parcelle eucharistique ne risque de s'échapper), par l'intermédiaire d'une moulure en doucine évasée. Sur la bordure extérieure se lit l'intéressante inscription qui suit, gravée en lettres capitales romanes :

(Côté encastré : nom du donateur, recouvert ?)
Grand côté antérieur :
IN XPI *(Christi)* N*(omine)* PRB *(presbyter)* VOTO SUO ✠ FECIT   +
Petit côté visible :
+   ✗   ✕
Grand côté postérieur :
+   +   +
(il s'agit certainement de croix de consécration)

Cette pièce curieuse semblait avoir jusqu'alors échappé aux investigations archéologiques.

9 LOVAGNY (HAUTE-SAVOIE). L'INTÉRÊT HISTORIQUE DE *l'église de l'Annonciation de Lovagny – on y a fait allusion plus haut – est qu'elle fut donnée entre 1032 et 1044 à l'abbaye de Savigny-en-Lyonnais, qui y établit un prieuré. Son intérêt*

archéologique est qu'elle conserve une travée de chœur et une abside postérieures de quelques décennies seulement à cette fondation, ainsi que, peut-être, la souche du clocher. De structure très simple, la travée droite, un peu plus large que l'abside, est voûtée d'un berceau en plein cintre sans impostes ni moulures. Un cul-de-four de même profil couvre l'abside semi-circulaire. A l'extérieur a été conservée la corniche d'origine en tuf, composée d'un feston de petits cintres que supportent des modillons en quart-de-rond : seul exemple de ce type dans la Savoie romane. Le clocher flanque le chœur au Nord; son soubassement est ajouré, à l'Est, par une baie étroite et haute, en cintre brisé, ébrasée seulement à l'intérieur; l'étage du beffroi paraît dater du XVᵉ siècle.

10 MORANCÉ (RHÔNE). VILLAGE-CARREFOUR DU BASSIN INFÉ-
rieur de l'Azergues, dominé à l'Ouest par les premiers coteaux viticoles d'allure déjà toute méridionale, le village de Morancé était, au moins jusqu'à la fin du XIVᵉ siècle, le siège d'un prieuré de l'abbaye des moniales bénédictines de Saint-Pierre de Lyon, dont l'existence n'est avérée qu'en 1245, mais qui était certainement antérieur : l'église romane, intéressante et originale dans sa catégorie, en était l'oratoire. Elle se compose encore aujourd'hui d'une nef de deux travées, qui dut être dès l'origine flanquée de bas-côtés avec lesquels elle communiquait par des arcades en cintre brisé (le bas-côté méridional a été repris à l'époque gothique), d'un transept à croisillons peu développés, et d'une abside semi-circulaire peu profonde. Comme il est fréquent dans les églises rurales de la région, l'ensemble oriental présente plus d'intérêt que la nef. Le carré du transept est couvert d'un berceau en plein cintre, porté latéralement sur deux arcs de décharge de même profil qui extradossent des arcades plus étroites en plein cintre, s'ouvrant sur les croisillons qui sont, quant à eux, voûtés de berceaux non pas transversaux, mais longitudinaux. Deux pilastres cannelés marquent l'entrée de l'abside voûtée en cul-de-four brisé; les tailloirs qui les surmontent sont liés directement à ceux des colonnettes extrêmes de la belle arcature absidale à cinq formes inégales. Les archivoltes les plus grandes encadrent les trois fenêtres; entre elles s'insèrent des arcs aveugles de diamètre plus petit, mais reposant sur les mêmes colonnettes, doublées de part et d'autre de la fenêtre axiale. Les fûts ont des bases attiques, et sont couronnés par des chapiteaux à fort encorbellement, finement sculptés de feuillages arrondis, que surchargent des masques humains sommaires, montés sur des cols qui les font ressembler à des têtes coupées. A l'extérieur, la façade est moderne. Le clocher carré, roman mais rehaussé par la suite, a été monté sur le croisillon Nord, emplacement rare dans la région; son étage de beffroi est ajouré sur chaque face de baies jumelles dont les retombées médianes s'opèrent sur des colonnettes. L'appareil, qui mêle les petits moellons de calcaire blanc et ocre, est particulièrement chatoyant. On notera encore, pour revenir à l'intérieur, que les fonts baptismaux, donnés comme romans, peuvent en fait ne dater que du XIVᵉ siècle.

11 MOÛTIERS (SAVOIE); CATHÉDRALE SAINT-PIERRE. LA PO-
sition centrale de cette ville, postée au carrefour de la vallée de l'Isère et de ses affluents de rive gauche, les Dorons drainant eux-mêmes les cinq «vallons» successifs de Champagny, Pralognan, Saint-Bon, Les Allues et «Les» Belleville, lui valut d'être choisie, de préférence à Aime, pour siège de l'évêché de Tarentaise par le deuxième titulaire connu de ce diocèse, saint Marcel. La première église, que ce prélat fit bâtir, fut peu de temps après dévastée par des incursions «ennemies»; la deuxième, édifiée ou relevée par l'évêque Sanctius, puis consacrée par saint Avit, archevêque de Vienne, fut elle-même incendiée par les Sarrasins, probablement lors d'un des raids conduits à travers les vallées des Alpes par les occupants du massif du Freinet. Sa reconstruction aurait été l'œuvre de l'évêque Aimon Iᵉʳ, auquel le roi de Bourgogne Rodolphe avait inféodé en 996 le comté de Tarentaise, et qui siégeait encore en 1044. Les caractères stylistiques ne démentent pas cette assignation, indirectement confirmée par le fait qu'au siècle suivant, l'évêque de Tarentaise Pierre II (1142-1175?) fit couvrir la nef (d'une voûte de pierre?) et les clochers de plomb (campanaria plumbo operuit). Cette nef et le transept ont été réédifiés, presque de toutes pièces, en 1669. De l'église du premier art roman, certainement postérieure de quelques années à celle d'Aime, ne subsistent donc que la travée de chœur, extérieurement coffrée de deux tours carrées, et l'abside semi-circulaire, le tout élevé sur une crypte de plan analogue : salle occidentale plafonnée, travée flanquée de réduits latéraux constituant les soubassements des tours, abside en hémicycle; des voûtains d'arêtes, reçues par des colonnes, divisent le vaisseau principal en trois petites nefs de trois travées. Le dégagement de cette église souterraine, altérée par les reconstructions du XVIIᵉ siècle, fut l'œuvre de l'architecte Borrel, à la fin du siècle dernier.

La travée de l'église haute, sur plan carré, est de structure conforme à celle d'Aime; sa voûte d'arêtes retombe en effet sur des colonnes d'angle dont les bases sont attiques et les chapiteaux cubiques; des portes en plein cintre donnent accès aux tours, et, au-dessus, les murs sont ajourés de fenêtres jumelles en plein cintre comprises dans des archivoltes de même profil, les retombées médianes s'opèrent sur des colonnettes dont les chapiteaux sont gravés de rosaces; des décors identiques timbrent les tympans sous archivolte; Borrel y avait relevé des traces de peinture rouge sur fond vert. Le rez-de-chaussée des tours sont, comme à Aime, voûtés d'arêtes, et leur étage, de berceaux en

272

plein cintre. L'abside, un peu moins large que la travée droite, est couverte d'un cul-de-four en plein cintre. A l'extérieur, on constate que le pourtour absidal est timbré de bandes lombardes encadrant les baies. La tour méridionale, étêtée, est couverte du même toit que la travée centrale; celle du Nord a été, assez médiocrement, surhaussée en 1860. On croit discerner qu'elles étaient, dès l'origine, plantées non pas, comme à Aime, sur les extrémités des croisillons, mais dans les redents déterminés par les murs en équerre d'un transept complètement remodelé au XVIIe siècle et de la travée de chœur. Selon la tradition, deux autres tours carrées encadraient la façade; celle du Nord a disparu sans doute lors de la reconstruction de celle-ci, en 1461, par l'architecte François Cirgat; de sa symétrique du Sud ne subsiste que la souche, raccordée tant bien que mal à l'ouvrage flamboyant.

12 OUROUX (RHÔNE). L'ÉGLISE DE CE VILLAGE BLOTTI AU CREUX

de la vallée supérieure de la Grosne, sous le col du Fût d'Avenas, et le long de la voie antique de Ludna aux Angerolles, relevait du chapitre collégial de Saint-Pierre de Mâcon et appartenait à l'ancien diocèse de ce lieu. Le vocable de saint Antoine, patron des solitudes, sous lequel elle s'est placée, lui convient plus que tout autre. Bâtie de beau granite rouge et brun, elle a conservé de l'époque romane son transept, avec le fort clocher planté sur la croisée, et son abside s'ouvrant directement sur lui; les formes brisées qui règnent à l'intérieur dénotent, compte tenu du matériau, une période relativement avancée dans le XIIe siècle. La nef, flanquée de bas-côtés, et de silhouette écrasée sous son toit unique à deux pentes, remonte dans son état actuel aux années 1830. Une coupole octogonale sur trompes couvre la croisée du transept, introduite, du côté de la nef, par une arcade doublée dont le rouleau intérieur repose sur des demi-colonnes engagées; les croisillons sont voûtés de berceaux brisés, et l'abside d'un cul-de-four de même profil. Le pourtour de celle-ci est élégi par une galerie de cinq arcatures en plein cintre, dont trois circonscrivent les fenêtres, et qui — autre indice de jeunesse — retombent, non pas sur des colonnettes, mais sur des pilastres cannelés de type clunisien.

Le clocher, de section carrée, est dans son cadre de montagne et de forêts l'un des plus beaux de la région; apparenté à ceux des églises de Beaujeu et de Vauxrenard, qui appartenaient au même diocèse, il s'élève sur deux étages au-dessus d'une souche aveugle assez haute. L'étage moyen n'est percé, sur chaque face, que d'une fenêtre géminée, mais celui du beffroi, beaucoup plus généreusement ajouré de deux paires de baies jumelles, est en outre articulé par deux demi-colonnettes appliquées près des arêtes, et par une demi-colonnette médiane; toutes trois sont arrêtées, comme à Beaujeu, au bandeau horizontal qui souligne cet étage. Une flèche moderne de tuiles vernissées coiffe la tour.

13 POULE (RHÔNE). AU Xe SIÈCLE DÉJÀ, L'ABBÉ DE CLUNY

Mayeul aurait remis en commende («commendo tibi») au seigneur Humbert de Beaujeu les «obédiences» clunisiennes d'Ajoux, Poule, Écussolles et Arpayé, afin qu'il en assurât la garde et la défense, en gage de repentance des multiples méfaits qu'il avait perpétrés contre Cluny (Recueil des chartes de Cluny n° 889). A ce titre, le prieur de Charlieu, compris comme la paroisse de Poule dans l'ancien diocèse de Mâcon, assurait la présentation du curé. Ce n'est pas sans surprise qu'au plus haut de la vallée de l'Azergues, sous les flanquements granitiques de la grande voie de passage du col des Écharmeaux, l'on découvre cette modeste église, qui s'offre comme une répondante montagnarde et pastorale de celle de Ternand, perchée, elle, sur son chicot de roche à la limite des coteaux viticoles qui tapissent la basse vallée. Sa silhouette extérieure, un peu trop dénaturée, n'en laisse pourtant pas deviner l'intérêt ni la richesse relative. De la fin probablement du XIIe siècle, elle conserve une travée sous clocher, voûtée en berceau brisé, et une abside semi-circulaire, couverte d'un cul-de-four aigu. La travée, sans apprêts, est allégée au Nord par un arc de décharge, tandis qu'elle s'ouvre, au Midi, sur une jolie chapelle Renaissance, voûtée d'ogives. L'ornement principal de cet intérieur est constitué par la galerie de cinq arcatures en plein cintre qui, portées sur un bahut assez bas, moulurées d'une doucine, ceignent le pourtour absidal; elles reposent sur des colonnettes en délit, à bases attiques (à l'exception de la première au Sud) et chapiteaux de feuillages : preuve que le type des arcatures sur colonnettes ou pilastres ouvragés, voire historiés, n'était apparemment pas monté jusqu'à ces hauteurs aux hivernages rigoureux.

14 ROMANS (AIN). CLUNY, DONT LA PÉNÉTRATION EN DOMBES FUT,

on le sait, précoce, possédait à Romans, au moins depuis le XIIe siècle, un «doyenné» dont l'effectif demeura toujours réduit, mais dont l'importance économique se mesure peut-être au développement qui fut donné à son église. Primitivement placée sous le vocable de saint Martin, elle est en effet la seule église romane de la Dombes, ainsi que n'a pas manqué de le relever M. J.-C. Collet, à posséder une abside flanquée d'absidioles. Elle se compose donc, en plan, d'une nef unique, de vastes dimensions, d'un transept fortement saillant, d'une abside semi-circulaire (dont on remarque que le cul-de-four en plein cintre n'est pas concentrique à l'arcade qui le précède) et de deux absidioles de mêmes plan et voûtement, toutes trois ouvertes directement sur le transept. Selon l'habitude, l'ensemble oriental est l'élément le plus intéressant de l'édifice. Les croisillons du transept sont voûtés de berceaux en plein cintre, et leurs murs occidentaux sont élégis par des arcs de décharge; une coupole octogonale sur trompes, dont les arêtes sont amorties et qui a peut-être été remaniée, couvre la croisée ; on remarque que les trompes occidentales sont un peu plus grandes que celles de l'Est. Quatre arcades brisées, à chapiteaux nus, délimitent la croisée ; à droite, le pilastre que reçoit la retombée orientale est décoré de chevrons ; à gauche, ce sont des cannelures, dont celles qui encadrent l'arête interne sont garnies de torsades. L'arcature absidale, enveloppant les fenêtres en plein cintre, ne comporte que trois formes. Les bases anciennes de ses supports ont été dissimulées par un lambris postérieur, auquel on a, tant bien que mal, accommodé de faux socles attiques ; une seule est encore visible sous la boiserie, au Sud de la fenêtre axiale. Les montants de l'arcature qui encadrent celle-ci sont d'un type connu dans la région rhodanienne ; un pilastre orthogonal, nu, y est en effet flanqué de deux colonnettes que coiffent des chapiteaux plus banalement sculptés que ceux de la baie externe de la façade. Au-dessus de la porte occidentale, moderne, subsiste en effet une belle fenêtre romane en plein cintre, circonscrite par une voussure que supportent deux colonnettes à chapiteaux sculptés, à gauche, d'animaux malheureusement assez émoussés, mais à droite, d'un masque humain grotesque au relief très refouillé, qui occupe toute la surface de la corbeille (pl. 126).

Le chevet extérieur a lui-même belle et forte allure, avec le transept bien marqué, les volumes absidaux qu'épaulent des contreforts à talus (modernes ou retaillés), et que couronnent des corniches à assises de briques retraitées, le clocher massif (briques et chaînes d'angle en moellons réguliers), dont l'étage de beffroi n'est pas antérieur à la fin du Moyen Âge et que couvre une flèche octogonale à pyramidions d'angle. Une corniche de pierre, moulurée d'une doucine, souligne les retombées du toit de la nef.

15 SAINT-ANDRÉ-SUR-VIEUX-JONC (AIN). AU NOMBRE DES

églises romanes minutieusement décrites par Jean Giraud, celle de Saint-André-sur-Vieux-Jonc, limitrophe à l'Est de Condeissiat, se compose d'une nef unique dont les murs sont romans et sur laquelle furent postérieurement ouvertes deux chapelles latérales, d'une travée de chœur carrée, plus étroite, et d'une abside en hémicycle, un peu moins large elle-même que la travée. On note qu'elle releva durant tout l'Ancien Régime de l'abbaye de Tournus. La travée de chœur est couverte, non pas d'une coupole, mais d'un berceau en plein cintre ; des arcs de décharge allègent ses parois Nord et Sud. L'abside, ouverte par une arcature à simples imposes (celle du Nord subsiste seule) et voûtée d'un cul-de-four en plein cintre, a son pourtour interne décoré d'une galerie d'arcatures dont le chiffre : sept cintres et huit colonnettes, est assez exceptionnel ; certains de ces fûts paraissent des réemplois. Les chapiteaux, sortes de dés cubiques à peine incurvés à leur base, et surmontés de tailloirs totalement nus, sont décorés de motifs variés, cunéiformes (triangles renversés et enfoncements triangu-

laires), végétaux, architecturaux (arcades jumelles), en relief faible et sommaire. M. Giraud les rapprochait notamment, et selon les cas, de ceux des cryptes de Saint-Jean-de-Maurienne, Cruas, Duravel, et même de certains chapiteaux de Saint-Jouin-de-Marnes en Poitou et de Saint-André de Bordeaux ; M. Collet ajoute à ces parentés Fontaines et Donzy-le-Pré en Nivernais, Consac en Saintonge, et naturellement Buellas, dont la maîtrise technique est cependant plus affirmée et les reliefs davantage accentués. Le portail occidental, du XIXe siècle comme le clocher, a réemployé deux chapiteaux cubiques de facture un peu plus évoluée ; celui de gauche, en plus de rosaces garnissant les deux faces perpendiculaires, s'orne d'un gros masque humain d'angle, sommairement traité, mais dont l'aspect épaté résulte en fait de la juxtaposition singulière de deux profils accolés par leurs arêtes. On peut raisonnablement considérer que les sculpteurs de Saint-André-sur-Vieux-Jonc sont les plus précoces de toute la Dombes, d'où l'église elle-même ne serait pas postérieure, dans son principe, à la première moitié du XIe siècle.

16 SAINT-GEORGES-DE-RENEINS (RHÔNE). L'AN 966-967, HUMBERT

(de Beaujeu) et sa femme Ameldis donnaient à Cluny la chapelle Saint-Georges de Reneins, plus la forêt qui s'étendait alors du ruisseau de Sancillon jusqu'à la rivière de la Vauxonne, et deux seytorées de terre pour le besoin des pêcheurs que l'abbaye aurait à envoyer au port sur la Saône. L'église romane, édifiée en conséquence lointaine de cette donation, relevait du doyenné clunisien d'Arpayé en Mâconnais ; elle est implantée à l'Est de la RN.6, ancienne chaussée Agrippa, et à son carrefour, précisément, avec les deux chemins qui conduisent à la Saône. Massive, elle se compose d'une nef unique, rebâtie au XIXe siècle à partir des murs romans encore bien visibles et flanquée de chapelles modernes, d'une travée sous clocher et d'une abside en hémicycle ; la travée est couverte d'une coupole sur petites trompes d'angle, avec, à l'Est, une baie en cintre brisé donnant sur l'étage surélevé de l'abside. Celle-ci, voûtée d'un cul-de-four, a son pourtour allégé d'une galerie de trois arcatures en plein cintre encadrant les fenêtres, et flanquées, de chaque côté, par deux arcatures aveugles plus petites. Les retombées s'opèrent sur des colonnettes, sauf dans l'axe où il s'agit de massifs de type rhodanien, composés d'un pilastre accosté de deux colonnettes.

À l'extérieur, l'abside, épaulée par des contreforts entre ses fenêtres en plein cintre, a été surélevée de près de moitié, jusqu'à la souche du clocher ; le niveau primitif est désigné par la corniche sauvegardée, sur modillons nus, tandis que quelques-uns de la corniche supérieure sont grossièrement sculptés de masques humains. Quant au clocher, il était considéré par l'archéologue Lucien Bégule comme « l'un des plus intéressants du département » du Rhône, et, dans cette zone des confins du Mâconnais et du Beaujolais, il annonce en tout cas les puissantes tours romanes qui ont cours dans la région rhodanienne, à commencer par le clocher de croisée de l'abbatiale d'Ainay. De plan carré, il s'élève sur deux étages au-dessus d'un bref soubassement aveugle. Chacun des deux niveaux, souligné d'un bandeau, est semblablement et généreusement ajouré, sur chaque face, de deux paires de baies jumelles. Celles de l'étage moyen sont en plein cintre, celles de l'étage du beffroi, en cintre brisé. On remarque qu'à la différence du clocher tout voisin de Belleville, aucune demi-colonne, intermédiaire ou latérale, ne vient s'appliquer à la paroi. Une pyramide basse, elle aussi dans la tradition locale, couvre le tout.

17 SAINT-GEORGES-SUR-RENON (AIN). ON A CHOISI CETTE MOdeste église, nichée au cœur de la Dombes, au Sud-Est et non loin de celle de Romans, comme échantillon moyen de l'architecture religieuse romane de ce terroir, à raison de sa structure on ne peut plus simple, d'abord, de son autel, ensuite, qui sera évoqué plus loin (p. 290). La nomination des curés de la paroisse avait incombé d'abord à l'archiprêtre de Sandrans, qui céda ensuite ce droit à l'archevêque de Lyon. En plan, l'église se compose d'une nef unique plafonnée, dont le mur Nord est creusé, près de la travée de chœur, par une petite crédence lobée, d'une travée plus étroite, qui ne supporte qu'un clocheton carré, très postérieur à l'époque romane, et d'une abside semi-circulaire, qu'épaulent extérieurement deux contreforts à glacis et que couronne une corniche tabulaire à modillons carrés. Une coupole ronde sur trompes couvre la travée de chœur, délimitée par quatre arcades simples, en cintre brisé. L'abside, voûtée d'un cul-de-four, a son pourtour intérieur creusé d'une arcature à cinq formes, dont les deux extrêmes, plus courtes que les autres et aveugles, sont en cintre brisé. Les retombées médianes des arcatures latérales s'opèrent sur des pilastres nus; dans l'axe, les cintres retombent sur des colonnettes jumelles encadrant la fenêtre centrale.

Le portail principal, à l'Ouest, est banal, mais, au Nord, la petite porte donnant accès à la travée ne manque pas d'originalité. La voussure en plein cintre, très régulièrement clavée, et le linteau nu, porté sur des corbeaux moulurés, encadrent un tympan de briques, qui jette une note de couleur sur cet extérieur sévère. L'entretien de ce sanctuaire paroissial, récemment restauré, fait honneur à la commune et à ses habitants.

18 SAINT-MAMERT (RHÔNE). LA FIÈRE SILHOUETTE DE CETTE église, surplombant le hameau-carrefour du Razay, domine les premières pentes du col de Crie, qui fut certainement, durant la période médiévale, un chemin de pèlerinage du Puy, par le col des Écharmeaux et le prieuré clunisien de Charlieu. Bien qu'on la donne souvent elle-même comme le siège d'un prieuré de cet

ordre, elle n'est pas recensée parmi les églises qui, au Moyen Age, étaient «à l'entière disposition du R.P. Abbé de Cluny à raison de sa dignité abbatiale»; et le Catalogue des possessions clunisiennes dressé au lendemain de la Peste Noire de 1346 avoue ne pas avoir découvert s'il devait s'y trouver des moines! L'église a en tout cas reçu un développement supérieur à celui de ses sœurs romanes de la montagne beaujolaise, avec une nef unique de deux travées, voûtée d'un berceau brisé qui ne paraît pas d'origine, un transept fortement saillant, une courte travée droite flanquée de bas-côtés, et une abside en hémicycle un peu plus étroite, elle-même flanquée d'absidioles de même plan dans le prolongement des bas-côtés. Les croisillons sont couverts de berceaux en plein cintre, la croisée d'une voûte d'arêtes, qui a laissé apparentes les traces des trompes d'angle d'une coupole primitive. La brève travée étant, quant à elle, voûtée d'un berceau brisé, et l'abside, d'un cul-de-four en plein cintre, l'espace du mur de raccord a pu être ajouré d'une baie de même profil, dispositif qu'on répute clunisien, mais qui apparaît dès le temps du premier art roman, et dans bien d'autres églises.

A l'extérieur, le portail occidental est circonscrit par une voussure à arêtes vives retombant sur deux colonnes à chapiteaux sculptés de feuillages, et bases en quart-de-rond décorées elles-mêmes de reliefs ténus qui sont comme des halos des belles bases sculptées de la région brionnaise. Le clocher carré, couvert d'une pyramide basse, est épaulé à sa base par deux appentis. Des contreforts à glacis soutiennent les murs de fond des croisillons; ceux qui épaulent l'abside principale, eux, ne comportent pas de talus supérieur et montent d'un trait jusqu'à la retombée du toit, que souligne une corniche à modillons nus. La réfection récente des toitures en tuiles rouges jette sur la verdure des bocages une note d'éclat intense qui n'est pas sans pittoresque.

Dans le pavage du chœur a été encastrée la dalle funéraire de Grégoire Format (1788-1842), bienfaiteur de la commune, qui composa lui-même son épitaphe versifiée, et auquel le visiteur ne refusera pas le De profundis qu'il demande.

SAINT-VINCENT-D'AGNY **19** (COMMUNE DE SAINT-LAUrent-d'Agny, Rhône). A l'avant des glacis des Monts du Lyonnais méridional, entre Mornant, Taluyers et Soucieu-en-Jarrest, pointe un éperon granitique d'où la vue s'étend sur l'un des horizons les plus vastes et impressionnants de tout le massif. Vers le Nord, les taches blanches des banlieues lyonnaises de plus en plus étalées; à l'Est, par temps clair, la dentelure des Alpes de Savoie surgie comme un voile translucide derrière la vallée d'où montent les fumées et les vapeurs bleuâtres des villes industrielles; au Sud, le môle redenté du Pilat, sommé de ses antennes; et sur l'Occident, les cadences des monts, soufflant leur haleine salubre jusqu'à la terrasse parsemée de blocs de granite fantastiques entre lesquels, l'hiver venu, l'on croirait voir danser des korrigans.

L'église romane s'est plantée à la pointe extrême de celle-ci, de telle sorte qu'il a fallu fonder son abside sur un gros mur de soutènement orthogonal, qui en accroît encore l'élan vertical. Trois volumes la composent : nef unique rectangulaire, travée sous clocher dans son prolongement, abside semi-circulaire. L'appareil, typique, est fait de petites pierres irrégulières, noyées dans un mortier épais, avec quelques chaînes d'angle en gros moellons noirs. La nef a été, dès l'origine sans doute, voûtée d'un berceau en plein cintre qui serait l'un des plus précoces de la région lyonnaise, et a nécessité l'épaississement de ses murs, compensé de chaque côté par trois arcs de décharge, dont des impostes moulurées soulignent les retombées. Une coupole octogonale couvre la travée sous clocher, dont les murs latéraux sont élégis de même ; les culs-de-four des trompes d'angle sont arrêtés sur des tablettes horizontales d'origine romaine, mais fréquentes encore, à l'époque romane, dans les églises d'Auvergne. L'abside, sans arcature, est voûtée d'un cul-de-four en plein cintre, et éclairée dans l'axe par une fenêtre romane ; celle du Sud, au linteau en arc segmentaire, a été refaite.

L'extérieur a grande et svelte allure. Dans le mur de façade au pignon très bas sous lequel est creusé un oculus, la porte rectangulaire, décentrée, est surmontée par un arc de décharge non saillant et soigneusement clavé. Une porte secondaire est ménagée à l'extrémité gauche du mur méridional ; l'arc de même allure qui la surmonte, alternativement clavé de pierres allongées et de briques, circonscrit un linteau en bâtière et un tympan marqueté de losanges. On remarque que le clocher s'élève, comme à Saint-Mamert, sur deux appentis latéraux, qui permettent de passer du plan barlong de la travée à la section carrée de la souche romane. Au-dessus d'un fort bandeau, l'étage de beffroi, percé sur chaque face de deux grandes baies en plein cintre, date de la fin du Moyen Age. Judicieusement, le constructeur a réduit l'épaulement de la nef, par deux contreforts à glacis disposés presque côte à côte, à la section des murs goutterots la plus vulnérable, soit la plus proche de la coupole et du clocher.

20 SALLES (RHÔNE). LE PRIEURÉ CLUNISIEN DE SALLES, FONDÉ A *une date inconnue, fut repris et occupé à partir de 1301 par les moniales bénédictines précédemment établies dans l'île de Grelonge, où elles se trouvaient trop exposées aux inondations de la Saône. Au XVIIIe siècle, elles avaient cédé la place à un chapitre de nobles chanoinesses. Un projet de reconstruction des bâtiments conventuels, dû à l'architecte lyonnais Désarnod (1784), prévoyait l'arasement de l'église romane, qui ne fut heureusement pas réalisé ; les locaux affectés aux chanoinesses, estimables en soi, se trouvent ainsi, et sans l'avoir cherché, constituer une*

garde d'honneur à l'église implantée en retrait. Celle-ci se compose, en plan, d'une nef unique longue et étroite, qui allait recevoir en 1878 une fort laide voûte d'arêtes suraiguës, d'un transept en forte saillie, sur chaque croisillon duquel s'ouvre à l'Est une absidiole semi-circulaire, d'une travée droite de chœur et d'une abside un peu plus étroite, en hémicycle. Une coupole octogonale sur trompes couvre la croisée ; les croisillons et la travée de chœur sont voûtés de berceaux brisés ; le cul-de-four absidal, au profil brisé, ayant sa clé à un niveau plus bas que celui de la travée de chœur, le mur de raccord a pu être creusé d'une petite baie. Cet intérieur est très nu ; expression de l'ascétisme monumental des clunisiens qui paraît bien résulter de l'action de Pierre le Vénérable, il n'est animé que par les deux chapiteaux, sculptés de feuillages, qui surmontent les pilastres de l'arcade séparative de la nef et de la croisée. Mais l'extérieur rachète cette impression, par la belle composition du fronton de façade, dans lequel s'inscrit un portail à encadrement rectangulaire, voussure, pilastre et chapiteaux décorés, ces derniers dans le même style que ceux de la galerie du cloître conservée ; par l'élégant clocher carré, monté sur la croisée du transept et haut de trois étages : soubassement nu, étage moyen, creusé sur chaque face d'une seule baie découpée dans un fronton triangulaire assez semblable à ceux du clocher de Châteauneuf-sur-Sornin (possession du chapitre de Saint-Paul de Lyon), étage de beffroi copieusement ajouré de quatre riches fenêtres en plein cintre, avec, aux deux extrémités, une colonne supplémentaire qui monte du bandeau soulignant ce niveau jusqu'à la corniche.

Par la galerie enfin, seule conservée du cloître ancien. On y accède directement par une jolie porte flamboyante, ouverte au Sud de la façade de l'église et dans son prolongement. Les dix arcades subsistantes, ouvertes sur la cour intérieure, retombent alternativement sur des colonnettes jumelées et simples, de diamètre un peu plus grand ; les premières ont de curieuses bases sculptées de feuilles plates et évasées, à partir d'un tore supérieur ; les secondes sont à bases attiques. Toutes sont surmontées de chapiteaux de feuillages profondément refouillés, à volutes accusées, dont la facture baroquisée, qui doit quelque chose à l'exubérance frémissante des décors végétaux du porche de Charlieu, est celle du milieu du XIIe siècle environ. Non voûté, le cloître s'ouvre de l'autre côté (Est) sur une salle capitulaire gothique, à pilier central. Dans le cadre délicat des coteaux viticoles du Beaujolais, la vision est charmante, très prisée des Mâconnais, qui viennent avec émotion y chercher le souvenir de demoiselle Alix des Roys, laquelle aurait été, dans son jeune âge, chanoinesse du lieu, avant d'épouser M. de Lamartine et de donner le jour à un garçon prénommé Alphonse, le poète et l'homme politique que l'on sait.

SANDRANS (AIN). A MI-CHE-MIN DE CHÂTILLON-SUR-CHA- **21** laronne et de Villars-lès-Dombes, Sandrans était, sous l'Ancien Régime, le siège d'un archiprêtré du diocèse de Lyon qui ne comptait au XIIIᵉ siècle pas moins de quarante paroisses (Pouillé du diocèse de Lyon). Relevant directement, à l'origine, de l'archevêque, l'église fut, en 1530, unie au chapitre de la collégiale Notre-Dame de Montluel, nouvellement érigée. L'importance routière et militaire du lieu est illustrée par la motte castrale encore visible à l'Est de l'église, et fortifiée d'une tour ronde de briques, avec logis accolé. Dans son cadre d'étangs, ce sanctuaire roman dédié à saint Priest est, par plusieurs de ses détails, l'un des plus curieux de toute la Dombes. Il se compose, en plan, d'une nef large, nue et plafonnée, dont la façade est néogothique et les fenêtres en cintre brisé, d'une travée de chœur supportant le clocher et d'une abside semi-circulaire.

La travée est couverte d'une voûte cupuliforme d'où s'aiguisent peu à peu des arêtes retombant aux quatre angles. Elle est délimitée par quatre arcades en cintre brisé que soustendent, au Nord et au Sud, des arcs de décharge de même profil, mais non concentriques ; postérieurs à la période romane, ceux-ci correspondent à un renforcement du clocher réalisé par encagement. A l'Est est percé un oculus, au-dessus de l'arc triomphal dont les chapiteaux de feuillages annoncent déjà le XIIIᵉ siècle. L'abside est, on l'a dit, l'élément le plus original et séduisant de la structure intérieure, avec sa large arcature à cinq formes dont les cintres reposent, de part et d'autre de la fenêtre d'axe, sur deux colonnettes en délit, à chapiteaux sculptés de feuillages de facture évoluée, et, au Sud, d'un masque monstrueux ; ailleurs, ils sont supportés par des pilastres à trois faces égales, pareillement surmontés de chapiteaux de feuillages, mais, surtout, décorés le long de leur élévation, au Sud, de motifs de losanges et, sur la face latérale de droite, du mystérieux dragon décrit ci-dessous ; au Nord, les deux faces antérieure et latérale de droite portent, ainsi qu'on le lira (cf. p. 335), les images longilignes d'Adam et d'Ève aux prises avec le Tentateur (pl. 128).

L'extérieur est moins attrayant. Le clocher, moderne, est ajouré de fenêtres palladiennes. La fenêtre axiale, romane, est encadrée par deux colonnettes polygonales – autre indice de jeunesse – dont les bases sont constituées de deux tores superposés. Cette banalité de l'abord rend d'autant plus sensible l'intérêt monumental et plastique d'un intérieur hors du commun dans sa région.

22 TALUYERS (RHÔNE); ÉGLISE DE L'ANCIEN PRIEURÉ. ASSIS SUR LE
rebord oriental de la terrasse granitique qui porte, de l'autre côté, l'escarpement de Saint-Vincent-d'Agny, le vieux village de Taluyers conserve d'importants vestiges du prieuré fondé par Cluny après la donation de l'église du lieu à saint Odilon par la « très noble dame Blismode », en mars 999 (charte de Cluny nᵒ 2482). Cette obédience ne fut jamais très impor-

tante : *l'effectif n'en était que de trois moines, plus le prieur, mais, en ce lieu de passage, il était tenu d'assurer chaque semaine une aumône au moins, et trois s'il le pouvait. De l'église romane, placée sous le vocable de sainte Marie, Mère de Dieu, et de sainte Maxime, subsistent l'abside flanquée d'absidioles et le transept ; la nef est moderne.*

La croisée du transept, délimitée par quatre arcades en plein cintre, est couverte d'une coupole octogonale sur trompes ; les arcs retombent sur quatre fortes demi-colonnes engagées, à bases attiques et chapiteaux de feuillages gras ; des colonnes identiques supportent à l'Ouest les retombées des deux dernières grandes arcades de la nef. Il n'existe pas de colonnes du côté des collatéraux. Les croisillons, profonds, sont voûtés de berceaux en plein cintre, qui paraissent avoir été refaits ; ils retombent, à l'Est, sensiblement en arrière des murs primitifs, et leur section sur les murs de fond n'est pas exactement concentrique aux arcs formerets, à arêtes vives, qui élégissent ces murs. Abside et absidioles s'ouvrent directement sur le transept. Toutes trois étaient semi-circulaires à l'origine, mais celle du Nord a été postérieurement remaniée et diminuée.

L'abside principale s'ouvre par un décrochement en plein cintre dont deux colonnes en délit, placées aux angles, supportent les retombées. Son pourtour s'orne d'une belle arcature composée, aux extrémités, de deux petits cintres, et, à l'intérieur, de trois archivoltes en plein cintre encadrant les fenêtres de même profil. Les colonnes supportant ces arcs sont certainement des réemplois romains ; les chapiteaux qui les surmontent sont décorés de feuillages, et l'un d'eux est en outre sculpté de deux masques d'anges.

L'influence romaine se marque d'autre part au décor qui orne la tranche des arcs de la croisée et qui, de l'extrados à l'intrados, juxtapose un rang de torsades et un autre de zigzags, dans les vides desquels sont sculptées des palmettes.

L'extérieur est dominé par le fort clocher carré, planté sur la croisée du transept. Son unique étage de beffroi est percé sur chaque face de deux paires de baies jumelles, dont les retombées médianes s'opèrent sur des colonnes jumelées à chapiteaux.

TERNAND (RHÔNE). PLACÉE SOUS LE VOCABLE RARE DE 23
la Nativité de Saint-Jean-Baptiste, l'église de ce village, ancien fief de l'archevêque de Lyon perché sur un piton rocheux, au débouché de la vallée de l'Azergues, vaut moins par son architecture que par les peintures murales qui décorent la minuscule crypte ouverte sous le chœur. Sur sa voûte se voit encore faiblement le Christ en gloire, accompagné d'un buste d'ange et de celui de la Vierge Marie ; au fond de l'abside, creusée d'une fenestelle, est représenté l'Agneau crucifère, tandis que saint Grégoire, et peut-être saint Augustin, sont peints sur les ébrasements de la baie ; on discerne sur le mur méridional une Nativité. Un mystère persistant enveloppe ce réduit, daté tantôt de l'époque mérovingienne, tantôt du XIᵉ siècle,

mais donné généralement comme une chapelle funéraire ; ces divergences engendrent celles qui concernent la datation des peintures elles-mêmes, assignées par P. Deschamps à l'époque carolingienne, et par Jean Hubert au XIIᵉ siècle ; l'état de dégradation de ces œuvres ne permet guère de se prononcer.

Le chœur de l'église haute conserve des chapiteaux non historiés qui ont prêté à d'autres controverses, mais rappellent ceux qui décorent certains sanctuaires ou cryptes du premier art roman méditerranéen.

24 TERNAY (RHÔNE) ; ÉGLISE DE L'ANCIEN PRIEURÉ. DÈS LE Xᵉ

siècle, l'abbaye de Cluny commençait d'agréger un domaine autour des « manses » de Communay, Flévieu et Ternay. Le bourg de ce lieu, joliment campé sur une terrasse dominant le Rhône, conserve d'importants vestiges des bâtiments conventuels, quelques restes du cloître, et l'église romane.

Placée sous le vocable de saint Pierre, celle-ci se compose, en plan, d'une nef unique, revoûtée d'ogives modernes, mais vraisemblablement plafonnée à l'origine, d'un transept saillant, sur les croisillons duquel s'ouvrent à l'Est deux absidioles, d'une courte travée de chœur droite et d'une abside semi-circulaire. Les croisillons et la travée de chœur sont couverts de berceaux brisés, les absides, de culs-de-four en plein cintre ; la croisée, elle, a reçu une coupole octogonale sur trompes supportée par quatre arcades en cintre brisé, qui reposent sur des demi-colonnes engagées.

Les absidioles sont éclairées par des baies d'axe, l'abside principale par trois fenêtres, en plein cintre comme les précédentes, et circonscrites par une belle arcature. Celle-ci, en plein cintre, aux archivoltes moulurées, est supportée, entre les fenêtres, par un pilastre cannelé, pourvu de base et chapiteau, que flanquent deux colonnettes rondes à bases attiques et chapiteaux de feuillage, nettement marqués par l'esprit baroque et compliqué du roman tardif. Les chapiteaux de la croisée sont tous décorés de feuillages très refouillés, sauf celui du Nord-Ouest, qui est sculpté de deux personnages accroupis.

L'appareil extérieur traduit la survivance des modes romains de bâtir. L'abside principale est en moellons de molasse, surmontés d'une corniche à modillons moulurés, mais les pans de la travée alternent, quant à eux, des lits réguliers de briques et de pierres, d'un effet décoratif certain. Cet appareil s'abâtardit quelque peu dans les pans extrêmes des croisillons et dans la nef.

Le clocher carré est érigé au-dessus de la croisée. Sur un soubassement de briques ajouré, l'étage de beffroi est abondamment percé sur chaque face de deux paires de baies jumelles ; les retombées médianes des cintres s'effectuent sur un massif de type rhodanien analogue à ceux de l'arcature absidiale : soit un pilastre cantonné de deux colonnettes. L'appareil est en belles pierres de calcaire blanc, comme celui de la partie inférieure du pignon de façade.

Œuvre élégante de roman tardif (vers 1150), le portail en plein cintre est circonscrit par une voussure ornée de palmes ; celle-ci retombe sur deux colonnettes

surmontées de chapiteaux dont celui de gauche présente le prophète Daniel, encadré de deux lions, et nourri dans sa fosse par le prophète Habacuc qu'un ange du Seigneur lui amène en le tenant par les cheveux. A droite se voit un centaure combattant un griffon. Les bases sont attiques, les tailloirs ornés, à gauche, de rinceaux, et, à droite, de palmes, le tout très romanisant d'allure.

Au Sud de l'église a été conservée la galerie occidentale du cloître de l'ancien prieuré, s'ouvrant sur la cour intérieure par quatre arcades en cintre surbaissé que supportent, soit des colonnes, soit un pilastre. Les chapiteaux couronnant les supports sont sculptés de feuillages, sauf celui de la colonne la plus proche de l'église, où sont figurés un monstre et un personnage encapuchonné combattant un animal (scène de chasse ?).

En contrebas, au bord de la route et près d'une fontaine insérée dans un mur de soutènement, une plaque de pierre rappelle qu'ici même, saint Mayeul, abbé de Cluny au Xᵉ siècle, rendit la vue à un aveugle.

THONON-LES-BAINS (HAUTE-SAVOIE) ; CRYPTE. FONDÉ, 25

pense-t-on, durant la première moitié du XIIᵉ siècle, le prieuré Saint-Hippolyte de Thonon fut confirmé en 1151 par le pape Eugène III parmi les possessions de celui de Saint-Jean de Genève, qui relevait lui-même de l'abbaye Saint-Martin d'Ainay. L'église a été, quant à sa nef médiévale, entièrement habillée de revêtements baroques par l'abbé de Rossillon de Bernex, frère de l'évêque de Genève-Annecy (1697) ; quant au chœur à chevet polygonal, rebâtie de fond en comble entre 1664 et 1668 ; en 1889 enfin, une basilique néogothique dédiée à saint François de Sales a été accolée au flanc Nord de l'édifice.

Sous la travée de chœur subsiste cependant une crypte romane, que vint amplifier au XVIIᵉ siècle un vaste chœur, sur lequel fut édifié celui de l'église haute. Sa nef conservée, datant probablement du début du XIIᵉ siècle, est longue de trois travées couvertes de berceaux en plein cintre, et flanquée de bas-côtés voûtés de même, avec lesquels elle communique par des arcades en plein cintre très régulièrement clavées ; celles-ci retombent sur des colonnes très légèrement tronconiques qui sont peut-être des réemplois ; deux demi-colonnes correspondantes sont engagées dans le mur rectiligne qui clôt la crypte à l'Ouest. Les parois des bas-côtés sont allégées par des arcatures en plein cintre qui, elles, reposent sur des pilastres, sommés de chapiteaux comme les colonnettes et portés sur des soubassements continus. Plusieurs des chapiteaux, décorés d'élégants feuillages, de facture très classique, paraissent avoir été remaniés ou, à tout le moins, assez copieusement grattés. Les deux plus intéressants sont, semble-t-il, intacts ; le premier, qui coiffe la pile adossée de la troisième travée du bas-côté Sud, montre des personnages assis, la tête ceinte de l'auréole (?) ; le second (pile adossée de la première travée du bas-côté Nord) représente deux hommes accroupis dos à dos dans un cadre végétal à double rang de feuillages.

La crypte de Thonon est la seule que le département de la Haute-Savoie conserve de l'époque romane ; d'où son intérêt, non négligeable, dans son contexte urbain et régional (cf. Henri Baud et J.-Y. Mariotte, *Histoire des communes savoyardes*. Tome I : *Le Chablais*, 1980).

26 VIUZ-FAVERGES (COMMUNE DE FAVERGES, HAUTE-SAVOIE). LES *fouilles récemment conduites, à l'initiative première de la Société des Amis de Viuz, sur le site de ce* Vicus *aujourd'hui hameau de la commune de Faverges, n'ont pas confirmé seulement un important lieu de peuplement des Ier et IIe siècles après Jésus-Christ, peut-être celui de la station romaine de* Casuaria *mentionnée par la Table de Peutinger, mais révélé que l'actuelle église, en partie romane, avait été précédée d'au moins trois sanctuaires successifs (cf. ci-dessus, p. 52) : le premier, à chevet plat, présumé de l'époque mérovingienne, les deux autres (VIIIe-IXe siècle et, surtout, fin du Xe ou XIe siècle), à abside semi-circulaire ouverte sur une longue nef unique. Par rapport à ce dernier, la construction de l'église actuelle, plus vaste, a dû répondre, d'une part, à un accroissement de population dans le cours du XIIe siècle, d'autre part à la fondation, antérieure en toute hypothèse à l'année 1211, d'un prieuré dépendant de la collégiale Notre-Dame de Liesse d'Annecy. De l'extrême fin de la période romane subsistent la travée de chœur, supportant le clocher, et l'abside semi-circulaire. La nef a été remaniée et pourvue de bas-côtés entre 1827 et 1844.*

Une restauration récente a mis en valeur la qualité de ce chœur. La travée sous clocher, relativement basse et couverte d'une voûte d'arêtes moderne, est délimitée par quatre arcades en cintre brisé, à double rouleau et arêtes légèrement amorties, qui reposent sur des pilastres de même section, par l'intermédiaire de sortes de frises de pierre dure, décorées de feuillages (palmes plates au Sud, feuilles à volutes d'angle spirées au Nord) en très faible relief, sous des tailloirs boudinés ; ceux de l'arcade orientale se prolongent en cordon soulignant le cul-de-four en cintre brisé de l'abside. Les prolongements des bases du même arc, simplement chanfreinées, constituent pareillement une plinthe saillante à la base du pourtour. La baie jumelle ouverte dans le mur Sud de la travée paraît correspondre à un remaniement postérieur, mais les trois fenêtres de l'abside, en plein cintre, sont certainement primitives.

L'extérieur n'est pas moins soigné. L'abside est érigée sur une plinthe oblique qui enveloppe les deux contreforts peu saillants ; des larmiers circonscrivent les cintres des fenêtres, et une corniche boudinée souligne la chute du toit. Le clocher, carré et massif, a été entièrement reconstruit au début du XIXe siècle, dans le même temps qu'on épaulait la travée portante

par des « ogives » biaises ; son étage de beffroi n'était auparavant ajouré que d'une baie en cintre surbaissé par face, qui n'était certainement pas romane. Une pyramide basse a remplacé la flèche aiguë, à mantelet, que reproduit un plan du XVIIIe siècle conservé aux Archives de la Haute-Savoie sous la cote VC 141 (cf. l'ouvrage précité de Renée Collardelle, Les premières églises de Viuz à Faverges, *1982).*

27 YENNE (SAVOIE). AUX PORTES DE LA SAVOIE, QU'ANNONCE comme un étendard le Croc de la Dent du Chat, la petite ville d'Yenne était sous l'Ancien Régime comprise dans le diocèse de Belley ; dès le XIe siècle y existait un prieuré relevant de l'abbaye de Saint-Rambert en Bugey, puis rattaché en 1391 à la chartreuse de Pierre-Châtel perchée sur son roc. Placée sous le vocable de Notre-Dame, l'église pourrait elle-même servir d'exergue au dernier chapitre de ce livre, consacré à l'avènement des formes gothiques dans les édifices qu'au siècle dernier, l'on aurait appelés « de transition ». Sa construction, entreprise vraisemblablement vers la fin de la période romane, se poursuivit en effet durant le XIIIe siècle. En plan, elle se compose d'une large nef unique, sur le flanc Nord de laquelle furent greffées deux suites de chapelles, gothiques puis modernes, qui en élargissent considérablement la silhouette, et d'un chœur de deux travées, clos par un chevet à cinq pans ; le clocher carré s'appuie au mur Nord de la première travée.

Les murs de la nef sont romans, à commencer par la façade, renforcée d'un avant-corps à fronton, dans lequel a été percé le portail à chapiteaux historiés décrit ci-dessous (p. 296 et pl. 111 à 114). Divisé dès l'origine, semble-t-il, en trois travées par de forts pilastres à demi-colonnes engagées, dont les chapiteaux sont encore de facture tout à fait romane, le vaisseau a été, postérieurement, voûté d'ogives en deux campagnes successives : les nervures de la troisième travée dénotent le XIVe siècle ; celles des deux premières, avec leurs moulures prismatiques, le XVe. On remarquera l'oculus percé dans le mur Nord de la dernière travée, face à la haute et étroite fenêtre en cintre brisé du mur Sud.

Tout le chœur conventuel, lui, est une construction homogène de gothique primitif, voûtes y comprises. Les nervures retombent sur des colonnes ou, dans la travée polygonale, des colonnettes d'angle, dont les chapiteaux feuillus sont surmontés de masques bovins, humains ou diaboliques, qui ne manquent pas de vigueur barbare. La restauration récente a dégagé deux belles rosaces creusées, tant au Nord qu'au Midi, dans les murs gouttrots de la première travée ; de grand diamètre, elles sont garnies d'un réseau intérieur, rayonnant à partir d'un médaillon central, et agrémenté de trilobes. Des oculus d'un type différent, mais non moins originaux, ajourent les murs longitudinaux de la travée polygonale ; quadrilobés, ils ont leurs écoinçons pleins décorés de roses à pétales, sculptées en pleine molasse ; des traces de polychromies d'ocre et de pourpre y sont encore visibles. Ces innovations méritent d'être retenues ; on en reparlera plus loin.

6

THÈSES SCULPTURALES

Si le propos de cet ouvrage relève du paradoxe, que dire en particulier du chapitre qui suit? sinon qu'il risque fort de décevoir les amateurs de synthèses magistrales autant que les adeptes des classifications, groupements et ateliers ordonnés comme de beaux jardins à la française, où chaque parterre trouve sa place exacte et irremplaçable. Pour rester dans le domaine des métaphores horticoles, il ressemblerait plutôt au cabas de la ménagère sortant de la «grande surface», où les légumes les plus variés s'entremêlent aux fromages, jambons et jus de fruits, et aux ustensiles culinaires. On ose mettre au défi quelque historien de l'art que ce soit de construire, sous le titre : «La sculpture romane dans le Lyonnais et la Savoie», qui est presque en lui-même un outrage au bon sens, une étude qui vaille et ne soit pas une simple énumération de «membres disjoints». Tout en observant qu'il en va de même en plus d'une autre région de la France contemporaine : la Lorraine, le Nord, la Champagne par exemple, il est cependant honnête de poser, d'une part qu'un grand nombre de destructions, générales ou partielles, prive à jamais l'analyse d'échantillons qui, peut-être, auraient permis de relier entre eux les fragments disséminés et les pièces trop isolées, d'autre part de suivre un peu mieux une évolution stylistique, ou une suite d'évolutions, dont les morceaux sauvegardés permettent de discerner la richesse et l'originalité, parfois même les trouvailles.

Deux monuments essentiels, non seulement pour leur architecture, mais pour les décors sculptés qui les rehaussaient, ont ainsi qu'on le sait disparu corps et biens, hormis quelques vestiges douloureux à contempler aujourd'hui, et d'infimes épaves éparpillées. Le premier était l'église de l'abbaye de l'Ile-Barbe, dont Mme Marie-Madeleine Cottinet a retracé l'histoire, attestée dès le temps de Grégoire de Tours. Outre quelques fragments carolingiens conservés sur place, cette historienne a recensé ou reconnu un certain nombre de chapiteaux, dont sept auraient été, selon une tradition que ne confirme, semble-t-il, aucun document écrit, réemployés au XIXe siècle dans le baptistère de la basilique d'Ainay; un seul de ces derniers aurait comporté un personnage sculpté sur l'une de ses faces, tous les autres n'étant sculptés que de feuillages, où Mme Cottinet observe un glissement sensible entre la tradition carolingienne et «l'épanouissement roman». Plusieurs, du type dit «tronconique à tablette supérieure», s'apparentent, non seulement à ceux des parties orientales de la cathédrale du Puy, mais à ceux du déambulatoire de l'abbatiale de Tournus, puis de l'aile du cloître dite de saint Ardain, où s'observe tout pareillement la transition entre une sculpture ornementale en quasi-méplat, qui déborde très sensiblement, ainsi qu'on l'a montré ailleurs, les limites ordinairement assignées au «premier art roman méditerranéen», et le jaillissement, gonflé de sève, de reliefs accusés et profondément refouillés.

Le morceau le plus brillant et le plus chargé de signification qui ait échappé au massacre de l'abbaye de l'Ile-Barbe par les bandes du baron des Adrets en 1562, puis aux déprédations et dispersions qui se sont comme acharnées sur ce haut lieu, reste cependant le curieux fragment sculpté que conserve le musée Gadagne, et dont l'apparence orthogonale aggravée par une inexpiable mutilation ne permet pas au juste de savoir s'il provenait d'un tympan, d'une frise, ou de quelque cartouche encastré. Il s'agit en tout cas, selon l'évidence, d'une Annonciation, traitée avec une réelle originalité (pl. 95). Seul élément intact, l'archange messager est inscrit, à droite, sous une arcade aux supports couronnés de chapiteaux, et qu'encadre à son tour un fronton angulaire. Vu de trois quarts, le visage seul présenté de face comme pour prendre à témoin le spectateur du message prodigieux qu'il s'apprête à énoncer, il désigne, de l'index de la main droite presque directement branchée sur le coude par l'effet d'une distorsion anatomique flagrante, la Vierge Marie dont la fracture du bloc n'a laissé subsister que la main gauche, la manche correspondante, le zigzag singulier de la robe et un segment d'auréole; mais, au-dessus du personnage mutilé, les trois lettres (MA)RIA, gravées en belles capitales au linteau d'une amorce de fronton triangulaire, l'identifient avec sûreté.

L'on remarque tout de suite, autant qu'il soit possible d'en juger, la pose humble de la Vierge élue, que l'archange domine de sa haute stature, écrasante et impérative. Mais c'est surtout la construction de ce fragment magistral qui impressionne. Le procédé lui-même tient davantage de la gravure sur champ plat que de la sculpture en arrondi; les silhouettes, de ce fait, se détachent, brutes, sur l'ombre des fonds. La taille est à coups de serpe, préfère les angles vifs au moelleux des courbes, ou, plutôt, incorpore adroitement les seconds à la rigidité des premiers. De l'épaule gauche de l'ange part en diagonale une ligne droite jusqu'au genou pointant, où elle se casse net en un angle très obtus, duquel s'évase vers les deux chevilles un éventail de plis plaqués ; l'articulation n'est indiquée que par une virgule gravée, et l'inflexion de la jambe gauche, par un sillon à peine arqué, bordant le plat absolu de la robe. La main gauche de l'ange s'aplatit sur un long sceptre ou bâton, dont le trait rectiligne coupe strictement l'angle du genou ; un pli de manteau qui tombe droit de l'épaule jusqu'à la paume accentue et précise les recoupements. Le pan gauche du manteau, évasé, moule à peine le bras soutenant le bâton ; il n'est animé que de cinq sillons parallèles, qui esquissent des côtelages, et seuls, les drapés en volutes du pan droit ordonnent un jeu de courbes concentriques qui sous-tendent l'auréole et l'empennage de l'aile. Un tel système a une histoire et porte un nom : avec huit ou neuf cents ans d'avance, c'est le principe cubiste ; ni Gleizes, ni Picasso, ni Marc Hénard ne l'auraient renié.

Le peu qui subsiste de la seconde personne de cet épisode inouï, la Bénéficiaire de l'Annonce, précise encore le rapprochement : double chevron de la robe, dont les angles sont accusés par deux rainures transversales, double trait parallèle du retroussis, et cette extraordinaire main surtout qui, en contrebas de celle de l'archange, délimite avec elle une figure de losange ; par sa raideur, le pouce dressé, les autres phalanges raidies et marquées seulement de minces stries, elle évoque irrésistiblement ces masques de chiens et de loups que les enfants d'autrefois, qui ne disposaient pas encore de toutes les fantaisies dispendieuses des jeux électroniques, s'amusaient à projeter, par simple transparence de leurs mains, sur un écran éclairé. L'ensemble de cette pièce tient beaucoup plus de la découpe, telle que la pratiquent les ébénistes ou les ferronniers, que de la sculpture et de ses recherches de modelé.

On serait heureux d'en connaître la date. S'il est exact, selon Mme Cottinet, que la construction de l'abbatiale de l'Ile-Barbe pourrait être, «par analogie», «située au début du XIIe siècle», et que la sculpture qui la parait «aurait été exécutée au XIe et au début du XIIe siècle», il faudrait convenir que le relief de l'Annonciation fait assez violemment tache parmi les rares morceaux conservés d'autre part. Un abîme, en particulier, le sépare des chapiteaux qu'à juste titre, cette archéologue a rapprochés de ceux des parties orientales de la cathédrale du Puy, et qui ne sont pas eux-mêmes sans relation avec ceux de la galerie précitée du cloître de Tournus : soit de séries dont la commune origine est à retrouver, on le répète, dans les décors sculptés «primitifs» qui accompagnent beaucoup plus souvent qu'on ne l'a cru parfois les monuments du premier art roman, réputés à tort l'œuvre de maçons inexperts à la taille au burin et au pic.

De ce «premier âge roman» de la sculpture, qui déborde sensiblement, comme on vient de le relever, le domaine propre du style propagé par les maîtres comasques, un témoin de haut intérêt existe au voisinage même de Lyon, dans un très curieux bénitier que conserve l'église de Grézieu-la-Varenne, et que la monographie consacrée à cette commune dans la collection du Préinventaire des monuments et richesses artistiques du Rhône (n° 15, 1987) n'a pas manqué de signaler. Toute la cuve en est couverte de reliefs légers comme des caresses de la pierre, mais cette absence typique de profondeur est compensée, d'abord par l'extrême variété et la fantaisie, sinon le désordre des ornements, ensuite par une recherche certaine de modelé dans les faibles volumes offerts au ciseau du sculpteur, qui confère au détail des décors une allure boudinée non moins caractéristique (pl. 96 à 98). Selon des rythmes irréguliers, quelques-uns d'entre eux sont inscrits, soit dans trois, soit dans quatre arcades à colonnettes torsadées; une colonnette de même type, mais unique, sépare deux systèmes de fleurs étoilées et superposées. Une torsade limite le bord supérieur de la cuve, tandis que le biseau inférieur est décoré de losanges à bordures épaisses frappés de petits triangles opposés. Sous les arcades se voient, tantôt une double torsade, tantôt un zigzag vertical de feuillages écrasés, tantôt des associations de rosaces, de spires, de fleurs au dessin très libre; il s'y mêle, sous la troisième du jeu d'arcades quadruples, un quadrupède et un poisson (?). Le sculpteur s'est enfin essayé à deux scènes : un homme à demi nu qu'encadrent, d'un côté deux quadru-pèdes, de l'autre deux motifs végétaux et deux poissons (« Adam avant la faute » ? selon M. Touaillon) (pl. 98), et une scène de chasse audacieusement traitée : au registre supérieur, un cavalier poursuit un cerf, qu'une meute de chiens s'affaire à mordiller (?); la queue du cheval, longuement prolongée et recourbée, s'épanouit en un grand fleuron sur lequel l'animal semble galoper (pl. 97). Tournant le dos, un quadrupède broute la plus basse des deux fleurs superposées qui limitent à gauche la scène, emportée dans un mouvement fort bien rendu, et qu'on croirait soutenu par la fanfare des trompes de chasse.

C'est un monde qui, réellement, sépare ce morceau du fragment provenant de l'Ile-Barbe. Si l'étude de la sculpture romane se limitait aux questions de chronologie, l'on devrait se contenter de dater le premier, encore tout imbu des traditions paléochrétiennes, des années mille, et le second, incontestablement plus évolué, du milieu du XIᵉ siècle environ. Épave pour épave, on ne devra pas trop se hasarder non plus à rapprocher de l'œuvre citée, sauf peut-être pour tenter d'en mieux spécifier encore la chronologie incertaine, un autre fragment de tympan (?) qui, à première vue, offre quelque analogie avec elle : il s'agit de ce relief seul conservé, pense-t-on, du portail occidental de la cathédrale de Saint-Jean-de-Maurienne (pl. 99). Sculpté, semble-t-il, longtemps après l'achèvement de celle-ci, qui avait été construite selon les canons stricts et secs du premier art roman méditerranéen, le tympan (?) n'a pas survécu à l'édification du narthex du XVIIIᵉ siècle, et a été dépecé à l'unique exception d'un bloc grossièrement rectangu-laire, qui en occupait vraisemblablement une partie de la moitié droite. En manière de compensation, l'élément sauvé, scellé dans le mur du cloître flamboyant, peut être plus aisément étudié. A l'angle inférieur droit, délimité par deux colonnettes à chapiteaux, dont celle de gauche jaillit en outre d'une corolle florale et que réunit un bandeau biseauté, deux saints auréolés se font face. Celui de gauche, drapé dans un ample manteau, tient dans ses deux mains un livre; l'autre, de la main droite levée, désigne l'Agneau crucifère sculpté au registre supérieur. Le sculpteur n'était pas un remarquable animalier : la patte gauche avant assez maladroitement levée, pour retenir la croix qui semble percer l'échine, le mufle, complètement déjeté en arrière, est celui d'un cheval plutôt que d'un ovin. La colonnette polygonale qui, superposée à l'inférieure, limite la scène, pourrait indiquer une datation relativement tardive (XIIᵉ siècle), que ne dément pas l'inscription en lettres semionciales gravées sur le bandeau biais : ECCE AGNVS DEI (le sculpteur n'était pas non plus très bon épigraphiste, puisque la panse du D – dont la haste est commune avec celle de l'E – est inversée). On pense dès lors pouvoir identifier les deux saints : l'un serait Jean-Baptiste, désignant l'Agneau du sacrifice sanglant prophétisé déjà par Isaïe, et l'autre, Jean l'Évangéliste prêt à la mettre en scène dans son Apocalypse.

Le peu qui subsiste du registre de gauche est inégalement réparti. Le plus gros de sa surface est occupé par une magnifique aile d'ange souplement ondulée à la verticale et creusée de longues stries parallèles jusqu'à l'empennage du sommet. Ce déploiement ne laisse plus qu'un champ exigu, tout à fait en bas, pour loger un curieux personnage, plus petit que les deux précédents; à demi prosterné sur le sol, les mains en avant, il semble contempler de tous ses yeux la scène disparue à laquelle, manifestement, appartenait le grand ange. La pose évoquerait d'assez près celle de la petite sainte Foy du tympan de Conques, prosternée aux pieds du Christ-Juge, et ce rapprochement à travers l'espace tend à confirmer une chronologie que ne démentent pas les composantes stylistiques du fragment.

Il faut convenir d'abord – et ce préambule vaut sans doute pour tous les échantillons, parcimonieux au demeurant, que la seconde sculpture romane a laissés égaillés à travers le grand district du Lyonnais, de la Dombes et de la Savoie – que les amateurs de «séries», «écoles» ou «ateliers» n'y trouveront pas leur compte. Comme disait plaisamment Charles Oursel des premières velléités littéraires de son fils cadet : «Cela ne ressemble à rien». A l'instar d'ailleurs de tout ce qui se rencontre en la matière dans le pays lyonnais, ou peu s'en faut! le détail mauriennais ne se connaît pas de parents, d'enfants, ni de frères, et jaillit, unique et dru, du silence d'un absolu désert. La composition générale de l'œuvre, à en juger par le peu qu'il en reste, devait être ferme, bien scandée et articulée, selon les emplacements, par le dispositif de placards, de colonnettes et de cordons horizontaux. On apprécie le dialogue des deux personnages intacts, le jeu des mains en particulier, qui construisent dans l'espace un triangle très sûr, le sillon courbe du champ médian, que le retrait du manteau de l'évangéliste élargit à la base. De l'autre côté, la noblesse de la grande aile d'ange a été remarquée, et le bonhomme qu'elle abrite s'inscrit exactement dans le triangle qu'elle laisse libre.

Les deux éléments ou critères qui, avec la rigueur de la construction, définissent la sculpture romane, soit les draperies et les visages avec leurs recherches et évolutions contradictoires de tailles anguleuses et aplaties ou, à l'inverse, de modelés moelleux, attestent par rapport au fragment de l'Ile-Barbe, beaucoup plus brut, un progrès réel. Sur des statures courtes à têtes, mains et pieds disproportionnés, la draperie alterne les longs plis discrètement côtelés, mais rigides et collés au corps, du personnage de droite, et un bouffant beaucoup plus souple du vêtement, robe et manteau, du saint qui lui fait face; là, les systèmes de plis juxtaposés et tuyautés ressemblent assez aux fameuses trompettes en chamade des orgues espagnoles, avec leurs allures de cornets très évasés et leur double collerette de «sachets» inférieurs. Les visages osseux, aux pommettes saillantes, au léger prognathisme, au nez fort prolongeant directement le front, n'ont eux-mêmes aucun antécédent régional; ils ne procèdent ni de Cluny ou d'Ainay, ni des quelques échantillons de la sculpture romane en Dombes, ni du Viennois. Les seules parentés qu'ils pourraient alléguer, dans les visages surtout, seraient avec certains morceaux hispaniques, mais cette impression, fragile, subjective et superficielle, résisterait sans doute difficilement à un examen plus approfondi, et il va de soi qu'elle n'est fondée sur aucune preuve ou présomption historique.

A cette lumière, les choses s'éclaireraient-elles un peu plus? Le cartouche fragmentaire de l'Ile-Barbe n'aurait-il pas une chance de représenter pour sa région, et toutes proportions bien entendu gardées, le même titre que les beaucoup plus fameux chapiteaux du rez-de-chaussée de la non moins célèbre tour-porche de Saint-Benoît-sur-Loire, ou, moindrement, de la nef de l'église priorale de Bernay, c'est-à-dire celui d'une charnière ou d'un jalon entre deux états qui, à son défaut, manqueraient totalement de relation réciproque? Mais il faut essayer d'aller plus loin, c'est-à-dire chercher si, dans le voisinage plus ou moins immédiat, se trouveraient ici ou là telle ou telle correspondance permettant de fournir à cette pièce l'escorte qui, à première vue, lui fait totalement défaut. Bien qu'en matière romane, on ne le rappellera jamais assez, tout rapprochement, rapport d'antécédence ou filiation risquent d'apparaître hasardeux, sinon téméraires, un esprit porté au paradoxe observerait qu'ils s'imposent en l'occurrence d'autant plus qu'à première vue, l'observateur n'en découvre aucun; un examen ou une connaissance attentifs des procédés d'attaque de la pierre permettent seuls de suggérer quelques comparaisons, la dernière assez inattendue. On a déjà évoqué la taille angulaire qui détache les figures en méplats presque absolus, et comparé la main raidie de la Vierge au schéma d'un mufle de loup. Quadrupède pour quadrupèdes, cette pseudo-silhouette ferait penser aux fauves, parfaitement stylisés et gravés plutôt que sculptés, qui décorent les faces d'un chapiteau réchappé de la démolition récente de l'église de Bourg-de-Thizy en Roannais, tels qu'on les voit opportunément reproduits dans les planches 51 et 52 du second tome de l'ouvrage consacré par Zodiaque à l'exploration de la sculpture romane. Les procédés techniques de cette série, à les bien regarder, sont d'ailleurs, et dans leur ensemble, assez voisins de ceux qui ont gouverné la silhouette mutilée de la Vierge de l'Ile-Barbe, et même, jusqu'à un certain point, le manteau de l'ange. Un état un peu plus évolué apparaîtrait dans les chapiteaux de l'arcature absidale d'une des églises romanes les plus anciennes de la Dombes, Saint-Martin de Buellas. Ils sont, constate M. Jean-Claude Collet (*op. cit.*, p. 94), «d'un style primitif, presque sauvage, mais non dénué de grandeur». Les fleurs qui en décorent les volumineux tailloirs (pl. 100 et 101), et même les nerfs de certaines feuilles proches de celles du hêtre, frappés comme au poinçon, rappellent certes les motifs du bénitier de Grézieu-la-Varenne, mais, au-delà d'une technique sensiblement plus raffinée, c'est aux animaux du Bourg-de-Thizy que ramèneraient les méplats striés des volatiles dont le sculpteur de Buellas unique en son genre à travers toute la Dombes, semble s'être fait une spécialité.

C'est bien loin de là, cependant, que se révèle l'analogie la plus imprévue, et celle-ci confirme à tout le moins la présomption que le fragment de l'Ile-Barbe, du fond de sa nuit, a peut-être représenté autre chose qu'une expérience solitaire : un instant inter médiaire, fugace comme une étoile filante, entre les premières floraisons sculpturales du XIᵉ siècle et les triomphaux renouvellements de l'apogée. La production récente, par les éditions Zodiaque (on serait presque tenté de s'écrier : comme par hasard!), des chapiteaux de l'église piémontaise de Cortazzone, dont le nom, jusqu'alors, ne devait pas évoquer grand-chose à la plupart des historiens français de l'art, est apparue à cet égard riche de leçons. On n'en retiendra ici que deux, mais qui ont valeur exemplaire et testimoniale : celui qui montre un quadrupède, les pattes de devant sur un masque humain et se mordant la queue (?) de ses énormes crocs (*Piémont-Ligurie roman*, pl. 51), l'autre, plus classique, présentant dans une jolie composition le vieux thème des deux oiseaux affrontés et buvant dans une coupe. Sans s'attarder au détail iconographique, on remarquera le procédé technique du relief, plus graphique que structural, qui découpe par défoncements biseautés et à angles vifs des silhouettes rigoureusement plates, où même les chevauchements et enchevêtrements ne donnent prétexte à aucune recherche de modelé tournant. C'est, à peine moins sommaire, la taille des quadrupèdes sculptés sur le chapiteau de Bourg-de-Thizy (*Floraison* 2, pl. 52), et à peu de chose près, celle du bas-relief de l'Ile-Barbe, de la silhouette virginale notamment; et c'est aussi, par parenthèse, celle de certains des chapiteaux de l'ancienne abbatiale de Bernay, en particulier de celui qu'a signé Izembardus (*Normandie romane* 2, pl. 11, 12, 20, 21). Comme on souhaiterait, pour s'épargner tout délire d'imagination, que l'histoire se fît un peu plus précise, qui rapporte que l'église de Cortazzone relevait de l'évêque de Pavie, et que celui-ci lui subordonna le prieuré institué en 1070 par Fruttuaria, l'abbaye qu'avait fondée Guillaume de Volpiano, de son île San Giulio d'Orta venu à Cluny, à Saint-Saturnin-du-Port, à Saint-Bénigne de Dijon, à Fécamp, à Bernay...

Ce très simple aperçu analytique et comparatif de quelques «membres disjoints» suffirait à prouver qu'en Lyonnais tout autant qu'ailleurs, la sculpture romane, cette expression privilégiée du frémissement de la vie, est d'une complexité défiant tout effort de synthèse; et il avertit, comme par intuition, qu'il serait vain de chercher en quelque recoin que ce fût un foyer d'art assez dominateur pour régner, comme celui de Vézelay par exemple, sur les étendues, ou essaimer avec force alentour, comme celui d'Aulnay de Saintonge. Les destructions et dilapidations – l'Ile-Barbe, Savigny, Ambronay, Talloires même sur les rives du lac d'Annecy, dont il ne reste, on l'a dit, que deux fûts de colonnes à chapiteaux de feuillages! – ne sont pas seules en cause. Même la métropole lyonnaise, où la construction religieuse fut intense à l'époque romane et a laissé d'impressionnants morceaux, ne se prévaut d'aucune œuvre sculptée de premier plan, les décors de l'abside d'Ainay s'imposant davantage par l'originalité de leurs placements et leur effet architectural que par la qualité propre de chacun de leurs éléments constitutifs.

Au terme, maintenant proche, d'une étude monumentale qui aura, on le pense, mis en lumière une fécondité au moins égale à celle d'autres districts romans plus réputés, ces remarques n'ont pas un caractère restrictif. Dans la mesure où l'originalité inventive (surtout s'il s'agit d'un art d'accompagnement) représente l'un des critères de la beauté (le Créateur n'a-t-il pas donné l'exemple, qui n'a pas fait une roche, un paysage, une physionomie, un corps humain exactement superposables à ceux d'à côté?), le milieu roman du Lyonnais se signale, à défaut, on le répète, d'œuvres vraiment transcendantes, par la variété des types et supports offerts au ciseau de ses sculpteurs, et ce sont eux qui doivent le plus nécessairement commander le plan d'une approche, limitée, dans le chiffre de ses pages non pas par «les exigences de la collection», comme le stigmatisait hier, avec une pointe de dépit, un historien de l'art des pays d'Aquitaine, mais par libre choix d'une part, nécessité d'équilibrer, de l'autre, mobilier autonome des autels sculptés, chapiteaux, pilastres, portails, frontispices enfin.

☆

Dom Angelico Surchamp, créateur et animateur inlassable d'une œuvre que le monde entier envie à la France, et qui est, doit-on le rappeler toujours? œuvre d'Église autant que de connaissance romane, a révélé ainsi qu'il a été dit l'existence, en l'église d'Illiat* (Ain), d'un petit autel roman réemployé comme crédence. On surprendra sans doute plus d'un Dombiste en lui signalant à la suite qu'une modeste église du pays des étangs, Saint-Georges-sur-Renon, entretenue d'ailleurs et restaurée avec une ferveur émouvante, possède une table d'autel romane qui paraît avoir échappé à la sagacité de Jean Giraud comme de M. J.C. Collet. Il est vrai qu'elle ne comporte aucune sculpture ou décor vraiment caractéristique; sa tranche est simplement moulurée d'une forte doucine, sa base, d'un talon symétrique, et sa face supérieure, légèrement creusée entre ses bords rectangulaires. Mais aucun Lyonnais ou Beaujolais n'ignore que sa région possède le plus bel autel sculpté de toute la France, avec celui qu'avait sculpté Bernard Gilduin pour Saint-Sernin de Toulouse : si le mérite d'un haut relief s'évaluait à la surface couverte, il l'emporterait même largement sur le second. Tout le monde a déjà deviné qu'il s'agissait de l'autel d'Avenas. Historiens et archéologues ont abondamment commenté le destin de ce village minuscule, situé à l'une des sources de la Grosne, sous le pied occidental du col dit du Fût qu'empruntait cette route romaine reliant Ludna aux Angerolles; là, elle rejoignait la voie du Chalonnais au Brionnais et à la Loire par le seuil de Montmelard. Il est sûr que cette chaussée, dont un beau tronçon peut être encore suivi d'Avenas au château du Vernay situé en contrebas, a joué un rôle considérable dans l'histoire du haut lieu.

Les trois faces les plus visibles de l'autel roman, soit l'antérieure et les deux latérales, sont illustrées, on le sait, par des scènes en haut relief qui comptent à bon droit parmi les plus illustres de toute la Bourgogne (si Avenas, membre de l'ancien comté de Mâcon, pouvait encore se dire en Bourgogne!). Sur la face principale siège le Christ dans une mandorle de gloire (pl. 102); les pieds posés à plat sur l'escabeau de son trône aux accoudoirs somptueux que terminent des volutes fleuronnées, le visage parfaitement régulier, très juvénile, empreint d'une extrême douceur grâce à de subtiles nuances du relief, il bénit de la dextre à l'énorme index levé. De chaque côté, les symboles évangéliques inscrivent la mandorle dans un cadre carré, et les Douze apôtres sont répartis en deux registres par groupes de trois; la plupart tiennent des livres, mais saint Pierre, qui semble dialoguer avec son voisin de droite, est reconnaissable, lui, à sa grosse clé. Les scènes de la Nativité, de la Présentation de Jésus au Temple, et, par une audace très expressive, de l'Assomption occupent le petit côté droit de l'autel (par rapport au Christ) (pl. 103), et le gauche (à droite pour le fidèle placé dans la nef) est entièrement consacré à l'épisode mystérieux de la donation de l'église d'Avenas par «un» roi nommé Louis à Saint-Vincent, patron de la cathédrale de Mâcon (pl. 104). L'acte est authentifié par un quatrain léonin amphigourique, gravé au bas de la scène et qui a été reproduit un nombre assez considérable de fois pour qu'il soit inutile de le retranscrire ou rabâcher de nouveau; mais la traduction du rébus lui-même a donné lieu aux interprétations les plus contradictoires. On a reconnu dans le roi tantôt Louis le Bègue, qui, de fait, donna en 878 l'église du lieu au chapitre de Saint-Vincent de Mâcon : *Rex... offert ecclesiam Vincentius recipit istam;* tantôt même le roi de France Louis VII le Jeune, encore surnommé le Pieux, et dont l'autel commémorerait les deux expéditions qu'il conduisit personnellement en Bourgogne, en 1166 et 1172! Le style de la sculpture, cependant, contredit tout à fait une date aussi tardive, et il n'est aucunement prouvé que le roi fût passé par Avenas ou eût consenti quelque libéralité en sa faveur. Assez vite d'autre part, la légende substitua au falot Louis le Bègue son ancêtre Louis le Pieux ou le Débonnaire, fils de Charlemagne, qui, non seulement, aurait été le fondateur premier du «moutier-Pélage», mais serait, ainsi qu'on l'a rappelé, grimpé à la tête de son armée jusqu'au faîte du mont Tourvéon afin d'y raser le repaire du traître Ganelon. L'auteur du médiocre quatrain et inspirateur du superbe morceau sculpté a décomposé son ouvrage vers par vers, en quatre temps successifs :

1) (Pour s'acquérir les bonnes grâces du ciel et avec l'arrière-pensée de prolonger ainsi sa vie), le roi Louis, pieux et ami de la vertu, offre l'église;

2) Saint Vincent (agrée le cadeau) et reçoit l'église;

3) (Mais il se trouva que) douze jours plus tard, le mois de juillet allait commencer son cours (ce qui, selon le comput médiéval, correspond au 20 juin);

4) La mort met en fuite l'obstacle que le roi avait cru opposer à son trépas (il ne fallait pas moins qu'une véritable torture grammatico-stylistique et un considérable effort d'imagination pour interpréter, ainsi qu'on l'a fait, ce vers terminal comme une clause comminatoire).

Seul des trois rois évoqués, Louis le Pieux décéda un 20 juin, et l'auteur de la versification entendait certainement conférer à son texte, on le répète en d'autres termes, la leçon morale que les bonnes œuvres ne peuvent rien contre le pouvoir de la mort, qui survient à l'heure que Dieu a choisie. *Et nunc, reges, intelligite!* Le vrai problème de l'autel d'Avenas ne réside d'ailleurs pas, ou plus, dans cette identification au demeurant secondaire du roi donateur, mais dans la place que ce meuble occupe dans l'apogée sculptural de la Bourgogne romane, soit de sa date d'une part, de son exceptionnelle qualité d'autre part. La maquette que le roi présente, église rurale à trois volumes, abside, travée de chœur surmontée d'un clocher, nef unique, ressemble d'autant plus au sanctuaire effectivement construit que le sculpteur a même pris la peine de suggérer un pignon de transept, qui existe de fait dans l'édifice encore debout. Des signes de jeunesse relative, arcs brisés, pilastres décorés de la galerie absidale, s'associent à ceux de la tradition, tel le non-voûtement de la nef; si l'on peut proposer pour l'église une date comprise entre 1100 et 1120 environ, l'autel lui-même, où on la voit représentée, pourrait être du premier quart du XIIᵉ siècle. Le calcaire blanc, légèrement coquillier, dans lequel il est taillé, s'apparente à celui dans lequel furent sculptés les chapiteaux sauvegardés de la couronne absidale de la basilique clunisienne, et le style des figures qui le décorent n'est pas sans lien avec celui de ces œuvres émérites, poses et drapés. Mais l'allure générale, paisible et tendre, échappe au frémissement qui enlevait les œuvres clunisiennes, et aura d'ailleurs tôt fait de s'exacerber, à Charlieu par exemple, jusqu'à un étourdissant tourbillon de formes.

La plupart des visages, inscrits dans des ovales purs, n'ont pas les cassures anguleuses et les aplats de leurs homologues clunisiens; aux draperies de type côtelé, il manque les «retroussis bouillonnants» naguère définis par le chanoine Terret, et qui sont comme la marque de fabrique particulière des œuvres issues de ces ateliers. La gravité tendue d'Avenas est plus proche de certaines œuvres d'origine brionnaise qui semblent chevaucher les années 1100 : bas-relief de l'Annonciation de Charlieu, chapiteau de la Crucifixion provenant de Fautrières, tympan de Perrecy-les-Forges. Et quelques détails sont annonciateurs d'autres recherches : refus de remplissage touffu des champs, concentration des statures, fermeté des drapés larges et plats, et, chez l'apôtre assis à la droite du Christ, au registre inférieur, cascade des plis de l'entrejambe. De ces traits, les deux premiers annoncent d'une certaine manière les modelés un peu lâches et les silhouettes courtes du tympan de la cathédrale Saint-Vincent de Mâcon (qui généralisera l'agencement de personnages assis en registres superposés) et de la frise de façade de l'église de Saint-Paul-de-Varax; le sculpteur de l'insolite et prodigieux Christ de Saint-Amour, unique en son genre dans toute la région, paraît avoir retenu aussi bien les leçons du quatrième, soit la chute des drapés, que celles des visages d'Avenas. Ainsi, plus encore que comme un surgeon de la technique brionnaise, l'autel beaujolais pourrait-il s'inscrire comme le prototype plus ou moins lointain d'une nouvelle génération à l'œuvre dans plusieurs recoins de la Dombes.

On ne pense pas blesser les Savoyards, qui ont depuis quelque temps révélé que l'attachement à leur patrimoine n'est pas que de façade, en constatant que l'autel de Cléry, déjà évoqué ci-dessus, n'est pas tout à fait de la même classe. Plus étrange que belle à proprement parler, l'œuvre tient son originalité, qui, elle, est sans pareille, de l'art avec lequel elle juxtapose en fait trois techniques différentes, en les amalgamant dans une vision unique dont rend bien compte une photographie frontale : les panneaux pleins, les pilastres ornés, les chapiteaux. Ses quatre compartiments : un pour chaque face latérale, deux pour la face antérieure, sont rigoureusement nus, lisses et sombres, à l'exception d'encadrements festonnés et fleuronnés sans épaisseur, laissés en réserve sur des fonds très légèrement évidés et martelés. Les pilastres dégagent de ce fait une impression de relief supérieure à la réalité ; monté sur des socles attiques, surmontés ainsi qu'on l'a dit de chapiteaux, ils sont, à l'exception d'un seul, décorés de rinceaux de technique analogue, mais de composition variée, et compris entre des bordures verticales de dents de scie. La plupart de ceux-ci s'épanouissent en fleurons ; l'un d'eux (petite face de droite), en un profil de bélier finement observé. L'artiste, graveur plutôt que sculpteur, était certainement un excellent animalier : sur le pilastre qui limite à gauche la face principale, il a remplacé les rinceaux par un léopard héraldique de fort belle venue ainsi qu'on l'a dit (pl. 65), la queue spirée, toutes griffes dehors, le mufle carrément retourné vers l'arrière, comme pour contempler l'ange qui, sur le chapiteau médian de la face principale, témoigne de la Résurrection du Christ (pl. 66).

Sur la monochromie du marbre vert, sensiblement assombri, dans lequel a été taillé le corps de l'autel, brochent agréablement les ocres des belles corbeilles, toutes individualisées et historiées, qui coiffent les pilastres. Oeuvres, cette fois encore, d'un talent solitaire et qui ne paraît pas avoir laissé d'autres traces régionales que, semble-t-il, au portail de l'église d'Yenne, ces miniatures de reliefs expriment en tout cas la pleine maturité romane, par la richesse des graphismes et des modelés, la maîtrise des drapés, le mélange de rondeur et de gravité des physionomies, l'intensité de regard des pupilles forées au trépan ; des affinités plus larges seraient à rechercher prudemment, tout comme à Saint-Jean-de-Maurienne, et ainsi qu'il a été dit, avec certains visages espagnols (Sainte Femme du chapiteau de gauche de la face principale (pl. 65) ? Ange de la face latérale droite (pl. 67) ?). Mais il convient de les retenir surtout pour ce qu'elles sont, dans une province aussi pauvre que la Savoie en ouvrages sculptés de la période romane, et de s'attarder devant tel ou tel de ces bustes ou visages, afin d'en chercher le message secret et de s'en empreindre avec la déférence que mérite leur réelle majesté : la Sainte Femme précitée du chapiteau de la façade, son homologue couronnée du chapiteau extrême de droite (pl. 63), placée là comme une gardienne de l'infini qu'elle médite. Et les amateurs des merveilles romanes apprécieront, chemin faisant, la sensibilité avec laquelle les imagiers de la période baroque, longtemps si décriés, ont su accommoder les structures du retable qu'ils ont voulu poser sur le vieil autel, sans en détruire une bribe, aux scansions, aux rinceaux de feuillages, aux torsades et aux teintes dont ils étaient les héritiers, pour composer avec eux, par leurs propres répertoires, une synthèse de témoignage à laquelle ne manque pas même, devant la porte du tabernacle de la Présence réelle dogmatique, la figure conclusive du Fils de l'Homme portant la croix du supplice, mais vainqueur de la mort et Ressuscité.

Le Lyonnais, pour revenir à lui, a été bien inspiré, lors de la reconstruction de l'église de Saint-Rambert-l'Ile-Barbe, de sauver et d'enchâsser dans son nouvel autel deux éléments sculptés de l'ancien, qui sont d'un XIIe siècle relativement avancé et de belle facture classique. Chacun d'eux est encadré par deux brefs pilastres creusés de deux cannelures à l'antique surmontés de chapiteaux tous pareillement constitués : deux volutes d'angle jaillissant de feuilles plates et nervées, fortement recourbées en fleurons gras, avec, entre les deux, une volute identique, mais plus basse : type qui annonce étonnamment les chapiteaux à crochets du XIIIe siècle. Les deux scènes intermédiaires s'inscrivent sous des arcs moulurés en plein cintre, et les personnages qui les animent ont été perchés sur des socles ou podiums rectangulaires, afin de les amener à la hauteur des bords supérieurs des bases de pilastres. La première, d'une grâce charmante et délicate, est consacrée à l'Annonciation, et doit compter parmi les plus jolies transcriptions plastiques de l'épisode mémorable relaté par l'évangéliste Luc (pl. 105). Elle est conforme à la tradition que l'âge gothique s'apprête à ruiner, en ce que la Vierge élue est présentée de face, le visage seul tourné imperceptiblement vers le messager de l'Annonce. Lui s'avance de profil, les deux ailes obliques engendrant des contre-courbes à l'intérieur du cintre enveloppant; le mouvement de marche est indiqué par la projection de la jambe droite et la flexion du genou, qui déterminent un beau jeu de plis, parallèles à ceux du pan de manteau qui descend de l'épaule gauche. La main droite bénit, la gauche tient verticalement un sceptre fleuri – *flos de radice ejus ascendet* –, et l'une et l'autre déterminent avec celles de la jeune Vierge une ferme construction diagonale. Les deux visages, enfin, sont vus de face, l'un et l'autre ronds et poupins, aux lèvres charnues encore accentuées par les commissures profondes, aux yeux globuleux, avec un forage des pupilles qui en aggrave la fixité.

Dans la scène subséquente de la Visitation, l'état des deux Femmes venant à la rencontre l'une de l'autre est suggéré avec une grande pudeur, non pas par quelque bombement anatomique, mais seulement par une légère oblique des corps qui détermine une composition triangulaire, tout comme dans l'ivoire de Genoels-Elderen, opportunément reproduit dans le Musée imaginaire d'André Malraux (*Monde chrétien*, pl. 51, et aussi *Vie de la Vierge*, éditions *Zodiaque*, pl. 21), au titre de prototype de toute une série. Les drapés s'agencent en fonction de cette construction parfaitement symétrique; leurs beaux évasements en éventail s'organisent à partir de la courbe souple que dessinent les avant-bras des deux protagonistes, et sont limités par l'espèce d'm oncial que gravent les bordures des deux manteaux relevés au niveau des coudes. Les deux visages accolés sont présentés légèrement de trois quarts, dans le prolongement des statures. De modelés tout à fait pareils à ceux de l'Annonciation, ils expriment par une nuance minime – le redressement des commissures – la joie de la Promesse partagée : «D'où me vient cet honneur?» – *Magnificat anima mea Dominum*. Et cet élan discret s'oppose à la gravité statique de l'Annonciation, pourtant aussi fracassante en son genre, dans l'intimité d'une chambrette sans témoins, que le *terraemotus* apocalyptique de la Neuvième heure. Il fallait vraiment que vînt le génie roman pour exprimer pareilles choses avec la simplicité et la spontanéité d'un enfant, qui vont beaucoup plus loin que toutes les emphases inventées par les imageries flamboyante et baroque, sans parler des douceâtres productions sulpiciennes qui les ont suivies et remplacées.

☆

Une émouvante primatiale gothique, d'où jaillit progressivement d'une souche encore romane, à la façon d'un Arbre de Jessé subitement épanoui, l'altière nef du XIIIᵉ siècle qui en surhausse brusquement la sage élévation et crève ses parois de lumineuses verrières, un riche apport flamboyant, les quartiers et les quais de la vieille ville, un urbanisme classique que, paraît-il, les Parisiens eux-mêmes envient, ont dédommagé Lyon de n'être pas au premier chef une métropole romane, non plus d'ailleurs que de grandes cités d'art telles que Troyes ou Dijon. Les deux chapiteaux de l'histoire du Salut siégeant à l'orée du chœur de la basilique d'Ainay comme ces blocs rocheux surgis, bruts et sans préavis, des sables du désert, il apparaît que, seule au voisinage immédiat de Lyon, l'abbatiale bénédictine de Savigny offrait, dans son beau cadre architectural, un trésor de chapiteaux comparables à ceux des églises romanes de Bourgogne par exemple, ou des couronnes de déambulatoire des basiliques clermontoises.

On sait que l'édification de l'église monastique, entreprise entre 1060 et 1083, traîna tellement en longueur qu'elle ne fut terminée qu'au XIIIe siècle, mais cet étirement même confère aux chapiteaux qui, phase après phase, vinrent en rehausser l'ouvrage un intérêt exceptionnel. Par chance, un assez grand nombre d'entre eux avaient échappé à la criminelle destruction de l'église; la plupart, recueillis et conservés par une famille de la région, ainsi que le fort beau linteau sculpté de la Sainte Cène et du Lavement des pieds (pl. 106), ont été récemment cédés à la Mairie de Savigny, qui a eu l'initiative exemplaire d'en organiser une présentation muséographique de tout premier ordre, et qui en facilite l'examen. Pour les historiens de l'art, leur étalement dans le temps rend compte de façon très éclairante, non pas des «progrès» éventuels de l'art sculptural au long de cette période, mais des courants divers qui vinrent s'y côtoyer ou s'y enchevêtrer, c'est-à-dire de sa vie même, des élans et des tensions qui la saisirent, à l'instar de toute vie humaine. L'étude très fouillée que leur a consacrée Mme Cateland-Devos (*Bulletin archéologique du Comité des travaux historiques,* 1971) s'offre avant tout comme un répertoire très sagace d'influences; sans être en mesure, on s'en doute, de proposer pour chacun d'entre eux une chronologie précise, ou, seulement, un ordre quelconque d'antécédence ou de filiation, cette archéologue discerne d'abord une «influence bourguignonne», et plus spécialement clunisienne, qui est, de fait, évidente dans le chapiteau de la Tentation du Christ (pl. 107), et, secondairement, dans celui de l'Incrédulité de saint Thomas (pl. 108).

Une propagation de la forme sculptée clunisienne, non exclusive, à travers la région du Rhône moyen durant la première moitié du XIIe siècle est tout à fait plausible puisqu'on la voit atteindre sans conteste la nef romane de la collégiale de Romans : les chapiteaux de l'Annonciation et de la Balance y portent très perceptiblement cette grande marque, mais par quelles transmissions? nul ne le sait. Comme à Romans aussi, cette transmission de style semble avoir été relativement brève; à Savigny, le chapiteau d'Adam et d'Ève (pl. 109) reflète une tradition toute différente et une inspiration nettement antique. Un peu plus tard (seconde moitié du XIIe siècle), l'iconographie du chapiteau de l'Histoire de David (pl. 110) dériverait «de la sculpture rhodano-provençale», tandis que le style général demeurerait «bourguignon», certains détails, tels que les «rubans plats» des angles, rappelant par-dessus le marché le cloître de Moissac! Ce véritable syncrétisme sculptural montre plus sûrement encore, ainsi qu'on l'a déjà écrit maintes fois, que les caractères «régionaux» ou «provinciaux» ne cessent de s'atténuer dans le cours du XIIe siècle, au bénéfice de procédés d'atelier interchangeables et d'un enrichissement iconographique qui n'a pas davantage de frontières, au moment précis où le nouveau style gothique s'apprête à l'évacuer de ses chapiteaux.

Dans quelle mesure le travail qui s'accomplissait ainsi à Savigny a-t-il pu retentir sur les régions limitrophes, c'est ce que le trop petit nombre des épaves sauvegardées ne permet guère d'entrevoir. Des chapiteaux sculptés qui décorent les églises romanes des monts du Lyonnais et du Beaujolais, aucun, sauf omission, n'atteint la qualité ni l'originalité de ceux du Brionnais par exemple, sur l'autre versant des cols. Ceux de la galerie orientale du cloître de l'ancien prieuré clunisien de Salles, seule conservée, sont de brillants et habiles ouvrages d'école, à sujets végétaux exclusifs (on ne sait si les autres galeries en comportaient qui fussent historiés), et dont les creusements accentués, les volutes refouillées, l'exubérance reflètent la tendance baroque de la dernière sculpture du Brionnais précisément, celle de Charlieu en tête ; ceux du portail de l'église priorale, compris dans un encadrement orthogonal très clunisien, ne prêtent qu'aux mêmes remarques. La Savoie pour sa part ne compte, à côté de portails à simples chapiteaux décorés de feuillages au style gras et épanoui, tels ceux de l'église de Cléry ou de l'ancienne chapelle de l'Hôpital de Moussy en Faucigny, qu'un très petit nombre de chapiteaux historiés : celui, déjà cité, de l'église Notre-Dame de Saint-Jean-de-Maurienne (pl. 30 et 31), celui du portail de l'église de Marthod près d'Albertville, où gesticulent des bonshommes sans signification précise, et les deux chapiteaux conservés, enfin, du portail occidental de l'église d'Yenne, qui, avec la soudaineté d'un grand vent de montagne, viennent brusquement rehausser une «série» limitée. En cette église de la porte de Savoie, dédiée à Notre-Dame, l'un et l'autre sont consacrés à des thèmes mariaux : à gauche, l'Annonciation (pl. 111) et la Visitation (pl. 112), que devait logiquement compléter une Nativité sculptée sur le chapiteau voisin, qui a disparu ; à droite, une Vierge en majesté de type tout à fait roman (pl. 113), qui appartenait sans doute à une Adoration des mages dont le chapiteau disparu, à droite, présentait sans doute les autres personnages, puis la Présentation de Jésus au temple (pl. 114). Dans des formats d'enluminures, ces quatre œuvres contemporaines de la fin de la période romane sont d'un raffinement réellement quintessencié : des orfèvreries de la pierre. La composition est celle de sujets détachés côte à côte sur des champs laissés nus, mais une animation particulière devait leur être conférée, dès l'origine, par des polychromies de rouge vermillon, de vert et d'ocre jaune dont il subsiste quelques traces. Le statisme et la rigidité d'un tel genre de placements sont toutefois atténués par la souplesse, la précision, les subtiles inflexions du graphisme et des modelés, qui engendrent une grâce réelle, adéquate aux sujets retenus comme aux menues dimensions de ces œuvres charmantes. Devant les visages du chapiteau de gauche, on évoque fatalement – et ce ne paraît pas être simple impression visuelle de touriste ou d'adepte futé des Congrès archéologiques – la Figure de Femme couronnée de l'autel de Cléry (pl. 63).

Les chapiteaux de la crypte de Saint-Hippolyte de Thonon ayant été à tout le moins retaillés pour la plupart, et ceux du portail de l'église de La Chambre en Maurienne, hier donnés comme romans, paraissant bien n'être que du XIIIe siècle, il faut convenir en définitive avec J.-C. Collet que, de tous les districts du Rhône moyen, c'est encore la

Dombes qui offre la plus grande variété de chapiteaux sculptés, souvent avec élégance et raffinement. Le jeune archéologue vaudois ne manque pas d'alléguer, comme avaient fait ses devanciers, la panacée d'une influence brionnaise qui se serait exercée «à travers le Beaujolais, province à qui la Dombes doit beaucoup» (*op. cit.,* p. 66). Mais il n'omet pas de signaler, et sa remarque est d'une grande portée, qu'en l'église de Consac en Saintonge se voit le même décor écussonné de triangles alternativement creux (pointe en haut) et laissés en réserve (pointe en bas) que celui de deux chapiteaux de l'église «archaïque» de Saint-André-sur-Vieux-Jonc, attribuée par Jean Giraud à la seconde moitié du XIᵉ siècle. Sa recension thématique, très complète, donne une idée impressionnante de la variété des sujets; s'y succèdent en s'amplifiant peu à peu les décors dits «géométriques», mais dont plusieurs (Perrex, Cormoranche, et même Buellas) sont en fait des stylisations de feuillages, puis des interprétations végétales d'une grande diversité : fleuronnées (Illiat), dérivées du corinthien (Bouligneux), recourbées en grappes (Cormoranche), superposées en deux registres de feuilles plates qui annoncent les chapiteaux à crochets du XIIIᵉ siècle; puis des décors animaux dont les choix, selon M. Collet (qui sacrifie peut-être un peu trop à la mode symbolique), «ne doivent rien au hasard», mais dont «le message s'est perdu» et dont le mystère a quelque chose «d'irritant». A côté, par exemple, d'un bouc, dont il est possible que le modèle ou le prétexte ne soit que local, ou de lions réduits parfois à un masque, comme à Illiat, trois chapiteaux montrent notamment, de Chaveyriat (pl. 115) à Saint-Julien-sur-Veyle (pl. 117) et à Saint-Germain-sur-Renon (pl. 116), l'évolution et la baroquisation du vieux thème de l'homme dangereusement encadré par deux de ces redoutables carnassiers, dont le symbole n'est peut-être pas ici de puissance ou de force, mais plutôt de maléfice et de cruauté, fussent ceux-ci domptés par la puissance plus forte encore du miracle. La relation entre les trois œuvres est attestée par certains détails iconographiques, tels que la couronne dont l'homme a le chef ceint, et qui, à Saint-Julien-sur-Veyle (pl. 117) comme à Saint-Germain (pl. 116), de facture plus évoluée, est réduite à un mince diadème, ou le geste des lions qui, chacun de leur côté, mordillent sa chevelure. Cette pose finalement plus joueuse qu'agressive, la placide débonnaireté de l'homme debout entre les deux fauves incitent à se demander s'il ne s'agirait pas de l'épisode de Daniel dans la fosse aux lions. L'objection du diadème n'est pas vraiment dirimante : l'iconographe a fort bien pu vouloir suggérer comme il le pouvait la relation privilégiée qui, selon le livre de Daniel, s'était nouée entre le roi Nabuchodonosor et le prophète déporté. Un autre détail, tout différent, tendrait au contraire à renforcer l'impression malsaine qui se dégage des trois chapiteaux analogues, et à spécifier la leçon morale qui pourrait en être dégagée : si les nécessités de la composition symétriquement courbe, fort harmonieuse au demeurant, provoquent un identique allongement des encolures, qui accentue le caractère félin, presque reptilien, des animaux, les lions de Saint-Germain-sur-Renon (pl. 116), avec leurs mufles particulièrement hideux, sont devenus des bêtes fabuleuses, dont la queue, chez l'un, s'épanouit en feuillage, chez l'autre en grappe bourgeonnante, et dont, par surcroît, la démesure du col les apparenterait davantage aux dragons mythologiques qu'à des quadrupèdes réels, transcrits d'après nature par l'intermédiaire de quelque image.

Ce sont cependant les volatiles qui, en matière animale, semblent avoir eu la prédilection des imagiers romans de la Dombes. On a cité les oiseaux picorant de Buellas (pl. 101), auxquels répond, gravé à peu près de même manière, le coq veillant à la porte de l'église de Druillat (pl. 119). L'aigle est recherché, non seulement pour sa valeur symbolique, mais pour l'occasion qu'offre le déploiement de ses ailes à une ample et majestueuse composition plastique meublant à merveille le volume courbe d'une corbeille de chapiteau. Dès la prime renaissance de la sculpture romane (on veut dire au début du XIᵉ siècle), les décorateurs du *presbyterium* de la priorale brionnaise d'Anzy-le-Duc avaient esquissé le thème, dont le portail d'une humble église de la Dombes, Chaveyriat, montre en quelque sorte le parachèvement égal aux plus grands (pl. 118) : peu de représentations romanes de l'aigle royal atteignent à cette force, exprimée par le mouvement très large des ailes, qui, *mutatis mutandis,* ferait un peu penser à celui de la seule aile subsistante de l'ange de Saint-Jean-de-Maurienne (pl. 99), par l'érection sauvage des serres sur l'astragale, et, surtout, par la découpe de la tête et du bec entrouvert, franchement projetés hors du champ par un artifice de creusement bien connu de tous les sculpteurs, mais particulièrement délicat à réaliser.

A Mionnay enfin, en l'un des trois reliefs incrustés dans le mur septentrional du transept de l'église reconstruite au XIXᵉ siècle, les volatiles sculptés acquièrent une finalité nouvelle et moralisante : une représentation inattendue de la célèbre fable du Renard et des Poules (pl. 121) montre ces dernières comme actrices ingénues et stupides du petit drame très humain de la naïveté victime de la ruse. Elle introduit d'une certaine manière aux chapiteaux anthropomorphes, qui sont eux-mêmes de deux, sinon de trois types bien distincts. Le centaure mythologique, relativement fréquent dans l'imagerie romane, et son homologue marine la sirène, qui ne l'est pas moins, apparaissent à plusieurs reprises sur les chapiteaux sculptés de la Dombes (Mionnay (pl. 120); Illiat, Savigneux, Le Plantay). Au portail de Saint-Paul-de-Varax, iconographiquement très riche, c'est aux chapiteaux du frontispice que sont réservées les scènes à valeur typologique de la Tentation d'Adam et d'Ève (pl. 84) d'une part, de la Nativité, de l'Adoration des mages (pl. 83) et du Massacre des Innocents enfin, groupés sur les trois faces d'un unique chapiteau de pilastre cannelé. A Montanay, le sculpteur du martyre de saint Pierre a trouvé le moyen de tirer parti de la difficulté que présentait l'insertion dans un volume tournant d'une croix renversée pour désarticuler complètement toute symétrie de composition (pl. 122). A l'abri des deux fortes volutes d'angle, l'Apôtre nu, pieds et poignets liés, la tête en bas, occupe la verticale médiane, coupée à sa partie inférieure par l'horizontale du bras de la croix. Mais, des deux bourreaux, l'un se hisse sur ce bois pour ligoter les chevilles du martyr, et sa tête déborde du seuil de l'abaque, tandis que l'autre s'accroupit pour atteindre les poignets; il s'ensuit une diagonale très ferme, qui prend en écharpe toute la surface de la corbeille, depuis la volute de gauche jusqu'à l'astragale à l'autre bord de la face principale.

Qu'il s'agisse enfin de masques animaux ou humains sans vocation iconographique précise, une particularité attire bien davantage encore l'attention. Ce sont la plupart du temps des figures monstrueuses, féroces ou grotesques : lions, démons, visages caricaturaux, qui occupent de leurs traits démesurés toute la surface de la corbeille; par une singulière coïncidence, elles évoquent irrésistiblement, cette fois encore, les masques sculptés et tout pareillement disposés de certains chapiteaux des églises romanes de Saintonge, qui s'en étaient fait une sorte de spécialité qu'on aurait pu croire exclusive : les chapiteaux les plus significatifs étant en l'occurrence, du côté dombiste, celui de l'arcature absidale de l'église d'Illiat, avec son mufle de lion à grandes oreilles pointues, de la gueule duquel s'échappent des feuillages (pl. 124), celui du pilastre de l'église de Saint-Remy (pl. 125), sculpté d'un faciès dont on ne sait trop, à première vue, s'il est d'homme ou de chat, et celui enfin de la fenêtre occidentale de l'église de Romans, exhibant un visage piriforme aux globes oculaires exorbités, aux énormes bajoues, à la bouche démesurée dont on se demande si elle rit ou si elle menace (pl. 126). De telles analogies, qui ne sont pas que d'apparence, ne sauraient étonner que ceux qui ignoreraient que ces thèmes et ces formes s'étaient, depuis les vingt premières années du XIIe siècle, acquis droit de cité dans le Sillon rhodanien. Encore indécis, les premiers échantillons sont apparus – autant qu'il soit possible de se prononcer formellement sur leur chronologie – dans les parties hautes de l'ensemble oriental de l'abbatiale de Tournus, dont la consécration de 1120 dut couronner l'entreprise de rénovation. Le pilastre d'angle qui reçoit la retombée de l'arc de décharge creusé dans le mur oriental du croisillon Sud y est déjà sculpté d'un masque humain allongé, planté de biais sur l'arête des deux faces, et de la bouche duquel s'échappent des animaux monstrueux, à corps d'oiseau et tête de quadrupède. Sans doute vers le même temps (1100 environ?), est monté sur la demi-colonne engagée dans la pile Nord-Est de la croisée du même transept un curieux chapiteau à deux registres : l'inférieur décoré d'une couronne de feuilles plates ou de palets parallèles, tandis que deux gros masques humains, de composition tout à fait pareille au premier, tiennent lieu de volutes sous les coins de l'abaque. Dans la colonnade haute de la coupole, des feuillages en tire-bouchon ont été substitués aux animaux fabuleux, mais, en guise de compensation pittoresque, les bonshommes sont pourvus d'oreilles pointues comme des cornes de taureau. Toute trace d'influence de la sculpture clunisienne contemporaine, soit dit en passant, a disparu de ces niveaux.

Au prieuré tournusien de Saint-André-de-Bâgé, sur un chapiteau de la croisée, les masques d'angle, résolument caricaturaux, ont diminué de volume, mais le décorateur en transfère le motif à l'une des bases de l'arcature absidale, dont un gros visage d'homme joufflu, à front bas, occupe toute la hauteur de ce socle, entre deux lions couchés. Au fil de la *descize* du Rhône, le thème des masques humains sur couronne de feuillages resurgira visiblement dans l'un des chapiteaux de l'arcature plaquée contre les murs de la nef de la collégiale Saint-Barnard de Romans. Sixième du côté gauche (Nord), il présente la même division en deux registres, l'inférieur étant garni de la même couronne de palets, ou peu s'en faut, qu'à Tournus.

(suite à la page 333)

TABLE DES PLANCHES

95

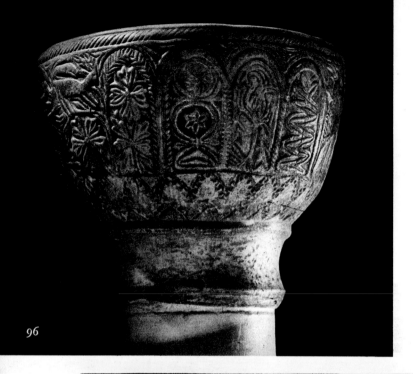

96

97

ECCE AGNVS D[I]

99

100

101

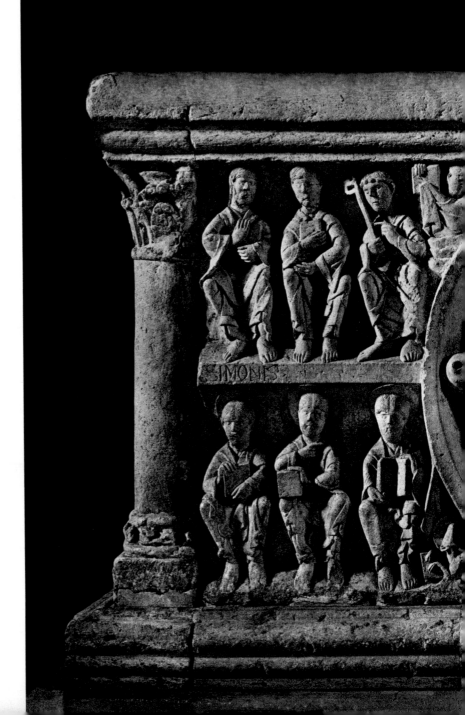

&LVDOVICVSHVSSTVIRTVTSAMICVS
PTERTAEECLESIAMRECIPITCIINLIVSISTACD
PADERISSENA·HVITVR·VSIVLIVSIBAT
DRSTVLATORPOSITVREGISADINTITCID

105

107

108

109

110

III

112

113

114

115

116

118

119

120

121

124

128

129

130

131

133

134

135

136

137

138

139

140

Le niveau supérieur retient le parti des deux gros masques d'angle, sous les arêtes de l'abaque, mais leur confère une moue de dégoût qui l'oblige à supprimer les animaux issant de la bouche ouverte du modèle ; tout le champ laissé disponible est garni seulement de deux rangs d'oves à l'antique séparés par une couronne de bâtonnets verticaux. M. Jacques Thirion, dans la monographie détaillée de la collégiale qu'il a insérée dans le volume du Congrès archéologique du Dauphiné (1972), reconnaît à juste titre le caractère très romain des décors d'oves, et trouve dans les masques eux-mêmes une réminiscence «des acrotères antiques» ; on pourrait aussi penser à quelque souvenir des masques de comédie. Mais le savant professeur à l'École des Chartes ne semble pas avoir été sensible à la parenté qui unit l'œuvre romanaise à celles de Tournus : lesquelles auraient pourtant valeur de prototypes si leur correspondante dauphinoise relève bien, comme il apparaît, de la campagne de construction consécutive à un incendie de 1134.

Non loin de Romans à vol d'oiseau, se dissimule dans un recoin de l'église désaffectée de Saint-Jean-de-Muzols, aux portes de Tournon, une variante du type, où le masque humain s'insère cette fois entre deux volutes spirées. Si l'on se reporte aux exemplaires dombistes, la conclusion s'impose donc : entre Tournus et Romans, ils ne constituent en aucune manière les maillons d'une de ces chaînes stylistiques qu'affectionnent d'égrener les archéologues. Si un reflet des chapiteaux tournusiens passe dans les interprétations de Saint-Paul-de-Varax ou de Condeissiat, c'est un tout autre esprit qui prévaut, et une véritable recréation qui s'opère tant à Illiat, où voisinent un mufle de lion (pl. 124) et un visage de femme se bouchant les yeux de la main (pl. 123), qu'à Romans où la figure, pittoresque entre toutes, a pratiquement envahi tout le champ (pl. 126). La parenté criante avec les œuvres saintongeaises étant certainement fortuite, et nulle transmission ou filiation historique n'étant imaginable, une conclusion s'impose : pour créer, ou seulement recréer, il faut une sensibilité qui accueille des impulsions imperceptibles à tout autre, un cerveau qui enregistre et transforme le songe en vision prête à se fixer sur la toile ou la pierre, une main qui conduit la brosse ou le ciseau, un pinceau ou une lame qui projette la couleur sur la surface en attente, et la lumière dans le corps jusqu'alors inerte de la pierre. La Dombes du XIIe siècle, en pleine colonisation, a-t-elle compté de ces créateurs ? Il se pourrait que la suite répondît, au moins en partie, à cette question inattendue.

Ce n'est peut-être pas tout à fait sans raison que J.-C. Collet interpolait ici ou là dans ses descriptions de chapiteaux sculptés celles des pilastres ornés, qui les supportent et, dans la pensée des inventeurs de cette forme, composaient avec eux une unité de vision et d'effet synthétique appliqué à l'espace le plus sacré du temple, le *presbyterium,* le Saint des saints, le trône du Dieu des armées où la gloire du Seigneur une fois pour toutes a pénétré et qu'emplit son resplendissement (Ézéchiel, 43). Qui étaient-ils, ces décorateurs d'une génération demeurée inconnue, et d'où provenaient-ils ? Certainement pas de Cluny, qui, mises à part de rares et timides exceptions, limitées à la collégiale Notre-Dame de Beaune, et, sporadiquement, aux galeries d'arcatures de la priorale de La Charité-sur-Loire, s'en tenait aux simples pilastres cannelés de tradition romaine. Ni même du foyer brionnais limitrophe, qui n'adopta le type des pilastres enrichis de décors sculptés que tardivement, soit aux arcatures absidales des églises de Semur-en-Brionnais et de Châteauneuf-sur-Sornin ; à en juger, faute de textes, par les seuls caractères stylistiques, celles-ci ne peuvent remonter au-delà des années 1120-1130. Si donc cette forme se trouvait déjà en place, comme la vraisemblance le suggère, lors de la consécration de l'abbatiale d'Ainay par le pape Pascal II le 27 janvier 1107 (cf. ci-dessus, p. 160), on serait fort tenté d'élever l'originale décoration interne de son abside au rang de prototype, en observant que celui-ci se révèle déjà avec la plénitude d'un accomplissement réfléchi, ou, mieux encore, avec la spontanéité mystérieusement parfaite d'une création de l'enthousiasme. Si les pilastres de l'arcature haute de l'abside de l'abbatiale de Tournus, décorés, soit de rinceaux, soit de rosaces superposés, appartiennent, de leur côté, à l'église consacrée, ou reconsacrée en 1120, et à la condition, bien sûr, qu'ils n'aient pas été imaginés de toutes pièces par le restaurateur Questel ; si ceux de l'église paroissiale Saint-Nicolas de Beaujeu, dont l'un, on le rappelle, est anthropomorphe, se trouvaient déjà compris dans la dédicace de ce sanctuaire célébrée en 1132, l'archéologie disposerait de deux témoins révélateurs de l'expansion du système à travers la région lyonnaise et rhodanienne.

Bien que la grande majorité des églises romanes de la Dombes pourvues d'arcatures absidales – M. Collet en a recensé vingt-sept – ne retiennent que la formule sur colonnettes en délit, simples ou jumelées, et plus rarement séparées par un pilastre plat, c'est en celle de Sandrans, au cœur du pays des étangs, que l'on peut voir le suprême parachèvement de l'expérience inaugurée en l'abside d'Ainay. La fenêtre d'axe n'y est encadrée que de colonnes en délit, surmontées, à gauche, d'une corbeille de feuillages, à droite, d'un chapiteau d'où surgit un masque monstrueux, mais les supports communs des arcatures extrêmes, au Sud et au Nord, sont des pilastres très curieusement sculptés, et, croirait-on, pour le seul plaisir. Au Sud, deux des faces ne sont décorées que de losanges superposés, accompagnés, sur la face principale, de motifs fuselés, mais le côté droit du pilastre, regardant donc l'entrée de l'abside, est sculpté dans le sens vertical d'un très long serpent ondulé, dont la queue jaillit d'une sorte de pot de feuillage, assez semblable à la grenade en cours d'éclatement que certains corps de l'armée française allaient, beaucoup plus tard, choisir comme emblème. En haut, la bête tente d'engouler le pied d'un petit personnage à demi nu, qui s'apprête, croirait-on, à lui décocher une pierre de sa fronde (pl. 129). Jean Giraud, suivi par J.-C. Collet, y reconnaissait la scène à saveur exotique du « Hittite que mordit au talon le serpent Illoujanka ». Perplexe devant l'introduction saugrenue d'un tel épisode dans un sanctuaire chrétien, dom Angelico Surchamp propose plutôt une interprétation libre de Daniel empoisonnant le dragon avec « des gâteaux de poix, de graisse et de poils qu'il jeta dans sa gueule ; et le dragon creva » (Dan. 14) ! Étrange et originale en sa composition filiforme, l'œuvre est, en tout cas, surclassée plastiquement par sa voisine, le pilastre séparatif des deux dernières arcatures, au Nord. De celui-ci, le côté gauche, face à la nef, n'est lui-même décoré que de zigzags, mais la face principale et le côté droit sont sculptés, eux, des deux silhouettes en pied d'Ève et d'Adam, suffisamment étirés et amaigris pour occuper presque toute la hauteur du pilastre (pl. 128). Ève ne laisse au-dessus d'elle, jusqu'à la base du chapiteau de feuillages, que la place nécessaire à loger, dans un entremêlement très élaboré, l'arbre de vie et le serpent tentateur, qui semble instiller son venin à l'oreille de la femme ; sur la tête d'Adam, de simples frondaisons occupent le champ laissé libre.

Ces deux figures anatomiques sont d'une bien autre force que le dragon du pilastre correspondant, et, dans leur schéma résolument stylisé, exercent un réel pouvoir de fascination, d'autant plus stupéfiant qu'on ne peut dire que le sculpteur a déployé tout son art pour suggérer la séduction des formes. L'allongement transforme les troncs et les membres en simples bâtons, qu'aucune rondeur ne gonfle, à part le galbe très léger de la silhouette féminine. Les modelés, dégagés en méplats, sont d'une platitude extrême, ne s'incurvent que sur les côtés, pour rejoindre sans heurts les fonds laissés en réserve ; ni les genoux, ni les détails des bustes ne sont différenciés. Les visages seuls se creusent de quelques traits, sous les chevelures plaquées comme des bonnets ronds : front ridé chez l'Ève au visage enfantin, globes oculaires profondément forés, et, chez Adam, bizarrement taillé comme un masque assyrien avec sa barbiche anguleuse, une expression subtile de concupiscence dans le regard qui est la suite logique de la faute et du trouble général que celle-ci a provoqué dans la normalité initiale de la nature humaine. De la même manière, on croirait lire sur les lèvres de la femme cette espèce de sourire équivoque que les séducteurs connaissent bien. Mais la naissance du remords est signifiée sans ambages par le geste identique : le bras droit dissimulant le buste, avec la main portée sur l'épaule gauche, et la main symétrique masquant le sexe (chez la femme, la pierre émoussée – peut-être intentionnellement – ne laisse plus que deviner la posture). Telles quelles, ces troubles figures sont à la fois les correspondantes en relief et, en même temps, les parfaites antithèses des nus fameux de Hardham (*Révélation de la peinture romane,* pl. coul. p. 398), où le tragique de la faute originelle est au contraire rendu par l'exagération surréaliste des détails anatomiques, et des panses en particulier, bombantes et avachies comme des poches de kangourou. Pour reprendre le terme très fort du Symbole d'Athanase, sur lequel a médité toute la philosophie médiévale et que le rationalisme théologique a si piètrement évacué de ses discours, faute d'en comprendre à la fois la profondeur insondable et la simplicité accessible aux petits enfants, c'est la Substance même de l'acte cataclysmique par lequel le dessein et l'ordre de la Création ont été pervertis jusqu'aux moelles que le sculpteur sans nom de la Dombes – et il ne pouvait être qu'un paysan, à la façon de ces pâtres de montagne qui, de la pointe de leur couteau, taillent des merveilles dans le bois de pin – a su pénétrer et transcrire avec la rigueur et la concision d'un Absolu : *Sicut erat in principio, et nunc, et semper.*

L'art roman, on croit l'avoir suffisamment démontré ailleurs, ne progressa jamais que par sautes ou, si l'on préfère, par « temps »

successifs. Dans l'ordre sculptural, l'une de ses inventions capitales, où put à plein s'exercer son génie composé de verve et d'un sens sacral de la Majesté, fut bien celle du tympan semi-circulaire sculpté, soutenu ou non par un linteau rectangulaire (plus rarement en bâtière), qui constitue le plus souvent avec lui une unité iconographique et plastique. On admet que cette forme fut concomitante et corollaire du «second souffle roman», celui des dernières années du XIᵉ siècle. Mais, à travers tout le Lyon roman, et mis à part, bien entendu, le fragment de l'ouvrage naufragé de l'Ile-Barbe, on en chercherait en vain d'autre témoin que le petit tympan réemployé dans le mur de façade de l'ensemble ecclésial d'Ainay, à gauche du clocher-porche. Rue Paul-Chenavard, le portail de l'ancienne église de l'abbaye des «Dames de Saint-Pierre» (pl. 130), de la seconde moitié du XIIᵉ siècle (l'abbatiale fut reconstruite à partir de 1173 par les soins de l'abbesse Rolande, mais cette date paraît un peu tardive pour le portail lui-même), est un bel ouvrage du classicisme roman, dont les deux voussures en plein cintre, protégées par un larmier de billettes, animées par leurs claveaux bichromes à la stéréotomie parfaite, reposent extérieurement sur des pilastres cannelés, intérieurement sur des colonnes logées dans les redents des piédroits : ces supports sont coiffés de chapiteaux de feuillages à l'antique, plus plats au haut des pilastres, plus refouillés et recourbés en deux rangs de volutes accusées au-dessus des colonnes. A droite, un troisième rang de volutes d'angle de type corinthien s'insère sous l'abaque; à gauche, les volutes sont remplacées par des masques poupins, dont le poids infléchit les larges feuilles desquelles ils semblent jaillir comme les enfants des choux (pl. 131)! Mais il n'y eut jamais de tympan, et la génération classique en a profité pour menuiser à l'intérieur du cadre roman une superbe porte double, dont le style Louis XV très fleuri s'accorde parfaitement avec son lointain devancier, et que surmonte un tympan de bois, blasonné des clés et de la tiare de saint Pierre.

Ce petit tympan d'Ainay, quant à lui, n'est pas une œuvre négligeable (pl. 132). Les scènes du martyre de saint Jean-Baptiste garnissent presque entièrement l'hémicycle; on reconnaît en particulier le festin d'Hérode, la décollation du Précurseur, sa mise au tombeau. Le déclin de la sculpture romane se révèle à deux signes. Comme en plus d'un autre portail sculpté contemporain, à commencer par celui du prieuré d'Anzy-le-Duc (porte Sud), et par le tympan du narthex de Saint-Vincent de Mâcon, plus notable encore, le sculpteur, en dépit de l'exiguïté de la surface, a renoncé à tout effort d'organisation synthétique et unitaire; se souvenant visiblement de l'Ile-Barbe, il cloisonne le champ par une armature horizontale qui le découpe en deux registres, et, par surcroît, sépare chaque scène grâce à des colonnettes verticales. Ce compartimentage implacable ne s'interrompt qu'à l'écoinçon de droite, qu'occupe un ange introduisant l'âme du saint (?) en paradis, tandis que l'angle correspondant est meublé, au rez-de-chaussée, par un Satan hideux, quadrupède étalé qui tient du crapaud et du taureau, et, à l'étage, dirait-on, par un arbre mal défini. L'esprit du front Nord du narthex de Charlieu a visiblement inspiré une composition touffue et grouillante, mais le style, considérablement dégénéré, est proche davantage des reliefs informes du linteau occidental de Semur-en-Brionnais, du portail précité d'Anzy-le-Duc, et, à un degré bien moindre, de l'ensemble tardif et très romanisé de Bourg-Argental.

Tandis qu'à Saint-Rambert de l'Ile-Barbe, qui n'est certainement pas moins postérieur à Charlieu, le choix iconographique : un Christ en majesté, deux anges soutenant la mandorle (pl. 133), a gouverné les placements tout à fait traditionnels et aérés du tympan réemployé dans l'église paroissiale reconstruite au XIXᵉ siècle, les sculpteurs romans de la Dombes (on le répète : il n'y en eut pas qu'un) ont certainement voulu tirer la leçon de ces surcharges plastiques et tout faire pour les éviter. Ce secteur réputé si pauvre ne compte pas moins de six tympans historiés en tout ou en partie : Saint-Paul-de-Varax naturellement (deux portails) (pl. 85 et 90), Vandeins (pl. 134), Condeissiat (pl. 137), Saint-Remy (pl. 138) et Saint-Julien-sur-Veyle (pl. 135); il s'y ajoute à la rigueur un septième, celui de Versailleux (pl. 139), dont une simple croix constitue l'ornement principal. Les trois premiers méritent une particulière considération par l'apport très neuf ou rénové qu'ils offrent à la sculpture romane de la région, à la veille de son définitif affaissement. Tandis que le linteau du portail principal de l'église de Saint-Paul-de-Varax, dont il faudra dire un mot plus loin, développe ainsi qu'on l'a noté déjà une prolixe iconographie paulinienne, le tympan s'en tient, lui, à la représentation traditionnelle du Christ en majesté, sculpté à l'intérieur d'une mandorle légèrement écrasée que soutiennent deux anges (pl. 85). Le sculpteur n'a pu disposer à cette fin d'une dalle unique; le plus gros de l'ouvrage est taillé dans un bloc pentagonal dont la forme rappelle celle des linteaux en bâtière, et des pierres latérales, plus petites mais habilement jointoyées, achèvent l'hémicycle.

La bizarrerie d'une telle découpe a été brièvement signalée ailleurs (*Floraison de la sculpture romane,* 2, p. 373); mais, comme il faut en moyenne vingt à trente ans pour qu'une idée tant soit peu neuve pénètre et soit accréditée parmi le public des savants (quitte à ce que ceux-ci la déclarent alors «vieillie»), il n'était pas inutile de la rappeler ici. Malheureusement, la mutilation du Christ, et celle de l'ange qui le flanque à Sa gauche, ne permettent plus d'en apprécier toute la puissance et la concision. Assis sur un trône aux côtés évasés, les pieds sur un *scabellum* arcaturé, le Christ a, pour autant qu'on en puisse maintenant juger, le buste étroit que moulent les drapés plats de la robe, mais les drapés inférieurs, dont l'épaisseur veloutée ferait déjà penser à ceux de l'époque flamboyante, s'épanouissent amplement à partir du bassin, en dessinant de beaux festons.

L'ange qui s'avance à la droite du Ressuscité, seul intact sauf la regrettable cassure du visage, est une œuvre aussi magistrale qu'insolite : moins par le mouvement des ailes à l'horizontale que par la science consommée des ombres et de la lumière, la construction de la silhouette saisie dans l'instantané de la marche qui la fait se précipiter comme pour retenir *in extremis* tout écart de la mandorle, et surtout par cette technique lamellée, on le répète, qui colle au corps et évoque au premier coup d'œil une statuaire égyptienne dont, selon toute vraisemblance, le maître du tympan de Saint-Paul n'avait jamais vu le moindre échantillon! Indice secondaire d'évolution à relever, car il a son importance : l'abondance de l'épigraphie explicative, qui ne dénote pas seulement, et pour ainsi dire sur le vif, l'élévation de la culture atteinte en ce milieu du XIIᵉ siècle, mais assume toute sa place dans l'organisation décorative, comme pour pallier les signes crépusculaires : ceux notamment d'un relâchement de la vigoureuse construction romane d'hier, et d'un affaissement de la stylistique, qui ne sont pas absents des autres éléments sculptés du frontispice de Saint-Paul.

Cette fonction nouvelle de l'écriture, prescience singulière de l'art de l'affiche et des enseignes d'aujourd'hui, s'exprime avec plus de force encore dans l'encadrement du délicieux petit tympan de la porte méridionale de la nef, dont elle dilate heureusement les proportions menues. L'œuvrette, qui ne comporte pas de linteau, a été commentée plus haut (p. 260) ; on a donné à entendre, comme le clinicien recherche sur le visage de son patient les symptômes encore imperceptibles de la maladie, que le soleil roman n'était alors plus loin de se coucher, mais que, selon toute vraisemblance, la sculpture était d'une autre main que le tympan principal, et à plus forte raison que la frise.

On retrouve au contraire la stylistique lamellée, moins affirmée toutefois qu'à Saint-Paul, dans le curieux ensemble sculpté du portail roman de Vandeins (pl. 134), réemployé en façade du clocher-porche de l'église moderne. Les creusages, les placements, la manière sculpturale en sont trop différents pour qu'on puisse l'attribuer à la même main, mais il en a certainement ressenti l'influence. Celle-ci s'exprime, non seulement dans la physionomie générale de l'œuvre, mais dans certains détails tels que le prolongement du pseudo-linteau par deux amorces de frise où, à gauche comme à droite, d'horribles démons entraînent des damnés en enfer ; ou encore l'abondance de l'épigraphie. Ainsi, la bordure semi-circulaire de rinceaux à la romaine qui encadre le tympan est-elle extradossée d'une magnifique inscription en pures capitales implorant que «La Bonté Toute-Puissante exauce ceux qui entrent», et que «L'ange de ce Dieu (représenté ci-dessous. N.d.T.) garde ceux qui sortent». Une inscription moins cohérente court sur la tranche de la mandorle : BENEDICATE TE DEUM. MAJESTAS DNI, qui peut se traduire approximativement par : «Qu'on Te bénisse, Toi qui es Dieu. Majesté du Seigneur».

A la base, puis au haut du linteau, est enfin gravée, en deux lignes horizontales, une recommandation morale en relation avec la scène qui y est représentée :

Ligne inférieure : AD MENSAM DOMINI XRI (?)... QUANDO PROPINQUAT EXPEDIT UT FRAUDES EX TOTO

Ligne supérieure : EX TOTO (redondance) CORDE RELINQUAT.

La traduction la plus littérale est la suivante : «Quiconque s'avance à la table du Seigneur (le Christ), il convient qu'il extirpe les fautes de tout son cœur».

Le tympan, dont la grande hauteur de ce linteau réduit l'espace, est occupé par le Christ en majesté, bénissant de la dextre dans une mandorle qu'encadrent deux anges. Beaucoup moins mutilé que son homologue de Saint-Paul-de-Varax, il laisse voir dans la pose des anges, tout aussi variée, un mouvement moindre et une allure à la fois moins aérienne et plus concentrée, des attaches d'ailes différentes, et un meilleur souci de remplissage du champ. La même volonté de se démarquer du modèle présumé inspire la représentation du Christ, l'une des plus belles certainement dans sa modestie qu'ait laissées la sculpture romane, avec sa construction en losange, ses drapés légèrement plaqués, mais retroussés à leur base par un souffle ascendant, son visage au modelé déjà gothicisant comme était celui du beaucoup plus célèbre Christ de Cervon (*Christs romans* 2, pl. 57 à 64). Sous cette image brillante, les nécessités de la stéréotomie ont découpé un linteau en bâtière, des pierres en triangle très aigu rétablissant une surface rectangulaire. L'iconographie résume en un instant unique deux épisodes distincts de la Sainte Cène : le Lavement des pieds à l'extrême droite, et le Repas eucharistique proprement dit. On croit ne dénombrer que onze apôtres à la table, dont un Judas caricatural auquel le Maître donne la becquée du morceau de pain destinée à le confondre, sans qu'aucun des disciples fidèles y ait apparemment compris goutte.

La taille en bâtière évoque, par-delà le Lyonnais, celle des linteaux des portails de l'église de Champagne, dont l'un, on le rappelle, est illustré de la même représentation du Repas pascal. De Saint-Julien-de-Jonzy à Vandeins et Champagne, mais aussi à Bellenaves en Bourbonnais, à Nantua en Bugey, à Savigny dans les monts du Lyonnais, à Condrieu dans la vallée du Rhône, à Vizille en Dauphiné (non loin du prieuré de Domène), et jusqu'au linteau du portail principal de la basilique de Saint-Gilles-du-Gard, une chaîne iconographique montre ainsi les progrès et la portée du rayonnement de l'abbé de Cluny Pierre de Montboissier, dit le Vénérable, dont il n'est pas excessif de dire que toute la théologie, la spiritualité, la philosophie, la littérature et le gouvernement lui-même ne cessèrent d'être commandés par la défense et l'illustration du dogme eucharistique. Le Livre des miracles ne l'atteste pas moins que le traité contre les sectateurs de Pierre de Bruis, que certains théologiens modernes s'efforcent de replacer à sa juste valeur prophétique. Ce n'est pas l'un des moindres titres du sculpteur de Vandeins (dont l'église relevait d'ailleurs du prieuré clunisien de Chaveyriat) que d'y avoir été associé.

Les trois portails restants sont loin de se hausser à pareil niveau et n'y prétendent pas. Leur caractère commun est que – impuissance ou épuisement – l'élément sculpté s'y rétracte aux dimensions d'un simple symbole, fût-il démultiplié. Ainsi, à Saint-Julien-sur-Veyle, dont le portail a été réemployé dans la façade modernisée de l'église, le tympan, lui-même réappareillé de toutes pièces, est-il nu (pl. 135). La voussure repose sur deux colonnes coiffées de chapiteaux, et le linteau, enchâssé dans l'appareil moderne, est sculpté de cinq médaillons circulaires encadrant, au milieu, une image très vivante de l'Agneau pascal ; à sa droite, l'Homme ailé de saint Matthieu et le Lion de saint Marc ; à sa gauche, l'Aigle de saint Jean et le Taureau de saint Luc. Les figures animales dénotent un talent réel d'animalier, l'Homme, presque accroupi pour tenir dans son cadre de miniature, traduit une réminiscence romaine très sensible surtout dans le masque aux traits accusés sous la chevelure de petites boucles. Quant à cette organisation de l'espace en médaillons ronds juxtaposés, elle doit remonter au célèbre autel de Saint-Sernin de Toulouse, consacré ainsi qu'on le sait en 1096, où elle s'exprime en tout cas avec ingéniosité et éclat. Beaucoup plus proche, la mystérieuse «Couronne de Charlemagne» (pl. 136) conservée au musée Gadagne de Lyon inscrit ses médaillons dans des arcs décorés et portés sur de brefs supports, et y sculpte selon sa fantaisie rosaces, fleurons ou masques : un mufle simiesque et deux visages humains. Mais c'est à Paray-le-Monial que doit être cherché le prototype le plus direct de Saint-Julien-sur-Veyle. Dans un encadrement décoratif somptueux qui rappelle celui du croisillon Nord de la priorale clunisienne, la porte qui, du cloître rebâti à l'époque classique, donne accès au croisillon méridional est à tympan nu, mais son linteau s'orne d'un rang de huit médaillons circulaires, assez médiocrement ornés de motifs végétaux zoomorphes ou humains ; on ne remarque pas sans surprise que les deux médaillons centraux, sculptés de masques humains tirant la langue, ont été montés la tête en bas, peut-être pour en camoufler quelque peu l'irrévérence. Il semble bien que les travées extrêmes du transept parodien aient été provisoirement laissées en suspens lors de l'édification de l'œuvre principal, et terminées après coup, probablement vers 1120. La conception du portail Sud fournirait ainsi un terme *a quo* appréciable pour la chronologie de l'œuvre de Saint-Julien-sur-Veyle.

Tout près de là, à Condeissiat (pl. 137), l'organisation du portail occidental est antinomique. Deux chapiteaux sculptés, à gauche, de deux combattants que sépare l'un de ces masques évoqués plus haut et, à droite, d'un grotesque que paraît désigner l'inscription gravée au haut de la corbeille : DRANGO (pour DRAGO ?), reçoivent la voussure torique. Il n'y a pas de linteau ; son emplacement est occupé par la fin de l'inscription soulignant l'hémicycle tympanique, et dont la fonction décorative est essentielle :

+ IN NOMINE DNI NOSTRI IHU XPI (Christi, avec le R grec) ET BEATE SENPER VIRGINIS MARIE ET SCI JULIANI MARTIRIS.

Juste sous la clé de l'arc est encastrée, parmi le laborieux assemblage stéréotomique du tympan, une pierre redentée qui est la seule sculptée du Christ en majesté siégeant dans une mandorle ovale. La silhouette est courtaude, fruste et, par surcroît, émoussée ; la draperie, informe, s'évase largement vers le bas pour laisser les pieds se poser bien à plat aux extrémités du *scabellum* ; la main droite, jaillie d'une large emmanchure et bénissante, est démesurée et crève la mandorle ; la gauche manque. Forte malgré sa rusticité, l'œuvre n'est pas sans contenir certaine réminiscence du magistral Christ de Saint-Amour-Bellevue ; et son mouvement, imperceptiblement suggéré, le type, très décoré, du siège et de l'escabeau ne semblent avoir ignoré ni les bouillonnements paroxystiques de Charlieu, ni les produits des ateliers viennois contemporains et correspondants. L'inscription de la mandorle confirme et soutient l'impression que produit cette figurine perdue au milieu d'un espace trop grand pour elle, et qu'elle meuble cependant comme la simple lampe du tabernacle suffit à remplir d'une Présence aux prolongements infinis le vide et le silence d'une église déserte. Sa lecture rectifiée pourrait être :

SIC RESIDENS CELO

NB (Nobis) XPS BENEDICIT (ou BENEDICAT)

« Le Christ, siégeant ainsi au ciel,
Nous bénit (ou : Qu'Il nous bénisse) ».

A Saint-Remy, proche de Condeissiat, la réduction de l'élément sculpté est poussée jusqu'aux limites extrêmes de la visibilité. Le meilleur en est constitué par les deux chapiteaux des colonnes d'encadrement, qui sont sculptés, en reliefs tourmentés, de véritables masques de polichinelles avant la lettre (pl. 127). Mais, au tympan, seule la pierre carrée juchée au haut de l'hémicycle, sous la clé, est ornée d'un médaillon circulaire dans lequel s'inscrit un buste de Christ sommairement traité, les avant-bras et les mains levés avec le geste classique de l'orant, et la main droite esquissant de trois doigts une bénédiction qui la différencie (pl. 138). La comparaison de cette œuvrette avec le Christ de Condeissiat, qui l'a de toute évidence inspirée, laisse toucher du doigt la rapide dégénérescence de l'art sculptural roman, que va bientôt manifester plus mélancoliquement encore l'abbatiale de Belleville-sur-Saône, bâtie et ornée dans les dernières décennies du XIIᵉ siècle. Plus au Sud, le portail de l'église de Versailleux (pl. 139) renonce à toute figuration humaine au profit d'une simple croix potencée, qu'encadrent deux cartouches fleuronnés, et que sous-tend, en guise de linteau, une bordure de tresses losangées; M. Collet rapproche à juste titre ce motif de celui qu'on voit encastré dans le mur de chevet de l'église de Saint-Didier-sur-Chalaronne (pl. 140). L'inspiration lointaine de la croix doit provenir, quant à elle, du petit portail méridional de l'église de Semur-en-Brionnais, d'où procédait également, comme un démarquage fidèle, celui de la façade de l'abbatiale cistercienne de La Bénisson-Dieu en Forez : nouvel exemple de ces transmissions de thèmes à longue distance, qu'aucune incidence historique ou seulement routière ne vient expliquer.

Or voici que, comme pour contredire un étiolement qui n'est certes pas particulier à la Dombes, et tandis qu'à Lyon même s'ouvrent les chantiers de la nouvelle primatiale sur des bases encore romanes d'esprit, la sculpture romane brusquement réveillée brille d'un dernier feu là où l'on ne l'attendait plus guère : dans les profondeurs du Haut-Bugey, mais, il est vrai, le long de la route fréquentée de Genève à Lyon, en la priorale clunisienne, ex-abbatiale Saint-Michel de Nantua (pl. 141) (v. la monographie de cette église ci-dessous, p. 357). Il s'agit, on le verra, d'un des monuments qu'on appelait autrefois «de transition», en ce sens que, commencés selon la tradition romane, ils adoptent pour les parties hautes les structures de voûte et les ornements de la nouveauté gothique; parfois même, les deux formes et esprits s'y entremêlent sans hiatus ni effet disgracieux, et témoignent au contraire d'un processus de création et d'adaptation saisi sur le vif.

Tout décor historié y est évacué de l'intérieur, dès le niveau des chapiteaux des grandes arcades, qui ne sont ornés que de feuillages plats; mais il se réfugie, oserait-on dire, au portail occidental, qui réhabiliterait d'un coup le Bugey roman si pauvre d'autre part, et s'imposerait même comme l'une des œuvres majeures de la sculpture romane tardive, si l'éclectisme de la France révolutionnaire, qui n'eut pas d'égal en Europe, ne s'était acharné sur lui avec une haine particulièrement fanatique. Des trois voussures, la médiane est décorée de rinceaux de feuillages sculptés en réserve et d'une remarquable qualité technique; l'interne, originellement historiée de personnages disposés selon la circonférence, a été martelée et bûchée avec une habileté telle qu'un étranger aux professions du bâtiment n'aurait pu faire aussi bien : l'élite de la liberté devait, à Nantua, compter au moins un tailleur de pierre. A peine peut-on lire, à droite, le nom du premier personnage figuré : MAR/CIA/LIS; à gauche, celui de BAR/(NA)/BAS.

Le tympan a été traité avec la même application, c'est-à-dire avec une égale sauvagerie; on y discerne l'empreinte d'un Christ en majesté(?), mais il est impossible d'en deviner les autres sujets : seule subsiste, par places, la bande ondée qui circonscrivait la scène. De chaque côté, trois chapiteaux reçoivent les voussures, et un corbeau richement décoré soutient le linteau. Sculptés de superbes rinceaux qui évoquent les miniatures romanes de type anglo-saxon, avec des animaux ou êtres fabuleux (notamment, à gauche, des harpies) passant par le travers, ces derniers ont seuls été épargnés, mais tous les chapiteaux ont été martelés ; sur l'astragale du chapiteau interne de gauche, l'inscription AVE MARIA GRA(TIA) PLENA indique qu'il devait représenter l'Annonciation. A droite, le chapiteau médian laisse entrevoir un personnage auréolé assis, jambes croisées, buste légèrement incliné : peut-être la Vierge Marie présentant l'Enfant, qui, lui, a totalement disparu. En bref, ce véritable mécénat de la destruction n'aura guère laissé subsister que le linteau, se contentant là du minimum : le martèlement de tous les visages, assez pour conclure, outre les autres vestiges subsistants, que l'œuvre entière devait être d'une exceptionnelle venue.

Les éléments ornementaux, et notamment la voussure sauvegardée, appellent immédiatement deux ordres de comparaisons : avec certains décors floraux de la cathédrale de Genève toute proche, d'une part ; avec les portails latéraux de l'église Saint-Philibert de Dijon et de la cathédrale de Langres, de l'autre. Ce qui revient à observer que l'esprit de la renaissance dite chartraine les insuffle de sa jeune vigueur, sans qu'il soit naturellement permis de parler d'une simple et servile imitation. Le linteau est entièrement consacré à la Cène, ainsi qu'on l'a dit, et suffirait à l'illustration de l'ouvrage (pl. 141). Les Onze y sont assis derrière une table allongée, de part et d'autre du Maître sur lequel se penche l'apôtre Jean, très mutilé. Judas est probablement celui qu'on devine à genoux, la main tendue pour recevoir le pain que le Christ lui tend. La disparition de tous les visages laisse apprécier la qualité de toutes les draperies, dont on sent d'autant mieux que le sculpteur a fait l'un des éléments essentiels de sa stylistique et de l'organisation vivante et variée d'une surface allongée à l'excès et de faible hauteur. Dans l'ensemble, leur facture est identique : ondes concaves, à la manière de cavets ou des moulures prismatiques des nervures d'ogives du gothique tardif, que séparent des arêtes aiguës, et qui s'ordonnent en figures de géométries courbes, avec une aisance, une grâce et une sûreté qui font penser à un ballet bien réglé. Robes et nappe du repas s'agencent, s'unissent et se confondent en un même mouvement, telle une guirlande courant à travers toute l'étendue de la table.

Les personnages de la droite du Christ sont traités avec une particulière originalité. Cinq sur six croisent les jambes avec vigueur, et, de ce côté, une torsade violente des deux derniers manteaux, à la façon de linges qu'on essore, conclut et arrête la propagation rythmique de ces faisceaux de vagues et de leur tumulte baroque avant la lettre. S'il en était besoin, une inscription gravée en capitales majestueuses à la base du linteau explicite la scène, et la dégradation du reste confère à ce médiocre quatrain une saveur d'ironie amère que son auteur ne pouvait certes prévoir. On croit pouvoir lire en effet (version sensiblement différente de celles qui ont été proposées) :

+ NE RES PRETERITAS
VALEAT DAMNARE VETUSTAS
+ ISTE REI GESTE
DAT SIGNA EPSI (*sic,* pour IPSE) MANIFESTE +

«Afin que la vétusté ne condamne pas les événements passés, l'Auteur de ce qui s'est accompli en donne Lui-même les signes d'une manière manifeste». Le génie en moins, l'on croirait lire Pierre le Vénérable, dont le linteau, on le répète, transcrit si fidèlement la pensée qu'on en vient à se demander s'il n'a pas été, directement ou indirectement, inspiré par le grand abbé de Cluny. Lequel n'était pas seulement le supérieur, en cette qualité, du prieuré de Nantua, mais le fidèle ami de ses tout proches voisins les chartreux de Meyriat, qui n'hésitaient pas à le qualifier «d'abbé très célèbre et fameux» et, qu'en retour il assurait aimer, honorer, vénérer d'une «charité non feinte» à l'instar de l'Apôtre, *caritate non ficta* (2 Co 6,6).

Au terme (ou peu s'en faut) de ce passage d'échantillons plus disparates d'apparence les uns que les autres, l'évidence s'impose que les districts du Rhône moyen, étendus des portes de Genève aux issues de Lyon, représentent dans l'histoire de l'art roman bien autre chose qu'une espèce de terrain d'exercice où se mêleraient en amalgames plus ou moins réussis les «influences» propagées des grands foyers créateurs de leur voisinage : Bourgogne, naturellement, et Provence, Auvergne, Brionnais. On les a vu successivement cultiver une tradition préromane plus novatrice elle-même qu'il n'a parfois été dit, et dont ils conservent de beaux et significatifs témoins ; contenir aux cluses alpines les formes du premier art roman méditerranéen et comasque, en laissant à celui-ci le privilège d'inventer un type de transept que les générations subséquentes sauront elles-mêmes amplifier ; conférer au vieux système basilical une ampleur et une majesté qui lui évitent de paraître démodé ; imaginer, presque de toutes pièces, un décor absidal qui est et restera son propre ; la formule trouvée, en varier les composantes jusqu'à la création du pilastre historié, contemporain des premières statues-colonnes gothiques ; améliorer et pourvoir de significations nouvelles le type des chapiteaux à masques ; enfin, enrichir le palmarès de la sculpture romane de produits originaux dont aucun ne se borne à imiter le précédent : autels, portails, frises. A son répertoire, comme pour asséner le coup de grâce, ne manqueront pas même deux créations ou adaptations beaucoup plus exceptionnelles encore à travers la France de l'Est : le frontispice d'église composé et sculpté, la façade de maison traitée de même, mais avec une ingéniosité et un sens de l'espace qui font du cas d'espèce lyonnais l'un des exemplaires les plus réussis de ce genre rare dans l'univers roman.

Quoi que tout le monde ait pu dire, la façade de l'église de Saint-Paul-de-Varax (pl. 82), la plus réputée de la Dombes à juste titre, ne relève que tout à fait marginalement de la prétendue «chaîne des portails bourguignons» (supposé d'ailleurs que la Dombes soit encore en Bourgogne). Un mauvais plaisant observait qu'elle en est même fort loin, puisqu'elle ne serait pas dépaysée quelque part entre le Périgord et l'Angoumois (au moins comme une sorte de réminiscence furtive et tronquée), plus encore qu'en Saintonge, sous la réserve indispensable à formuler que les églises de ces régions à frontispice arcaturé ne comportent pas dans leur généralité de portail à tympan. Elle n'a rien de commun cependant avec les quelques essais de frontispices simplement articulés ou cloisonnés qui furent tentés sporadiquement en Bourgogne méridionale, de Saint-André-de-Bâgé à Bois-Sainte-Marie et Varenne-l'Arconce. Le pignon, percé comme on l'a dit d'un oculus, est nettement plus aigu que le toit de la nef, artifice qui augmente la ressemblance avec certaines églises de l'Ouest. Sur toute la largeur de la façade au rez-de-chaussée, se déploie entre deux contreforts talutés une galerie de cinq arcades en plein cintre relativement profondes, la médiane un peu plus haute que ses voisines afin de circonscrire le tympan, lui-même surélevé; elle repose sur deux demi-colonnes coiffées de chapiteaux sculptés de même hauteur que les frises latérales, dont ils complètent l'effet. Deux supports de type identique, logés dans les redents des contreforts, reçoivent les retombées extrêmes de l'arcature; mais, de chaque côté, c'est sur un pilastre cannelé que s'opère la retombée commune des deux arcs aveugles. A la base des tympans simplement appareillés de ceux-ci est développée, ainsi qu'on le sait, une frise sculptée unique en son genre dans toute la région; on en a détaillé ci-dessus (p. 257) l'utilisation iconographique : Vie de saint Paul à gauche, Jugement dernier à droite. Le style, qui détache sur des champs nus, en des ordonnances assez lâches, des figures le plus souvent courtaudes, avec des drapés très plats, est très proche de celui du portail de Saint-Vincent de Mâcon, et diffère sensiblement de la facture, beaucoup plus ferme et caractérisée, du linteau et du tympan davantage encore.

Avec l'immeuble dit de la Manécanterie (pl. 143), qui prolonge vers le Sud la façade de la primatiale, ce n'est plus d'une église qu'il s'agit, mais du front extérieur de l'aile occidentale des bâtiments canoniaux, soit de la salle du réfectoire accolée au cloître, qui était affectée, depuis la fin du XIVe siècle, à la maîtrise d'enfants de la cathédrale : d'où le nom qu'elle a conservée. Elle n'est donc pas, à proprement parler, un spécimen d'«architecture civile» romane, mais bien la face externe d'un local conventuel, qui a été traitée avec un soin particulier du fait qu'elle donnait sur la place publique, et bien en vue, tout comme était, par exemple, la façade occidentale de l'abbaye de Cluny à laquelle demeure attaché le souvenir du pape proscrit Gélase II; le retour d'équerre au Sud, encore visible, apparaît plus sobrement traité. La construction en est attribuée à l'archevêque Gaucerand, dont on sait qu'il termina, ou fit du moins progresser celle de la cathédrale entreprise par son prédécesseur Hugues II aux dernières années du XIe siècle; certains éléments décoratifs tels que les incrustations de briques rouges s'apparentent à ceux du clocher-porche d'Ainay, ainsi que tout le monde l'a remarqué, et n'infirment pas cette assignation, qui n'empêche pas le monument, marqué encore par la tradition, de comporter des innovations retentissantes grâce auxquelles il se prévaut d'une originalité tout à fait exceptionnelle dans son ordre.

Le problème était cependant délicat : il s'agissait d'animer une longue muraille horizontale, surface sèche et ingrate s'il en est; la difficulté était aggravée par le report d'une grande porte à l'extrémité droite, qui empêchait d'ordonner autour d'elle une composition rationnellement symétrique. On ne biaisa pas; au pan dans lequel le portail était creusé fut réservé un agencement particulier, celui où, précisément, s'affiche un certain air de famille avec Ainay. Le tympan en plein cintre, nu, est circonscrit par un rang de losanges incrustés rouges, que protège un larmier ; juste au-dessus est insérée une croix latine dont le type a inspiré celle, moderne, de la face occidentale du clocher-porche de cette abbatiale. Mais le meilleur de la décoration a été affecté au grand rectangle de surface disponible à gauche ; les multiples dégradations subies par l'édifice au cours des siècles, les percements à tort et à travers de disgracieuses fenêtres ont malheureusement altéré la vision d'ensemble, que la restauration récente s'est efforcé de rétablir autant qu'il était encore possible.

En gros, le rectangle fut divisé en trois panneaux, celui de droite un peu moins large que les deux autres. La corniche supérieure ne fut cependant pas comprise dans ce découpage ; sur toute la longueur de la façade (y compris le pan du portail), elle développe un bandeau de fleurons à l'antique, soutaché d'un rang de petits disques creux ou de «cupules» dont personne ne peut dire s'ils étaient ou non garnis de briques rouges ou de céramiques. Sauf à l'extrémité gauche, les trois compartiments sont délimités par des contreforts plats à glacis supérieur, entre lesquels chaque pan est animé, à son sommet, par deux paires d'arcatures en plein cintre décorées, soit de fleurons (compartiments latéraux), soit de disques juxtaposés (panneau médian), dont l'intérieur est meublé de deux boudins concentriques. Les fleurons, profondément refouillés, sont néanmoins traités plus platement que leurs homologues des portails de Saint-Paul-de-Varax et de Vandeins, et laissent deviner la tranche légèrement biseautée de l'arc qu'ils décorent. Dans les écoinçons ont été creusés des motifs de disques ou de losanges inscrits dans un triangle, voire, exceptionnellement, d'un rectangle recoupé par un croisillon. Les cintres extrêmes retombent sur des colonnettes de faible longueur, posées sur des pilastres secondaires flanquant les contreforts principaux, et coiffées de chapiteaux de feuillages de dessin très classique sous leurs tailloirs sculptés de cercles, noués ou non, ou de fleurons. Au milieu de chaque pan, les arcatures reposent sur des colonnettes jumelles de même aspect, réunies sous un seul tailloir et portées, à la même hauteur que leurs voisines, sur des pilastres plats ; toutes les bases sont attiques, assez évasées.

L'invention la plus originale réside dans la retombée médiane de chacune des paires, qui s'effectue, non plus sur une colonnette, mais sur une simple imposte biseautée. Au-dessous a été évidée une niche rectangulaire, dans chacune desquelles a trouvé place une figure humaine sculptée en haut relief (pl. 142). Le percement de larges fenêtres a malheureusement fait disparaître celles de la deuxième et de la quatrième arcature, décomptées de la gauche à la droite, élimination qui affecte et déséquilibre le rythme général de la galerie. Les quatre statues restantes, avant que les dégradations ne les eussent défigurées, devaient être de beaux morceaux, dont le style, à en juger par ce qu'il en reste, n'évoque cependant aucune autre œuvre connue : hormis, peut-être, dans la chute des drapés de la statue de l'extrême-gauche, une très approximative anticipation des draperies hellénistiques des grandes statues du portail de Saint-Barnard de Romans.

Diverses identifications ont été proposées pour elles ; celle de M. René Jullian, qui croit y reconnaître les Arts libéraux, ne serait soutenable que si elles étaient au nombre de sept, ou, à la rigueur, de trois ou de quatre, et non pas de six, comme il en était vraisemblablement à l'origine. D'autres, tels Lucien Bégule et le docteur Loison (auteur de la monographie insérée dans le *Congrès archéologique de Mâcon-Lyon, 1935*), s'accordaient à reconnaître dans la première à gauche une Vierge Marie portant l'Enfant, et dans la dernière à droite une allégorie de l'Astronomie (l'un des arts du *quadrivium* !), désignant une sorte d'écu sculpté d'une étoile à huit branches. L. Bégule proposait pour le deuxième personnage l'archange saint Michel tenant la balance du Jugement, mais privé de ses ailes : ce qui pourrait être la Justice, comme à Cluny. Le troisième, qui semble tenir à deux mains un sceptre ou un bâton, n'a jamais pu être identifié. Il est irritant de devoir, jusqu'à nouvel ordre, ignorer quelle pensée iconographique, catéchétique ou morale avait pu justifier une présentation monumentale aussi finement élaborée, dont, on le répète, on ne croit pas que la France conserve l'équivalent, et qui s'ajoute en tout cas à la liste, plus fournie qu'on n'aurait pu de prime abord l'imaginer, de toutes les inventions architecturales et décoratives dont il y a lieu de créditer à l'époque romane les districts lyonnais et savoyards.

L'ACHEMI

7

NEMENT GOTHIQUE

Le livre pourrait s'arrêter là ; peut-être le devrait-il. Mais il se trouverait alors amputé de son point final, c'est-à-dire de ce débouché sur les formes stylistiques hybrides que les archéologues allemands embrassent indifféremment sous les noms de *Spätromanik* ou de *Frühgothik*, dualité de termes qui en exprime bien la complexité. L'absorption des styles romans par l'art et le goût gothiques s'est opérée de manière différente selon les régions ; la cathédrale de Langres, hautaine, puissamment romanisée, étrange, est l'exemple le plus volontiers cité, parce qu'il est l'un des plus démonstratifs. Entreprise dès 1141 à l'initiative d'un évêque recommandé, sinon imposé par Bernard de Clairvaux, elle fut lente à construire. On ignore les raisons qui incitèrent ses maîtres d'œuvre à choisir, pour l'élévation intérieure, le système ternaire des clunisiens, vieux pourtant de plus d'un demi-siècle ; mais, dès le niveau du sol, semble-t-il, ils avaient prévu de l'accommoder à la nouvelle voûte d'ogives, en insérant dans les redents des piles des colonnes montant de fond et appelées à recevoir les nervures. Sur l'abside, ils sauvegardèrent cependant une voûte en cul-de-four aigu, comme l'expression de leur reconnaissance envers ce style auquel ils devaient tant.

Quelques années à peine plus tard, les reconstructeurs de la primatiale lyonnaise (pl. 146), dont l'édification, commencée vers 1165 sous l'épiscopat de Guichard, traîna bien davantage encore, allaient s'y prendre autrement. Sur le soubassement semi-circulaire de l'abside entreprise en premier, ils montèrent successivement un placage d'arcatures en plein cintre dont les supports complexes associent les pilastres cannelés aux colonnettes d'angle (pl. 145), les chapiteaux historiés de scènes de l'Enfance du Christ (pl. 144) aux corbeilles de feuillages ; puis une très élégante frise de fleurons incrustés soulignant l'étage des fenêtres inférieures, profilées déjà en lancette ; puis une galerie de triforium délimitée, en bas et en haut, par deux frises incrustées. Le dessin de cet étage était assez voisin de celui de l'arcature basse, avec, dans chaque pan, deux baies dont les arcs en plein cintre moulurés, reposèrent latéralement sur des colonnettes et, au milieu, sur un pilastre cannelé ; mais, entre les deux colonnettes les plus voisines, trouvait place une colonne de plus fort diamètre qui, prenant appui sur la corniche du rez-de-chaussée, allait recevoir les nervures de la voûte d'ogives par l'intermédiaire de chapiteaux à double rang de crochets d'aspect déjà tout à fait gothique. Dans les lunettes des voûtains fut percée une couronne de fenêtres à deux formes et rosaces trilobées à pointe inférieure, par une anticipation extraordinaire des futurs dessins flamboyants. Pour compléter l'illusion ou la réminiscence romane, des arcatures trilobées très plates animèrent le mur de la dernière travée droite du chœur, au-dessus de la galerie basse. Il était difficile d'imaginer plus heureuse combinaison du vieux style encore plein de vigueur et des tendances nouvelles, par quoi l'insigne primatiale attestait déjà dans sa pierre le tempérament lyonnais tel qu'il s'est conservé d'âge en âge.

Deux autres églises d'importance moindre, dont une à Lyon même, montrent l'adaptation de la voûte d'ogives à des élévations qui n'avaient pas été prévues pour elles : la collégiale Saint-Paul de Lyon et la priorale de Nantua. Dans une troisième, l'abbatiale de Belleville, le voûtement d'ogives semble avoir été envisagé dès l'origine, mais en maintenant, quant au reste, une structure et des éléments décoratifs parfaitement romans. Toutes trois disent, chacune à sa manière, que « la montée du gothique », pour reprendre l'expression d'un livre récent, n'a pas revêtu ici l'aspect, comme il put en être ailleurs, et au premier chef en Ile-de-France, d'un cyclone soudain, mais qu'elle a dû, au contraire, composer pas à pas avec les formes antérieures, à l'enracinement régional desquelles elle rendait sans le savoir hommage. Il était opportun d'en offrir les abrégés monographiques en conclusion, ou, si l'on préfère, en note terminale de la présente évocation d'une efflorescence romane qui ne fut, l'on a pu s'en apercevoir tout au long de ces pages, pas tout à fait comme les autres.

LA COLLÉGIALE SAINT-PAUL DE LYON

L'ordre chronologique appelle en premier cette église du «monastère Saint-Paul», fondé, selon la tradition, par l'évêque saint Sacerdos (mort en 552) à l'extrémité septentrionale du quartier Saint-Jean, où la Saône libérée du défilé de Pierre-Scize dessine le large coude qui la conduira jusqu'au Rhône en rasant les murs de la cité archiépiscopale. Une voie ancienne les reliait l'un à l'autre, aujourd'hui représentée par les rues de la Quarantaine, Saint-Georges, Tramassac, du Bœuf, Gadagne, et aboutissait à la rue Juiverie, ainsi désignée à cause des Juifs qui pullulaient dans ce quartier populeux et commerçant, animé par «les marchands aventuriers qui couraient les routes en grand nombre», et qu'on appelait pour cette raison «les pieds poudreux» (J. Deniau, *Histoire de Lyon,* p. 37). Les princes mérovingiens favorisèrent l'institution nouvelle, dont, jusqu'à l'époque romane, on sait au demeurant fort peu, sinon qu'elle était desservie par un collège de chanoines qui, notamment par ses nombreuses acquisitions en Dombes, devint progressivement l'un des plus gros propriétaires fonciers de la cité.

L'église actuelle fut entreprise sous l'épiscopat d'Hugues, prédécesseur immédiat du fameux Gaucerand de 1084 à 1106. La construction, cependant, devait traîner plus de cent ans, peut-être par le fait de la crise que subit au XIIᵉ siècle l'Église lyonnaise et à laquelle fait allusion une lettre de Pierre le Vénérable adressée à l'archevêque Pierre Iᵉʳ (1131-1139); le grand abbé de Cluny allait jusqu'à y exprimer la crainte que les temps de deuil, prédits par l'Apocalypse, ne fussent en train de s'abattre sur la ville des martyrs de 177 et de saint Irénée! Ces vicissitudes, les divisions du clergé lyonnais lors du schisme d'Anaclet (1130-1138), les troubles suscités par les prédications de l'hérésiarque Pierre Valdo (1170-1184), les compétitions entre les évêques et les comtes de Forez pour la maîtrise de la cité semblent s'être inscrits dans les murs mêmes de l'église, dont l'histoire monumentale est déconcertante et fertile en énigmes.

C'est au début du XIIIᵉ siècle seulement qu'allait être montée la belle tour-lanterne qui constitue l'élément le plus original de l'édifice (pl. 147 et 148). L'époque flamboyante, qui ranima vigoureusement les chantiers de construction lyonnais, le dota d'une suite de chapelles qui l'agrémentèrent, non sans en dilater et empâter quelque peu la silhouette. Accolée au croisillon méridional du transept, la chapelle Sainte-Marguerite avait été fondée dès avant 1415 par Jean de Pressie ou de Précieu; détruite au XVIᵉ siècle par les huguenots, elle fut rebâtie par le chanoine chamarier Benoît Buatier, qui décéda le 17 décembre 1575. Parmi celles qui flanquent chacun des collatéraux de la nef, deux tranchent par leur grande qualité sur leurs voisines : celle que le sacristain Jean Machard fit greffer sur la première travée du collatéral Sud suivant le porche, et qu'ouvre une arcade sculptée de huit médaillons elliptiques, et celle qu'un peu plus tard (1495), l'échevin Jean du Peyrat et sa femme, Claudine Garnier, fondaient à l'angle du même bas-côté et du mur occidental du transept. Une inscription de la chapelle Saint-Joseph (troisième au Sud) rappelle que le «clocher» (il ne s'agit évidemment pas de la tour-lanterne du transept, mais du clocher-porche carré encore existant), et probablement la façade, étaient dus aux libéralités du chamarier Pierre Charpin, dont le neveu, également prénommé Pierre, fit ériger «l'aiguille» coiffant cette tour et qui, démolie en 1818, ne fut remplacée qu'en 1875 par celle qu'on voit encore.

De grosses restaurations allaient être entreprises en 1648, puis en 1780; cette dernière, conduite par l'architecte Denice, comporta notamment le remodelage de l'abside principale, dont la voûte fut découpée par des bandeaux et pilastres dans le goût classique, le pourtour interne camouflé par des boiseries. Cette modernisation n'empêcha pas, au début du XIXᵉ siècle, la déréliction du vieux sanctuaire sur lequel, en 1833, Mérimée, d'ordinaire mieux inspiré, laissait tomber ce verdict dédaigneux : «Cette église tombe en ruine, il est probable qu'on sera forcé de la démolir». Piqués sans doute au vif, les Lyonnais ne l'entendirent pas ainsi : trois ans plus tard était commencée une restauration non moins systématique en son genre que celle que s'apprêtait à subir la basilique d'Ainay. L'un de ses objets consista notamment à «réduire à un diamètre uniforme», dans un style pseudo-roman, les fenêtres hautes de la nef, et à retailler médiocrement les chapiteaux d'origine. A la fin du même siècle, tandis que l'architecte Frédéric Benoît réédifiait la flèche, on s'en prenait à la façade flamboyante et à la chapelle très ornée qui la flanquait au Nord. Une lithographie de Chapuy rend compte de l'état immédiatement antérieur à ces travaux, de l'hétérogénéité et de la discontinuité pittoresques de la silhouette, où interfèrent et se marient finalement avec bonheur les thèmes romans et gothiques : tour-lanterne octogonale, croisillon Nord du transept ajouré d'un oculus et, dans le mur occidental, d'une grande fenêtre flamboyante, chapelles de différents niveaux accolées au bas-côté Nord, sauf à la deuxième travée où subsiste un portail roman, front de façade enfin, entièrement gothique et constitué d'une haute et belle chapelle flamboyante et du clocher carré d'aspect forézien, flanqué d'une tourelle ronde à son angle Nord-Ouest. L'extrême fantaisie des juxtapositions déconcerte d'abord, puis suscite un attrait directement lié aux questions qui se posent à son propos : peu d'édifices offrent en effet, comme celui-là, l'écho et le frisson même des vicissitudes de la vie, des accidents, caprices et drames qui en déroutent le cours.

Du fait cependant de ces multiples adjonctions, le plan originel ne se laisse lire qu'au prix de quelques difficultés. On ne peut notamment dire à coup sûr si la nef, flanquée de bas-côtés, était longue de quatre ou de cinq travées, tant la première, avec son clocher, diffère des suivantes en ses remodelages successifs (pl. 148). Elle débouchait sur un transept plus fortement saillant qu'il ne l'est devenu, du fait de la construction des chapelles latérales. Sur sa croisée s'ouvre l'abside semi-circulaire, que précède une travée droite, et sur chacun des croisillons, deux chapelles intérieurement en hémicycle (pl. 149), mais empâtées à l'extérieur dans des murs polygonaux, vraisemblablement dès l'origine. Seul subsiste intact celui de l'absidiole extrême, au Sud ; ceux de la chapelle extrême au Nord et de la seconde absidiole au Sud ne sont qu'à deux pans, et celui de la première au Nord est masqué par une bâtisse postérieure. Il s'en faut cependant que cette régularité du plan, réduit, il va de soi, à ses éléments primitifs, traduise le jaillissement d'une unité de construction réalisée d'un seul jet. On constate au premier coup d'œil que trois, sinon quatre ateliers successifs ont imprimé leur marque dans l'édification, sans chercher plus qu'il en avait été à Ainay à masquer par quelque artifice leurs différences fondamentales.

De la première campagne, suscitée ainsi qu'il a été dit par l'archevêque Hugues, il subsiste en fin de compte assez peu. A l'intérieur comme à l'extérieur, on remarque que le mur de fond de chacun des croisillons (celui du Sud refait) et les murs goutterots des bas-côtés de la dernière travée de la nef sont bâtis, non pas, comme il en est ailleurs, d'un petit appareil de calcaire jaune, ou, plus rarement, de moellons réguliers et soigneusement taillés, mais de rangs superposés de pierres blanches rectangulaires alternant avec une assise de briques rouges. Ce procédé, d'origine romaine, était manifestement destiné, outre son attrait polychrome, à conférer à la paroi une meilleure élasticité.

Assez vite cependant, un parti tout nouveau était substitué à ce système, et la nef en rend compte. Il semble que la construction de celle-ci ait été menée à la fois de l'Est, à partir du transept, et de l'Ouest, à partir de la façade primitive. La grande arcade méridionale de la première travée suivant celle du porche, très altérée, est profilée en plein cintre, tout comme celles de la dernière travée qui, dissemblance à relever, est plus longue que les autres, et quelque peu désaxée par rapport à elles. Quant aux arcades des travées intermédiaires, elles sont toutes en cintre brisé; cette juxtaposition, qui se voit pareillement en l'église brionnaise de Bois-Sainte-Marie, marque l'irruption d'une nouvelle formule constructive, qu'il faut bien appeler clunisienne. Les piles de la nef, à noyau carré, sont accostées sur chaque face de pilastres cannelés qui constituent un indubitable indice de provenance. Il en existe un autre tout aussi manifeste : au Sud, les grandes arcades ont leur rouleau extérieur décoré d'une rangée d'oves enrubannés en faible relief (pl. 148), motif dérivé selon toute vraisemblance de celui des arcades correspondantes de l'ancienne priorale de Paray-le-Monial; et, au-dessus d'elles, court dans les trois premières travées un bandeau horizontal constitué de palets juxtaposés. Au Nord prévalent des formes différentes. C'est en effet une mouluration torique qui dessine, dans les quatre travées non remaniées, le rouleau externe des arcades correspondantes. Le bandeau horizontal, qui s'arrête, comme au Sud, à la dernière travée, juxtapose ici des losanges. Quant à cette travée la plus proche du transept, elle est, comme celle qui suit immédiatement le porche, appareillée de claveaux alternativement blancs et gris, bichromie qui se retrouvera dans les arcades d'entrée des deux absidioles les plus proches de l'abside principale. Les dosserets des piles qui l'encadrent ont, au Nord, leurs tranches décorées de disques superposés.

La nef n'adopte pas pour autant l'élévation ternaire du modèle clunisien présumé. Elle ne superpose que deux étages : grandes arcades et fenêtres hautes, celles-ci remodelées par les restaurateurs du XIXe siècle; il est probable d'ailleurs que, dès l'époque gothique, elles avaient été agrandies, en même temps, peut-être, qu'était lancée une voûte d'ogives étroites non prévue à l'origine. On remarque une reprise à la travée qui suit le porche; les premières assises des nervures sont constituées de deux tores, auxquels succède brusquement une mouluration chanfreinée.

Le problème est naturellement posé de la couverture originellement prévue : l'édifice commencé sous l'épiscopat d'Hugues était-il destiné, déjà, à recevoir une voûte sur sa nef, ou bien les constructeurs avaient-ils résolu de s'en tenir au vieux mode basilical? Un pan de mur à lits de briques conservé, on le verra tout à l'heure, au bas-côté septentrional de la dernière travée, suggérerait une élévation identique à celle d'Ainay, soit des collatéraux élevés, couverts de charpentes comme la nef elle-même, et fournissant à celle-ci le seul éclairage. Mais les artisans du second atelier, eux, semblent bien avoir prévu sur la nef centrale, soit un berceau brisé, articulé par des arcs-doubleaux qu'épaulaient à l'extérieur des contreforts très saillants, soit une succession de croisées d'arêtes sur le bâti de laquelle la voûte d'ogives actuelle, bombée et de facture assez maladroite, diversement moulurée, n'aurait eu aucune peine à venir se modeler.

Dans les trois premières travées collatérales qui font suite à la travée-porche, les voûtes d'arêtes primitives ont été, semble-t-il, conservées, mais les arcs séparatifs, très légèrement brisés, ont subi d'assez forts déversements. La dernière travée, à l'Est, est couverte d'une voûte d'ogives; les nervures du Nord sont minces et anguleuses, de date imprécise; mais au Sud, la mouluration, torique, est la même que celle de la voûte de la travée correspondante de la nef, et remonterait comme elle à la troisième campagne principale de construction du gros œuvre, qui, probablement vers la fin du XIIe siècle, vit la reprise et l'achèvement des parties hautes du vaisseau. On remarque que les piles de la croisée du transept comportent des dosserets «ornés, dans le sens vertical», du même motif «de trois tores imitant des colonnettes accolées» qu'on retrouve dans la nef de l'église abbatiale de Belleville-sur-Saône, consacrée en 1179 (cf. Jean Vallery-Radot, *Congrès archéologique de Lyon-Mâcon 1935*, p. 345).

Il y a peu à dire des deux absidioles greffées sur chaque croisillon du transept, sinon que celles des extrémités sont couvertes par des culs-de-four en plein cintre, tandis que celles qui flanquent l'abside principale (trop remaniée, quant à elle, pour présenter quelque intérêt) sont introduites ainsi qu'on l'a dit par des arcs en cintre brisé (pl. 149). Mais tout le membre oriental de l'église est littéralement enlevé par la tour-lanterne qui coiffe la croisée du transept et qui, intacte, suffirait à l'illustration du plus méconnu, peut-être, des monuments religieux lyonnais (pl. 148). Portée sur quatre piles et arcades moulurées, en cintre brisé, elle passe du plan carré à l'octogone par des trompes d'angle, et chaque face de son haut tambour est allégée par une arcature triple dont la médiane, en plein cintre, encadre une fenêtre de même profil, tandis que les autres, étroites, sont en cintre surhaussé ou légèrement brisé. Les arcs retombent, à chaque extrémité, sur un faisceau de colonnes, et, au milieu, sur des colonnettes posées sur de brefs pilastres. On a reconnu, en plus simple, le principe des tambours arcaturés qui, inspiré peut-être par les expériences de Saint-Martin d'Ainay, de l'abbatiale de Tournus, de la cathédrale du Puy, anime avec une élégance un peu sèche les tours de croisée de Châteauneuf-sur-Sornin (possession du chapitre de Saint-Paul!) et de Semur-en-Brionnais. Une croisée d'ogives, qui paraissent d'origine, couvre la tour.

L'extérieur de l'église, noyé au Midi dans le dense tissu des habitations civiles, ne se révèle guère qu'au Nord et au Nord-Ouest. C'est assez pour que puissent être relevés les éléments de la structure primitive que n'ont pas abolis ou recouverts les adjonctions de chapelles latérales. Au croisillon Nord subsiste, interrompu dans son mur occidental par une grande fenêtre gothique, et, sous le pignon du mur de fond, par un oculus mouluré, l'appareil le plus ancien de moellons coupés par des lits de briques; le mur goutterot du bas-côté voisin présente ainsi qu'on l'a dit la même alternance. Enfin, les bâtisseurs des chapelles flamboyantes ont eu l'heureuse inspiration de conserver et de réemployer, dans le mur continu des deuxième et troisième travées suivant celle du porche, la belle corniche romane à modillons historiés, dont le style, contemporain de la nef, traduit la pleine maturité de la sculpture régionale au milieu du XIIe siècle, et des parentés évidentes, en particulier, avec la production plantureuse des ateliers viennois. Des fragments d'origine identique ont été réemployés de même au haut du mur de la chapelle septentrionale de la travée-porche, et c'est encore une corniche romane, analogue aux précédentes, mais d'aspect plus fruste, qui surmonte le mur goutterot de la nef principale. Les mêmes constructeurs ont laissé libre, au Nord, le collatéral roman de la première travée qui suit le porche, et sauvegardé ainsi une belle porte romane à triple voussure en plein cintre que surmonte un attique nettement inspiré de l'architecture romaine.

Cependant, l'attrait majeur de la silhouette externe est bien, comme il en avait été à l'intérieur, la tour octogonale plantée sur la croisée du transept (pl. 147). Elle est, pour sa part, décorée d'une galerie d'arcatures ajourées qui rappelle celle du tambour interne, mais dont les chapiteaux ont déjà, franchement, le style du XIIIe siècle, et au-dessus de laquelle court une guirlande de trois, quatre ou cinq petits arcs aveugles en plein cintre selon les faces. Une pyramide très basse, rehaussée d'un lanternon, la couvre. René Jullian reconnaissait dans cet octogone «un souvenir des églises romanes de Lombardie»; plus précisément encore, on évoque à son propos les tours de croisée de l'église Saint-Michel de Pavie et de la cathédrale de Parme. A la fin du XIIe et aux premières années du XIIIe siècle, un tel air de famille est tout à fait plausible. Chacun sait que la plaine du Rhône est le débouché le plus normal des routes transalpines et que les échanges entre elle et l'Italie du Nord ont été constants et féconds à toute époque. A Lyon même, la phase de paix consécutive à la «permutation» conclue entre l'archevêque et le comte de Forez en 1173, la construction du pont sur le Rhône en 1183 et le développement du commerce urbain ont suscité dans la cité un afflux de marchands et financiers «lombards» qui ne cessera de s'accroître. Il ne convient cependant pas d'abuser des ressemblances; en l'occurrence, celles-ci sont peut-être davantage de surface que de fond, et plus sensibles entre les tours de Lyon et de Pavie qu'entre Lyon et la cathédrale de Parme, où, d'une part, l'octogone est porté, non par des trompes, mais par des pendentifs; où, d'autre part, la galerie extérieure est une claire-voie profonde. Aux côtés de la grande primatiale romano-gothique, la tour de Saint-Paul, point d'orgue du «majestueux édifice paroissial» (abbé Martin), garde toute sa saveur de création originale, et conclut bien le palmarès du Lyon roman, son ouverture aux souffles nouveaux d'où qu'ils viennent, à la façon d'un petit orgue de chœur auquel il advient parfois de ponctuer et paraphraser les cadences triomphales de son grand frère aux registres multiples.

Sur la route traditionnelle de Lyon à Genève, à l'orée occidentale de la suite de cluses percées dans les roches dures des crêts du Haut-Jura pressés comme des accordéons, au bord du lac aux eaux d'un vert profond serti de falaises blanches, le *monasteriolum* de Nantua, «qui tient son vocable des eaux jaillissant du voisinage», ainsi que le désignent des textes du IXe siècle, fut fondé sous le vocable de saint Pierre avant la date du 10 août 758, où le cite un diplôme de Pépin le Bref; un siècle plus tard, l'empereur Lothaire, arrière-petit-fils du fondateur de la dynastie carolingienne, le remit «à saint Étienne et à la sainte église primatiale des Gaules». Au cours du XIe siècle, l'abbaye passa sous la tutelle clunisienne et fut officiellement réduite au rang de prieuré, en l'an 1100, par le pape Pascal II, sujétion hiérarchique qui ne signifie pas obligatoirement une réduction de l'influence et du rayonnement qu'elle avait pu s'acquérir au sein d'un environnement pastoral et forestier assez pauvre. Selon la bulle d'affiliation, elle comptait alors vingt-cinq moines; son importance routière, telle que la suggère le *Catalogus* dressé après la Peste Noire de 1348, s'évaluait au chiffre des aumônes, qui devaient être dispensées à tout venant trois fois par

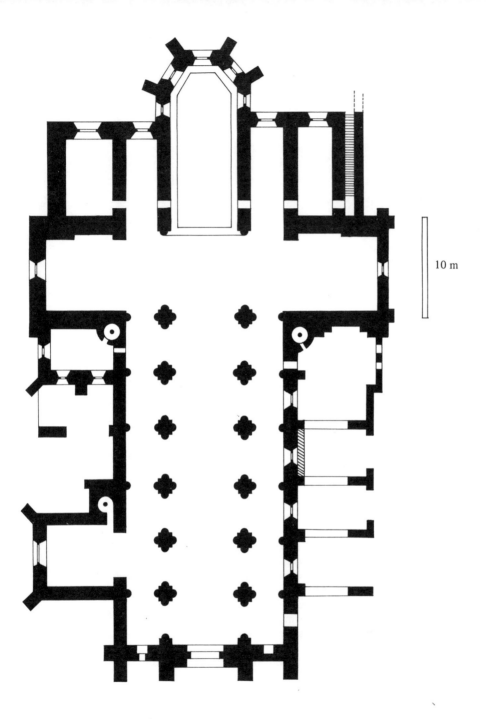

10 m

NANTUA
(d'après l'architecte Anus)

semaine. Au XVIIIᵉ siècle encore, l'abbé de Cluny Henry-Oswald de La Tour d'Auvergne attestait que, nulle part dans la congrégation, l'Office divin n'était chanté «plus solennellement et plus régulièrement». Une «villa» ou, à tout le moins, un bourg s'était développée à ses côtés, qui eut, ainsi qu'on le sait, l'honneur d'être citée dans le *Guide du pèlerin de Saint-Jacques* pour le réconfort des pauvres routiers affrontés à l'égoïsme et la ladrerie des populations sédentaires.

C'est assez peu d'années après que dut être entreprise la reconstruction de l'église abbatiale, qui ne s'étira pas moins en longueur que celle de la collégiale Saint-Paul de Lyon. Divers remaniements et adjonctions ont considérablement affecté la régularité du plan primitif, qui devait comporter une nef de six travées, flanquée de bas-côtés, un transept en forte saillie, et un chœur développé, sur la forme duquel on n'est pas fixé. Une abside (?) principale, dont il est impossible d'assurer qu'elle était semi-circulaire, fut en tout cas remplacée au XVᵉ siècle, à l'initiative du prieur Pierre de La Forest, par le beau chœur flamboyant actuel, à chevet polygonal. Jean Giraud pensait que l'abside était flanquée, de chaque côté, par deux «absidioles» qui, précédées de longues travées droites, s'ouvraient sur les croisillons du transept, et dont les extrêmes auraient été murées. Un plan de 1692 montre seulement deux paires de chapelles qui, encadrant le chœur principal, se terminaient par des murs droits selon le mode cistercien. L'état actuel est assez différent, des remises ou entrepôts, très postérieurs, ayant remplacé les hypothétiques chapelles extrêmes. De fait, deux arcs creux sont encore visibles, à l'intérieur, dans les murs orientaux des croisillons, à côté des accès des collatéraux flanquant immédiatement le chœur et qui, eux, subsistent. Mais il est permis de se demander s'il ne s'agirait pas seulement d'arcs de décharge. On ne sait pas davantage comment se terminaient les bas-côtés conservés : absidioles semi-circulaires ou murs droits, comme il en est aujourd'hui? Introduits par des arcades en cintre brisé, voûtés de berceaux de même profil, peut-être ont-ils été simplement prolongés à l'époque flamboyante, où fut percée dans le mur de chevet de chacun d'eux une fenêtre à deux formes. On sait que celui du Sud fut aménagé en chapelle par le prieur de Mareste, et qu'il est aujourd'hui placé sous le vocable du Sacré-Cœur. Les murs de la travée droite du chœur sont vraisemblablement d'origine (fin du XIIᵉ siècle); chacun d'eux était ajouré d'un oculus, forme volontiers usitée à cette époque dans les régions lyonnaise et savoyarde; l'un et l'autre ont été murés. La travée communiquait avec ses collatéraux par des passages à linteau droit et piédroits à redents cintrés, qui subsistent.

A part l'adjonction, au XVᵉ siècle, d'une chapelle greffée sur la dernière travée du bas-côté Nord, et, au XVIᵉ, de la jolie chapelle Renaissance ouverte, du même côté, sur la deuxième travée et placée, à l'origine, sous le vocable de Notre-Dame de Pitié, la nef a survécu dans son état acquis du XIIIᵉ siècle, et elle est impressionnante en sa robuste et ascétique stature (pl. 150). L'élévation est celle, exactement, d'une église cistercienne du type de Pontigny : grandes arcades en cintre brisé, hautes fenêtres en plein cintre diffusant un éclairage très lumineux, plus une voûte d'ogives dont on ne sait pas au juste si elle a remplacé un système antérieur, et dont les moulurations varient d'ailleurs d'une travée à l'autre. Les grandes arcades, de dessin très pur, sont à double rouleau et arêtes vives; les arcs-doubleaux, simples. Le tout repose sur des piles carrées, à colonnes engagées sur chacune de leurs faces, et couronnées de chapiteaux dont les décors vont se raréfiant d'Est en Ouest au profit de feuilles plates, larges, presque sans relief à la mode cistercienne; ceux de l'étage supérieur, soit des arcs-doubleaux, portent nettement le double et vigoureux crochet de la première moitié du XIIIe siècle. Les bases sont attiques, avec, parfois, des griffes d'angle.

On vient de dire que des questions se posaient à propos du voûtement, bas-côté compris. Il est très vraisemblable que la voûte d'ogives de la nef n'était pas prévue à l'origine, et que son montage ne se fit pas sans mal sur des supports inadéquats; est-ce à dire qu'elle fut substituée, comme le pensait Jean Giraud, à un berceau brisé sur doubleaux, que des pénétrations profondes faisaient ressembler à une voûte d'arêtes? Auquel cas, le vaisseau aurait offert d'incontestables ressemblances tant avec l'église paroissiale de Saint-Philibert de Dijon qu'avec l'abbatiale cistercienne de Fossanova, moins l'étage des petits jours éclairant les combles des bas-côtés. Mais rien n'est en réalité moins sûr : quand furent lancés les arcs-doubleaux et sculptés leurs chapiteaux, l'on en était venu au temps où la voûte d'ogives s'imposait avec une force irrésistible. Dans les première, quatrième, cinquième et sixième travées, la mouluration des nervures, à deux tores séparés par une gorge, correspond à la toute première période gothique; dans les deuxième et troisième, les ogives à cavet, ancêtres des moulurations prismatiques du gothique tardif, doivent remonter à une réfection partielle opérée au XIVe siècle. Toutes les nervures reposent, pour ainsi dire à l'étroit, sur des fûts très brefs, plantés de biais contre les chapiteaux des arcs-doubleaux, et surmontés de petits chapiteaux de feuillages.

Au premier coup d'œil, le visiteur est frappé par le déversement considérable des murs, telles des lames de fer tordues à la pince, à partir du niveau de la clé des grandes arcades; les arcs-doubleaux en ont pris des profils exagérément surbaissés. Ce défaut apparut certainement très vite, et nécessita, peu de temps après la construction des voûtes hautes, la contrebutée des arcs-doubleaux par des arcs-boutants qui, par surcroît de précaution, ne prirent pas appui sur les supports des bas-côtés, soit sur les demi-colonnes engagées recevant leurs propres arcs-doubleaux, mais bien au-delà, sur le sol lui-même; il est possible d'ailleurs que, dans un premier temps, ils n'aient été qu'amorcés, l'extension latérale ayant été, elle, réalisée après la construction des chapelles et de la sacristie. Il est difficilement pensable qu'il ait fallu attendre trois à quatre siècles avant de pallier une menace d'écroulement aussi instante. On allégea les structures massives de ces prolongements par de larges passages en quart de cercle, dont la tête vint s'appliquer au niveau supérieur des murs goutterots des bas-côtés : c'est un trait constant de la construction en pays de montagne et de climat nival qu'on n'y lésina jamais avec la solidité et les épaulements. M. Jean Giraud, qui surveilla la restauration intérieure, put constater qu'après un effondrement, les nervures avaient été refaites en bois, matériau plus léger que la pierre, et qui fut de même utilisé, on le sait, pour le voûtement de la nef romane de la cathédrale de Saint-Jean-de-Maurienne. Toutes? l'ingénieur-archéologue ne l'a pas précisé.

Les bas-côtés reçurent, pour leur part, des voûtes d'arêtes qui ont subsisté, ou, plus exactement, des berceaux transversaux à fortes pénétrations ; seule, celle de la première travée, au Nord, a été remplacée par une croisée de minces ogives à cavet. Les croisillons du transept ont, de leur côté, conservé leurs voûtes primitives en berceau brisé, et sur la croisée s'élève une haute et belle tour-lanterne octogonale, reçue par quatre robustes arcades en cintre brisé, doublées et à arêtes vives, sauf celle de l'Est, dont le rouleau intérieur est mouluré d'un tore ; les demi-colonnes, surmontées de chapiteaux à double rang de feuillages, sont ici appuyées sur des dosserets, engendrant des sections cruciformes. La tour est aujourd'hui voûtée de huit branches d'ogives chanfreinées divergeant d'une clé ronde, et reposant sur des consoles sculptées de feuillages ou de masques. Entre elles, chaque pan de l'octogone a été ajouré de baies en plein cintre, recoupées par un petit lobe, qui sont probablement de la première période gothique ; on ignore si c'est dès ce moment, ou lors d'une réfection de la tour effectuée en 1680 «avec des matériaux anciens», et probablement sur le même modèle que la première, que les quatre trompes primitives furent bouchées par des maçonneries en façon de pendentifs droits ; il ne s'en voit plus que les traces des cintres, sans relief ni décrochement.

Le moins qu'on puisse dire du clocher monté sur la coupole est qu'il n'améliore pas la silhouette extérieure. A ceux qui seraient tentés de le déplorer, l'on rétorquera que le xIxe siècle n'aurait pas eu à le réédifier selon ses goûts et son intelligence de l'art médiéval si le trop fameux représentant en mission Albitte, qu'offusquait la vue des clochers catholiques, n'avait pas ordonné la démolition de cet étendard de la superstition et de l'intolérance au même titre que tous ceux qu'il rencontrait sur sa route révolutionnaire. L'apparat d'arcatures sculptées, de bandeaux décoratifs, de corniches ouvragées dont furent agrémentés à foison les deux étages posés sur la souche ancienne prend figure d'offrande réparatrice qu'il serait, dans ces conditions, malséant de dénigrer. Le reste de la stature externe, robuste et un peu écrasée, confirme les vicissitudes et étapes constructives étirées sur sept et huit siècles : surhaussement de la nef par rapport au solin qui marque le niveau supérieur du transept, épaulement de ce dernier par de fortes «augives» obliques (pl. 151), surélévation correspondante du chœur gothique, apposition discontinue des chapelles au bas-côté Nord de la nef, puissance des arcs-boutants qui font penser aux rangées de rames d'une galère, et, surtout, traitement original du fronton de façade, renforcé par un profond avant-corps que creusent deux arcades : l'une, au centre, protégeant de son plein cintre le portail sculpté, la seconde, plus haute et en cintre brisé, abritant la porte et la fenêtre de façade du collatéral Nord ; celle-ci devait avoir sa correspondante au Sud, aujourd'hui masquée par une construction en équerre. Une petite baie s'inscrit entre la clé de l'arcade principale et le cordon mouluré qui délimite le niveau de rez-de-chaussée et au-dessus duquel le mur, de surface carrée, est ajouré d'une rosace à huit pétales vitrés de dessin délicat. On ne sait si la façade primitive comportait un pignon, qu'aurait remplacé le pan coupé du toit actuel, surmonté d'un petit lanternon. Il est bien fâcheux que toutes les précautions prises par les bâtisseurs pour garantir le portail des intempéries aient été impuissantes à préserver de l'imbécillité des hommes l'un des ouvrages «les plus beaux de la Bourgogne romane» selon Jean Giraud : si tant est qu'il soit permis de considérer le Bugey comme une province ou un fief bourguignon. C'est évidemment à Cluny que pensait le grand archéologue burgien, au plus insigne surtout de ses abbés, l'initiateur probable de la reconstruction, qui, par la vigueur, la passion, la continuité persuasive de son enseignement, sauva au XIIe siècle, on s'en rend mieux compte aujourd'hui, le dogme catholique de l'Eucharistie, et fit inlassablement en sorte que les «signes manifestes de ce qui s'était accompli» au soir du premier Jeudi Saint en montrassent le témoignage dans les siècles des siècles : *and He shall reign for ever and ever* (Alleluia du Messie)!

Quoi qu'il ait pu s'écrire, ce n'est pas à Cluny que ramène l'ancienne abbatiale de Belleville-sur-Saône, mais, selon les points de vue, au Brionnais, au Lyonnais, à la Savoie elle-même. Construite à l'extrême fin de la période romane, elle offre l'avantage appréciable de disposer d'un état civil précis. Une notice relatant la fondation de l'église et son érection en abbaye, rédigée peu après les événements eux-mêmes et insérée au tome 1 du *Cartulaire lyonnais,* rappelle que le «très illustre seigneur» (*princeps*) Humbert III de Beaujeu la fonda, «dans le quartier le plus retiré du bourg», le 17 des calendes de novembre (soit le 16 octobre) 1158, et en confia la desserte à des chanoines réguliers de Saint-Irénée de Lyon. Dès que l'archevêque Heraclius de Montboissier eut confirmé la fondation, Humbert entreprit la construction de «l'église», qui devait être fort exiguë et hâtivement bâtie, puisque, «par l'aide de Dieu», elle aurait été terminée dès le mois d'août suivant! Le 20 août 1159, l'évêque de Mâcon pouvait en effet la consacrer et procéder à l'installation des chanoines qui, jusqu'alors, résidaient en ville; le seigneur de Beaujeu, pour sa part, enrichit la nouvelle fondation de nombreuses orfèvreries, d'ornements et de livres pieux, dont un évangéliaire à fermoirs d'argent.

(suite à la page 381)

TABLE DES PLANCHES

141

144

LYON
PRIMATIALE SAINT-JEAN

147
LYON
SAINT-PAUL

151

NANTUA

152

BELLEVILLE-SUR-SAÔNE

154

155

Cinq ans plus tard, le même Humbert obtenait l'érection de celle-ci en abbaye. Le premier abbé fut le propre prieur de Saint-Irénée, Étienne, à la «bénédiction» duquel procéda l'évêque de Mâcon. La preuve que les chanoines devaient encore se contenter d'une chapelle des plus modestes est fournie par la décision que prit en 1168 l'abbé Hundri ou Landri, ancien chanoine de Mâcon, fort de l'assentiment que lui avait donné le seigneur Humbert IV de Beaujeu, de mener à bien l'édification d'une église définitive. «Assurant qu'il était juste qu'un temple dédié à Sainte Marie Mère de Dieu eût un fondement d'or», il fit placer symboliquement sous les pierres «un bâton d'or», qui s'y trouve peut-être encore! Onze ans plus tard, le 17 juillet 1179, l'abbatiale était consacrée conjointement par l'archevêque de Lyon, l'évêque de Mâcon et l'abbé d'Agaune. L'époque gothique y apporta quelques remaniements : l'épouse d'Édouard II de Beaujeu, Éléonore de Beaufort, nièce du pape avignonnais Grégoire XI, prit en charge au début du XVe siècle la surélévation et le voûtement d'ogives de l'abside, que vinrent éclairer de grandes fenêtres; puis ce fut un remodelage des voûtes des sixième, septième et huitième travées de la nef, dont les clés sont blasonnées des armes des seigneurs de Beaujeu et de leurs alliances. Les guerres dites de Religion furent fatales au monument, qui y perdit en particulier la tour édifiée sur le croisillon septentrional; en 1657, l'archevêque de Lyon en visite pastorale la trouva toute ruinée, et elle ne fut jamais rebâtie. Le chapitre canonial dissous en 1791, l'église fut affectée quelque temps au culte de la Raison, puis à l'engrangement des fourrages, tandis que la sacristie recevait l'usage judicieux de prison. En 1804 seulement, elle devait être rendue au culte (J. Vallery-Radot, *Belleville-sur-Saône*, dans *Congrès archéologique de Lyon-Mâcon, 1935*, p. 335-337).

Tout à fait lyonnaise de «tempérament», l'ancienne abbatiale, dont les statures basses émergent à peine des toits de la vieille ville ambiante, ne s'impose pas par sa prestance, et il faut bien reconnaître qu'elle intéresse davantage les archéologues que les amateurs ou familiers de visions romanes en leur plénitude habituelle. Les premiers trouveront dans la monographie précitée une description très précise et fouillée dans ses détails, mais dont la minutie laisse néanmoins en suspens deux des problèmes essentiels que suscite, à première vue, cet édifice insolite, et auxquels on s'arrêtera surtout : son plan original et le traitement de son transept. Il est constitué d'une longue nef (plus de 40 m en œuvre), flanquée de bas-côtés et articulée en neuf travées barlongues, d'un transept en forte saillie, et d'un chœur de deux travées droites encadré lui-même par des collatéraux qui se terminent, comme lui, par des absides en hémicycle. Si l'on observe qu'à l'extrémité de chacun des croisillons s'ouvre, à l'Est, une absidiole de même plan, l'on sera fondé à admettre qu'à la fin du XIIe siècle (1168), ce plan reprend très exactement celui qu'avait, cent quarante années environ auparavant, introduit en Bourgogne l'église priorale de Perrecy rééditée par les soins du prieur Raoul, puis adopté successivement dans l'abbatiale de Bernay et plusieurs grandes églises normandes. On sait par le Dr Marijan Žadnikar que l'architecte Michel, *natione latinus,* le choisit pour l'abbatiale cistercienne de Stična en Slovénie, dont il dirigea les travaux de 1132 à 1156. L'église de Belleville en offre donc la descendance la plus lointaine.

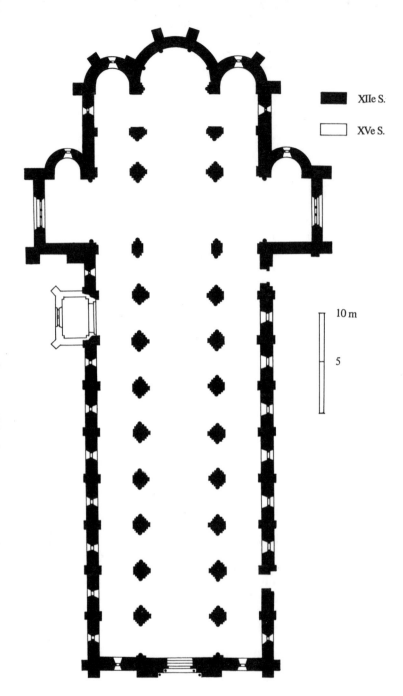

XIIe S.

XVe S.

10 m

5

BELLEVILLE-SUR-SAÔNE
(d'après Desjardins)

L'élévation de la nef est à double étage comme à Nantua, mais plus raffinée dans son traitement de détail (pl. 156). Les piles sont ici de section cruciforme, avec, engagées dans les faces Nord et Sud, des demi-colonnes qui reçoivent les grandes arcades en cintre brisé et à double rouleau ; la face regardant la nef est, elle, augmentée d'un pseudo-pilastre juxtaposant trois boudins accolés, auquel succède, au-dessus du bandeau séparatif des étages, une demi-colonne ; dans les huitième et neuvième travées, on le voit remplacé par un pilastre cannelé, qui surmonte pareillement une demi-colonne. Il ne semble pas qu'il puisse s'agir d'un repentir consécutif à quelque interruption de l'entreprise. On notera que ces supports reposent, sauf dans les deux premières travées où le dispositif a peut-être été enterré, sur ces socles circulaires dont l'usage est relativement fréquent dans le Rouergue et le Toulousain, mais dont c'est en Lyonnais l'unique exemple. Le second étage, souligné d'un bandeau mouluré, qui prolonge le tailloir des chapiteaux des arcs-doubleaux, est celui des fenêtres hautes, traitées avec soin ; en plein cintre, elles sont encadrées par des colonnettes à chapiteaux, logées dans les redents des piédroits. Une voûte d'ogives couvre la nef, tandis que, comme à Nantua, les bas-côtés restent voûtés d'arêtes ; les nervures, d'aspect primitif sauf de la sixième à la huitième travée où, comme on l'a dit, elles ont été reprises avant 1420, sont moulurées de trois tores accolés, tandis que les arcs-doubleaux sont, eux, de section orthogonale qu'encadrent deux boudins. Les branches diagonales reposent directement sur les dosserets rectangulaires des supports.

Aucun indice ne permet d'affirmer que ce dispositif avait été prévu dès le début de la construction, ou qu'au contraire, il répond à une modification du programme primitif. L'examen du transept seul, à l'extérieur comme à l'intérieur, pourrait livrer un élément de réponse ; il est lui-même voûté d'ogives, y compris la croisée où les ogives divergent d'une clé creuse permettant le passage des cordes de clocher éventuelles, artifice utilitaire qu'on est étonné de retrouver dans chacune des travées extrêmes des croisillons. A cette phase de la bâtisse, une grande incertitude paraît avoir régné parmi les constructeurs ; M. Vallery-Radot pense qu'ils avaient d'emblée prévu trois clochers, selon l'exemple de la basilique de Cluny III que cet archéologue allègue, comme il est de bon ton de le faire pour toute la Bourgogne du XIIe siècle et ses confins. Mais, même en ce cas, les soubassements, les assiettes et les silhouettes des tours eussent été fort différentes, et la réalité de la conception, telle qu'on la palpe pour ainsi dire du doigt, semble quant à elle tout autre. À l'extérieur en effet, l'on constate que la croisée, dont l'enveloppe externe fut édifiée avant le remplissage intérieur, est surmontée, à ses quatre angles, d'épis orthogonaux de maçonnerie qui ne peuvent être que les extrados des trompes d'une coupole octogonale, originellement prévue, et qu'aurait enveloppée la souche d'un clocher de même section, dont le soubassement existe pareillement au-dessus des enveloppes de trompes supposées.

Lorsque, à un moment qu'il est impossible de préciser davantage, on résolut d'uniformiser le voûtement du carré du transept avec celui, en cours, des autres parties, c'est-à-dire de substituer à la coupole une croisée d'ogives, on dut tout à la fois récuser l'illogisme, contraire à la rationalité essentielle de la construction romane et médiévale, d'asseoir sans intermédiaire un volume octogonal sur un soubassement de plan carré, et redouter le porte-à-faux structural qui en résulterait, en l'absence des trompes qui jouent très exactement, on le sait, le rôle d'atlantes portant sur leur dos arqué à dessein la charge d'un monde. Et, par-dessus la plaine et les monts, on en appela à la formule inaugurée à Aime, plus de cent cinquante années auparavant, de tours carrées rejetées aux extrémités des croisillons et laissant entre elles un vide béant. On renonça même aux cloisonnements du prototype, que ses émules de Saint-Chef et de Champagne avaient allégé déjà, mais auquel reviendrait à la fin du XIIᵉ siècle l'abbatiale de Caunes en Minervois (où la souche des tours a, il est vrai, fonction défensive). On dut considérer que les trois murs pleins des croisillons, pourvus simplement de quelques épaulements à leurs angles, offriraient à des tours de même plan des soubassements suffisamment solides, même si le passage du plan rectangulaire des travées à la section carrée des tours, extérieurement compensé par un talus, provoquait sur les reins des voûtes des soubassements un léger porte-à-faux. La charge supplémentaire n'était cependant pas considérable. Le très beau clocher Sud, seul conservé, a de fait ses deux étages copieusement ajourés sur chaque face (pl. 153) : l'inférieur par deux larges baies en plein cintre, le supérieur par deux paires de fenêtres jumelles sous archivoltes enveloppantes, qui en réduisent considérablement le poids et en affinent la figure; les chapiteaux des multiples colonnettes qui l'agrémentent portent déjà les deux rangs de crochets à la courbe puissante qui caractérisent les corbeilles de feuillages du début du XIIIᵉ siècle. L'indice chronologique vaut donc, également, pour le mode de voûtement de l'église dans son ensemble. Et telle quelle, avec sa correspondante disparue du Nord, cette tour et son mode d'assiette jouèrent certainement le rôle enviable de banc d'essai pour celles, plantées de même, mais à coup sûr postérieures, dont les architectes des cathédrales de Genève et de Lyon allaient bientôt coiffer les travées extrêmes de leurs transepts respectifs : ce n'est pas un titre dérisoire.

Les deux travées droites du chœur, bas-côtés y compris, offrent la même élévation et le même voûtement que la nef, à une différence près, mais qui est capitale. La seconde, en effet, reçoit son éclairage direct de deux grands oculi circulaires, autrement dit de rosaces dont un quadrilobe découpé garnit l'intérieur, et non pas, comme sa voisine et les suivantes, de fenêtres en plein cintre. Des rosaces plus grandes encore ajourent les murs de fond des croisillons, avec des remplages intérieurs rayonnants qui évoquent à s'y méprendre celle de la façade de l'église de Nantua : le rapprochement va loin, dans tous les sens du terme, puisque ces ouvrages sont les précurseurs directs des grandes roses, sertissant des vitraux éclatants, dont les architectes du classicisme gothique perceront à l'envi les pignons correspondants de leurs cathédrales. Une quatrième rosace, extérieurement ceinte, comme les précédentes, d'une mouluration plus complexe encore de billettes et de galons ondés ajoure le fronton de façade, au-dessus du portail en plein cintre profondément creusé dans un avant-corps. M. Vallery-Radot a fort justement remarqué que le dessin de son remplage «rappelait le réseau de la rose de La Bénisson-Dieu», dont les grands arcs entre-croisés à la façon normande divergent d'un quadrilobe central; cette abbatiale cistercienne de la plaine forézienne ayant été construite, avec sa voûte d'ogives d'origine, aux années 1180 environ, le repère chronologique est d'autant plus intéressant que la dernière travée de la nef était, là-bas, éclairée de même par de grands oculi. A cette innovation, le Lyonnais et les confins de la Savoie allaient faire d'ailleurs une part relativement belle, puisqu'on la retrouve, outre les édifices cités, en l'église d'Yenne où se mêlent, comme ici, les survivances romanes et la nouveauté gothique.

Les parentés peuvent d'ailleurs être élargies, puisque ce sont ces mêmes formes qui ajouraient le triforium de la cathédrale de Paris édifiée, quant au gros œuvre, de 1163 à 1200 environ. Tout à fait significatif, le rapprochement des dates incite à chercher plus loin encore le prototype possible, et à le trouver sans doute dans la fameuse «roue» monumentale du croisillon Nord de l'église Saint-Étienne de Beauvais, très romane encore d'allure et datée par Mme Prache de 1130 environ (Ile-de-France romane, p. 185), et dans celle, moins connue, de la façade de l'église de Gassicourt, qui doit être à peu d'années près contemporaine : sans oublier, d'une part, que l'architecture préromane n'a pas ignoré les ajours de forme circulaire; d'autre part, que les cisterciens eux-mêmes n'hésitèrent pas à en faire au XIIe siècle un usage large et varié dans leurs églises postérieures à Fontenay. Une émotion qu'on peut sans exagération qualifier d'intense saisit, non pas l'archéologue puisque aucun d'entre eux n'a, apparemment, remarqué le rapprochement, mais le pèlerin imaginatif et ingénu lorsqu'il constate que ce dessin est presque exactement celui des roses percées dans les murs de fond des croisillons du transept de la cathédrale de Genève (chargés de deux grosses tours carrées!), et davantage encore lorsqu'il se rappelle que la rosace haute tout à fait semblable de la tour du Midi, œuvre du maître faucignerand Jacques Rossel, fut à la lettre démarquée par ce dernier, constructeur en 1535, l'année même de la Réforme, de la façade de l'église des Franciscains d'Annecy (1535), qui allait devenir la cathédrale du nouveau diocèse sous le même vocable que l'ancienne. On voit quelles perspectives sans fin peut ouvrir l'analyse même brève («selon les exigences de la collection»!) d'une église qui, dans son apparence modeste et dénuée d'apprêts ostensibles, ne prétendait pas à de pareils honneurs.

Pour en finir avec ces descriptions quelque peu décousues, l'on se bornera à regrouper à la suite quelques glanes qui vont parfaire les touches d'un portrait fatalement composite :

1) L'exhaussement de l'abside et son voûtement d'ogives ont laissé subsister le soubassement roman de l'église consacrée en 1179, les architectes se contentant alors d'obturer les trois baies en plein cintre qui l'éclairaient et l'ensevelissant dans la pénombre. Ces fenêtres sont encadrées par une arcature reposant sur un bahut et constituée de cinq arcs à mouluration torique retombant sur des pilastres orthogonaux (pl. 157). Les chapiteaux couronnant les supports sont sculptés, soit de feuillages variés, soit de médaillons contenant des sujets anthropomorphes, mais les pilastres eux-mêmes sont sculptés systématiquement, sur leurs faces antérieures, d'ornements d'une grande diversité, imbrications, losanges des pointes desquels pendent des fruits, décors mi-partis d'entrelacs et de disques entrelacés, rinceaux. Là s'accomplit, mais en s'atrophiant de façon saisissante, l'expérience obstinément poursuivie de l'abside d'Ainay à celles des églises de la Dombes,

beaucoup plus qu'aux absides brionnaises, dont deux seulement, ainsi qu'on l'a remarqué, portent sur des pilastres sculptés.

2) Le tassement des volumes extérieurs (pl. 153) ne saurait être interprété comme une maladresse ou un défaut d'audace constructive, mais bien davantage comme une accommodation de l'édifice religieux aux structures humaines environnantes qui, jusqu'à l'avènement du béton, n'avaient cessé du Bas-Beaujolais à la Dombes, et même au Bugey rocheux, de défiler à ras de terre ; et, surtout, à la dilatation sans fin de ces espaces horizontaux sur les carrefours desquels se forme la puissance effrénée du mistral et dont les parcours secrets engendrent, à tout prendre, une spiritualité alternée de confidence et d'appel antinomique de celle que sécréteraient ces fameux chemins de pèlerinage tapageusement exploités de nos jours, mais non moindre en qualité pour peu que leur «initié» sache rester humble. En constatant, une fois de plus, la rupture d'échelle qu'introduit le chevet surélevé dans ce jeu des lignes de fuite et des rondeurs, on devra secondairement apprécier la part qu'y prend l'appareil lui-même, fait de petits moellons de calcaire extrêmement colorés, de l'ocre à la pourpre, et taillés régulièrement, mais dont, en les regardant avec attention, l'on remarque que leur face visible est souvent bombée, et que le retrait systématique des joints, les laissant en saillie, suscite sous le soleil déjà méridional de ce pied de mont un papillotement de myriades de paillettes qui va quelquefois jusqu'à l'incandescence.

3) Il faut dire tout de même un mot des apports sculptés, qui sont d'ailleurs beaucoup plus discrets qu'on aurait pu s'y attendre dans une église de cette importance, au contact des foyers brionnais et à quelques foulées de marche de l'autel d'Avenas. Outre la composition synthétique de l'abside, qui est de la meilleure venue, ils se résument aux chapiteaux des différents membres et niveaux, aux petites consoles reliant les deux modes d'élévation des supports engagés, et aux portails non historiés. «La collection des chapiteaux romans conservés à l'intérieur de l'église» est qualifiée par M. Vallery-Radot de «considérable», mais il faut reconnaître qu'aucun d'entre eux, la plupart du temps décorés de feuillages en assez fort relief, n'émerge réellement du lot. Quant aux rares figurations humaines, M. Vallery-Radot les considère comme «des magots informes», qui s'apparentent à ceux de la nef de l'église brionnaise de Semur ou du chœur de celle de Curbigny, expressions très significatives de la dégénérescence de la sculpture romane tardive en Bourgogne méridionale, comme épuisée de son extraordinaire richesse.

Les consoles sculptées à mi-hauteur des piles, ont reçu quant à elles «un décor varié presque caricatural», mais d'un pittoresque incontestable, qui fait un peu penser aux modillons des corniches des églises brionnaises, Anzy-le-Duc ou Iguerande. M. Vallery-Radot y détaille «des masques (pl. 154), des quadrupèdes, une tête de monstre dévorant une figurine humaine (pl. 155), un acrobate se tenant sur les mains, la tête en bas», le vieux thème des deux oiseaux s'abreuvant dans un calice (cf. le chapiteau plus précoce de Buellas en Dombes), «un masque dont la langue est traversée d'un couteau» (*ibidem*, p. 355) : toutes images d'un niveau spirituel plus que moyen. Aucun des trois portails, enfin, n'est historié. Celui de la façade est circonscrit par quatre voussures diversement et richement moulurées, qui retombent sur des colonnes surmontées de chapiteaux de feuillages à fortes volutes, avec parfois, des masques grotesques passant par leur travers ; les bases, enfouies par l'exhaussement du sol, ne sont plus visibles, et il n'y a pas de tympan. La corniche de l'avant-corps taluté dans lequel s'inscrit la porte est «supportée par des modillons que décorent des masques, des têtes d'animaux, des pommes de pin, etc.» (J. Vallery-Radot), dans le style à la fois massif et simplifié qui convient à ce genre d'ornements.

Les deux portails secondaires creusés au Sud, dans les collatéraux de la deuxième, puis de la neuvième travée, méritent plus d'attention. Ils sont presque calqués l'un sur l'autre : voussure unique moulurée d'un tore et circonscrite par une archivolte enveloppante, retombées sur deux colonnes torsadées ou décorées d'imbrications, tympans faiblement sculptés de quadrilobes dont les pointes s'épanouissent en larges fleurons. Ce motif s'inspire visiblement, sauves quelques nuances de détail, de celui qui décore le tympan de la porte ménagée dans la dernière travée du bas-côté septentrional de la collégiale de Semur-en-Brionnais. L'imitation n'est pas servile, mais traduit l'essoufflement des deux répliques par rapport à leur modèle commun, dont l'architecture est beaucoup plus ferme. La voussure interne, mi-torsadée, mi-torique, y est en effet circonscrite par une autre, large et plate, que parent successivement des oves enrubannés et un damier, et qui retombe sur deux pilastres délicatement ouvragés. D'un bord à l'autre du portail, un bandeau fleuronné sert à la fois de tailloir aux chapiteaux des pilastres et des colonnes nues qui supportent la première voussure, et d'appui au tympan. Cette ferme armature manque à Belleville, où le tympan de la porte de la deuxième travée est souligné d'une bordure de losanges dans chacun desquels est inséré un fruit ; et les deux linteaux sont nus. Les chapiteaux qui surmontent les colonnes sont originaux : feuillages compliqués et noués, tels que la phase baroquisée de la sculpture romane déclinante en a tant produits, quadruple rangée de feuilles que divisent des rainures profondes, et même, sur le chapiteau de droite de la porte de la deuxième travée, curieux personnage-sirène qui, de ses deux bras écartés, tient sa queue d'écailles dédoublée (pl. 152).

Et pour en finir avec le traitement des extérieurs, on ne manquera pas d'apprécier la qualité des absides romanes, dont l'élévation est scandée de cordons ornementaux judicieusement disposés : un bandeau inférieur à hauteur d'appui, une archivolte d'encadrement des fenêtres, une corniche supérieure. Sans qu'il soit nécessaire d'invoquer des interruptions de chantier, et peut-être à seule fin d'éviter toute monotonie, la mouluration en est diverse : rangées de billettes au Nord, moulures arrondies à l'abside principale et à l'absidiole tangente du Midi, retour des billettes à l'archivolte enveloppante et au bandeau inférieur de l'absidiole du croisillon méridional. La sécheresse de volume et la rupture d'échelle du surhaussement gothique en apparaissent d'autant plus éclatantes.

Fondation des seigneurs de Beaujeu, soucieux de désenclaver leur seigneurie montagnarde et de la rapprocher des grands courants du trafic, Belleville est bâtie sur un plan de cercle parfait. Sur son centre se croisent selon les axes des quatre points cardinaux les chemins qui divergent sur Lyon, Mâcon, les «alpes du granit», et le «port» sur la Saône d'où un éventail d'autres chemins cingle sur Trévoux et Pérouges, sur Châtillon, Saint-Paul-de-Varax et Bourg, sur Pont-de-Veyle. Le cercle est selon Pythagore «la plus belle des figures planes» (*Lexique des symboles,* p. 132), et sur le centre de la croix, qui est aussi son centre, «repose l'ordre et se rassemble l'énergie qui résiste aux forces centrifuges» (*Zillis,* Zodiaque, p. 106). A l'angle Sud-Est du grand carrefour, l'église abbatiale est, en cette fin du XIIᵉ siècle, édifiée sur un plan d'essence et de signification encore préromanes; par-delà Cluny qui l'a fort peu affectée, son élévation conserve le double étagement d'Anzy-le-Duc, de Vézelay, des premières églises de l'ordre de Cîteaux, dont elle a, comme Saint-Paul de Lyon ou l'abbatiale de Saint-Marcel-lès-Chalon, le voûtement d'arêtes sur les bas-côtés, d'ogives sur la nef centrale et le chœur. Son arcature absidale est, on l'a dit, de type lyonnais et dombiste; sa sculpture ornementale, inégale en qualité, dénote à tout le moins une fertilité d'invention stupéfiante, avec, même, un clin d'œil aux vieux thèmes paléochrétiens! A l'extérieur, sa pierre calcaire, rougie plus qu'obscurcie par la patine, résume la joyeuse couleur des coteaux viticoles, et la marque gothique du chœur, expression d'un destin politique hors de pair, complète et parachève d'une certaine manière l'appel à l'expérience du premier art roman que traduit le transept aux deux tours. Était-il inopportun de conclure sur un pareil foisonnement d'influences et de signes le pari archéologique démesuré, sinon saugrenu, qu'on annonçait aux premières pages du présent aperçu? On s'était un moment demandé s'il dépasserait jamais les dimensions d'un simple article, avec pour ambition de prendre date, et l'on s'aperçoit qu'à près de 000 pages et de 157 illustrations, la matière est loin d'être épuisée. Pour que la gageure fût tenue, l'on se satisferait que ce qui a pu être dit persuadât le lecteur de bonne foi que le grand quadrilatère lyonnais-savoisien ne fut aucunement, à l'époque romane, réduit à quelque fonction passive de «sas» intermédiaire et hybride, mais qu'il fut, contre vents et marées et durant ces deux siècles tourmentés, par sautes et rebondissements imprévus, le siège actif d'entreprises constructives capables de conjurer et superposer dans un étonnant symbole les deux puissances complémentaires dont les roches et les limons de ce pays, intraduisible en termes ordinaires, ont été labourés. Force du fleuve-dieu aux fougues imprévisibles, éternité lente et majestueuse de sa mère et modératrice la sage Saône aux aspects changeants d'heure en heure : ainsi ces deux courants vitaux convergent-ils l'un vers l'autre, comme mus par un instinct irrésistible, à travers le large couloir surveillé entre France et Empire par le double alignement des nids d'aigle et semé d'eaux, dormantes seulement d'apparence, où plongent les oiseaux du monde pour des rencontres furtives qu'il n'est pas donné aux hommes de connaître.

14 août 1989
2 février 1990

CE VOLUME
SOIXANTE-TREIZIÈME DE LA COLLEC-
TION "la nuit des temps"

CONSTITUE
LE NUMÉRO SPÉCIAL DE VACANCES
POUR L'ANNÉE DE GRACE 1990 DE
LA REVUE D'ART TRIMESTRIELLE
"ZODIAQUE", CAHIERS DE L'ATELIER
DU CŒUR-MEURTRY, ÉDITÉE A L'ABBAYE
SAINTE-MARIE DE LA PIERRE-QUI-VIRE
(YONNE).

TOUS DROITS RÉSERVÉS

LES PHOTOS
TANT EN NOIR QU'EN COULEURS SONT DE
ZODIAQUE.

LES CARTES
ET PLANS ONT ÉTÉ DESSINÉS PAR DOM
NOËL DENEY A PARTIR DES DOCUMENTS
FOURNIS PAR L'AUTEUR.

COMPOSITION
ET IMPRESSION DU TEXTE PAR LES ATE-
LIERS DE LA PIERRE-QUI-VIRE (YONNE).
PHOTOCOMPOSITION LASER PAR L'AB-
BAYE N.-D. DE MELLERAY (C.C.S.O.M.,
LOIRE-ATLANTIQUE). PLANCHES HÉLIO
PAR HAUTES-VOSGES IMPRESSIONS A
SAINT-DIÉ. PLANCHES COULEURS ET
JAQUETTE (CLICHÉS L. ET D. SCANN A
NANCY) PAR LES IMPRIMERIES ROYER
A FLÉVILLE (MEURTHE-ET-MOSELLE).

RELIURE
PAR LA NOUVELLE RELIURE INDUS-
TRIELLE A AUXERRE. MAQUETTE DE L'ATE-
LIER DU CŒUR-MEURTRY, ATELIER MO-
NASTIQUE DE L'ABBAYE SAINTE-MARIE DE
LA PIERRE-QUI-VIRE (YONNE).

ISSN 0768-0937
ISBN 2-7369-0177-0

Directeur-Gérant : José Surchamp   Dépôt légal : 1432-5-90

la nuit des temps 73